Leni kommt nach Hamburg, um dort ein Praktikum zu machen. Über eine Zimmervermittlung mietet sie sich in einer Villa am Kanal ein. Schnell freundet sie sich mit ihrer Zimmernachbarin an – aber die ist am nächsten Morgen spurlos verschwunden. Weil ihr das merkwürdig vorkommt, sucht sie nach ihr.

Freddy Förster, früher erfolgreicher Geschäftsmann, ist inzwischen auf der Straße gelandet. Zufällig beobachtet er, wie jemand einen Mann am Steuer seines Autos erschießt. Um nicht zum nächsten Opfer zu werden, sucht er den Mörder.

Bis er auf Leni trifft, die das Verschwinden ihrer neuen Freundin nicht hinnehmen will. Bald begreifen die beiden, dass ihre beiden Fälle mehr miteinander zu tun haben, als ihnen lieb ist – und dass sie in großer Gefahr schweben …

Andreas Winkelmann, geboren 1968 in Niedersachsen, ist verheiratet und hat eine Tochter. Er lebt mit seiner Familie in einem einsamen Haus am Waldrand nahe Bremen. Wenn er nicht gerade in menschliche Abgründe abtaucht, überquert er zu Fuß die Alpen, steigt dort auf die höchsten Berge oder fischt und jagt mit Pfeil und Bogen in der Wildnis Kanadas.

«Andreas Winkelmann treibt die Handlung
mit einer Konsequenz voran, die man sonst nur
von angelsächsischen Thrillern gewohnt ist.» *Die Welt*

ANDREAS
WINKELMANN

DAS
HAUS
DER
MÄDCHEN

THRILLER

ROWOHLT
TASCHENBUCH
VERLAG

6. Auflage August 2018

Originalausgabe
Veröffentlicht im Rowohlt Taschenbuch Verlag,
Reinbek bei Hamburg, Juli 2018
Copyright © 2018 by Rowohlt Verlag GmbH,
Reinbek bei Hamburg
Umschlaggestaltung Hafen Werbeagentur, Hamburg
Umschlagabbildung esemelwe;duncan1890/
Getty Images, shutterstock, textures.com
Typografie Farnschläder & Mahlstedt, Hamburg
Satz aus der Aldus LT Std
Druck und Bindung CPI books GmbH, Leck, Germany
ISBN 978 3 499 27516 6

Für meinen Freund Markus Knüfken.
Ein Abenteurer wie ich.

Alle Personen dieser Geschichte sind frei erfunden, jegliche Übereinstimmung mit der Realität ist unbeabsichtigt. Einige Orte, wie die Kanäle und die Straße Eilenau in Hamburg, gibt es aber wirklich. Nicht jedoch das Haus mit der Nummer 39b, auch das ist frei erfunden. Aber es könnte ein solches Haus geben – denken Sie immer daran, wenn Sie Ihren Urlaub planen!

KAPITEL 1

1.

Der Mann am Straßenrand erinnerte Oliver an einen Untoten. Groß und vogelscheuchendürr, schlich er gebückt durch den feinen Nieselregen, die Schultern nach vorn gebeugt, das Kinn auf der Brust. Seine Arme schlenkerten hin und her, als habe er keine Kontrolle über sie, er torkelte auf steifen Beinen von einer Seite des Gehsteiges zur anderen. Die Straßenlaternen übergossen ihn mit schmutzig fahlem Licht. Sein langer Mantel reichte ihm bis in die Kniekehlen, die losen Enden des Gürtels wehten hinter seinem Rücken wie zwei zusätzliche Arme.

Eine Nachtgestalt, wie es sie viele gab in der Stadt, ein obdachloser Streuner auf der Suche nach einem Lager. Vielleicht hatte ihn jemand fortgejagt von dem Platz, an dem er es sich für die Nacht bequem gemacht hatte. Das Leben auf der Straße war gefährlich. Erst vor zwei Wochen war ein Landstreicher im Stadtpark von Unbekannten angezündet worden. Mit schwersten Brandverletzungen war er in die Notaufnahme gekommen, wo Oliver ihn im Vorbeigehen gesehen hatte. Ein Klumpen Fleisch, mit der Kleidung verschmolzene schwarze Krusten, hie und da nässende rote Inseln. Nur Beine und Füße waren unversehrt geblieben, und der sportlich-fröhliche Nike-Schriftzug auf den verdreckten neongelben Laufschuhen hatte sich Oliver tief ins Gedächtnis eingebrannt. In dem Moment war er froh gewesen, als Krankenpfleger auf Station zu arbeiten und nicht in der Notaufnahme. Zwar bekam er auch dort Schlimmes zu sehen, hatte aber deutlich mehr Zeit, sich darauf einzustellen.

Der Untote auf dem Gehweg torkelte gegen einen Laternenpfahl, hielt sich einen Moment daran fest, stieß sich ab und driftete zur Fahrbahn hin. Falls er stürzte, würde Oliver ihm helfen müssen. Wegsehen und weiterfahren verbot ihm die Berufsehre, aber mitten in der Nacht seinen Wagen zu verlassen, um einem offensichtlich unter Alkoholeinfluss stehenden Mann zu helfen, ängstigte ihn.

Der Fremde erreichte eine Bahnunterführung, tauchte in die Dunkelheit darunter ein, und als er auf der anderen Seite in den orangefarbenen Lichtschein der Bogenlampe geriet, drehte der Mann sich plötzlich um, hob die Hand und deutete mit ausgestrecktem Zeigefinger auf Oliver, so als wolle er ihn wissenlassen, dass er ihn sehr wohl bemerkt hatte.

Olivers Herz setzte einen Schlag aus. Sein Fuß senkte sich automatisch aufs Gaspedal. Der alte Corsa hoppelte, wollte absaufen, überlegte es sich im letzten Moment anders und machte einen Satz nach vorn. Er schoss an dem Mann vorbei. Im Rückspiegel sah Oliver ihn winken.

In einiger Entfernung leuchtete eine Ampel rot. Oliver nahm den Fuß vom Gas und ließ den Wagen ausrollen. Mit einem Blick in den Rückspiegel überzeugte er sich davon, dass der Zombie ihm nicht folgte.

An der Ampel wartete bereits ein alter weißer Fiat-Kastenwagen. Nieselregen zog durch das Streulicht seiner Bremsleuchten. Aus dem verrosteten Auspuffrohr tuckerten in Stößen dunkle Abgase, so als habe der Wagen starken Husten.

Sicher einer dieser Zeitungsverteiler, die jede Nacht unterwegs waren, um an bestimmten Stellen zusammengeschnürte

Pakete zu deponieren, von denen sich die Verteiler bedienten. Dann bemerkte Oliver das polnische Kennzeichen. Vielleicht waren es doch eher Wanderarbeiter auf dem Weg zu einer der zahllosen Baustellen in der Stadt.

Zwei Dinge geschahen gleichzeitig.

Die Ampel schaltete auf Gelb, und hinter der schmutzigen Heckscheibe in der rechten Tür des Kastenwagens tauchte eine Hand auf, klatschte gegen das Glas und rutschte daran herunter. Die weit gespreizten Finger hinterließen eine blutige Spur.

Das Ganze dauerte nur so lange, wie die Ampel brauchte, um auf Grün zu springen, und während Oliver wie erstarrt hinter dem Steuer saß, zog der Kastenwagen davon, eine schwarze Abgaswolke hinter sich herziehend.

Oliver fuhr nicht weiter. Er atmete auch nicht, bis die Ampel über Gelb wieder auf Rot schaltete. Das Signallicht riss ihn aus der Schockstarre, und er fragte sich, ob er das gerade wirklich gesehen hatte. Eine blutige Hand im Innenraum des alten Kastenwagens?

Das konnte nicht sein! Er war übermüdet und verwirrt, wahrscheinlich wurde er krank, seine Sinne spielten ihm Streiche, so wie eben mit dem Zombie.

Als die Ampel wieder auf Grün sprang, gab er Gas, drückte richtig auf die Tube, der altersschwache Motor des Corsa heulte auf, als er bis in den Vierten hochschaltete. Hinter der abknickenden Vorfahrt einer scharfen Rechtskurve entdeckte er den weißen Kastenwagen, bevor der nach links in eine Seitenstraße einbog. Oliver setzte ordnungsgemäß den Blinker und folgte ihm.

Erkältung und Müdigkeit hin oder her, Oliver glaubte nicht daran, sich getäuscht zu haben. Dafür war das Bild vor seinem inneren Auge zu real. Die verkrümmten Finger, das Handgelenk mit diesen bunten Freundschaftsbändern, die blutigen Streifen an der schmutzigen Scheibe.

Die Straße führte in ein Industriegebiet, das sich bis zum Hafen hin erstreckte. Hier fuhr Oliver nie entlang, auch wenn es auf der Strecke zu seiner Wohnung eine Abkürzung gewesen wäre. Die Gegend war ihm unheimlich. Zu viele dunkle Ecken, zu viele verfallene Hallen, verrostete Schienenstränge und fensterlose Häuserfassaden.

Schnell holte er den Kastenwagen ein und sah schon von weitem den blutigen Handabdruck an der Scheibe.

Oliver zog sein Handy hervor, um während der Fahrt ein Foto zu schießen, auf dem sowohl der Handabdruck als auch das polnische Kennzeichen zu erkennen waren. Dafür musste er dicht auffahren. Als plötzlich die Bremsleuchten des Kastenwagens aufleuchteten, stieg Oliver voller Schreck auf die Bremse. Der Corsa bockte und brach nach rechts aus. Oliver packte mit beiden Händen das Lenkrad, das Handy fiel in den Fußraum, der Straßenrand mit der schroff aufragenden Mauer kam rasend schnell näher. Oliver schrie, kurbelte am Lenkrad, der Corsa änderte die Richtung, rammte ein paar Meter weiter ein Straßenschild, soff ab und blieb stehen. Das Schild kippte mit der Kante auf die Windschutzscheibe, blitzartig breitete sich darauf ein Riss aus.

Mit weit aufgerissenen Augen saß Oliver da.

Stille.

Tiefe, eindringliche Stille.

An der rechten Straßenseite stand eine alte Tankstelle ohne Tanksäulen, in der sich eine Werkstatt für Autoglas befand. *Sprung im Glas, wir machen das,* hieß es auf einer Werbetafel vorn am Überdach.

Sekunden vergingen, die sich wie Minuten anfühlten. Oliver

presste sein Gesicht gegen das Lenkrad, griff zwischen seinen Beinen hindurch nach hinten, tastete nach seinem Handy und fand es unter dem Sitz. Mit den Fingerspitzen versuchte er, es zu sich herzuziehen, ohne dabei die Straße aus den Augen zu verlieren.

In einiger Entfernung tauchten aus der Richtung, in der der Kastenwagen verschwunden war, Scheinwerfer auf. Mattgelbes Licht, wie es die alten Fahrzeuge noch hatten. Kein Xenon, kein Neon – eher eine Kerze hinter Glas.

«Komm schon, komm schon.» Oliver geriet ins Schwitzen, bekam die glatte gläserne Kante des Handys aber nicht richtig zu fassen.

Die Scheinwerfer kamen näher und näher, hielten unaufhaltsam auf ihn zu.

In Panik verriegelte Olli die Türen. Sein Herz raste, und sein Atem kondensierte an der Seitenscheibe.

In weniger als zwei Metern Entfernung rollte der weiße Kastenwagen langsam an ihm vorbei. Wegen der beschlagenen Scheibe war es Oliver nicht möglich, Details zu erkennen. Was er sah, war der helle Fleck eines Gesichts mit den Augen darin, die zu ihm herüberstarrten. Täuschte er sich, oder leuchteten sie wirklich rot?

Oliver verdrehte seinen Hals, um dem Wagen hinterherschauen zu können. Plötzlich flammten die Bremsleuchten auf, und der Fiat wendete auf der Fahrbahn.

«Nein, nein, nein!», rief Oliver und tastete wie von Sinnen nach seinem Handy.

Die gelblichen Scheinwerfer tauchten im Rückspiegel des Corsa auf.

Oliver wusste, er musste hier weg. Seine einzige Chance lag in der Flucht. Allerdings stand sein Wagen noch immer mit der

Schnauze an dem gekippten Verkehrsschild. Zurück konnte er nicht, weil hinter ihm der Kastenwagen heranrollte. Er saß in der Falle!

Die Scheinwerfer blendeten auf. Helles Licht flutete den Innenraum des kleinen Corsa. Endlich konnte Olli mit den Fingerspitzen sein Handy berühren, war aber zu hektisch und stieß es nur noch weiter unter den Sitz.

Im selben Moment flog die Fahrertür des Fiat auf.

Eine Gestalt im schwarzen Regenmantel stieg aus und tauchte an der Seitenscheibe des Corsa auf. Sie klopfte gegen das Glas. Nur leicht, ohne Nachdruck, so als sei dies ein Vorschlag und kein Befehl.

Oliver war vor Angst wie gelähmt. Selbst wenn er gewollt hätte, hätte er sich nicht bewegen können. In diesem Moment hasste er sich dafür, nicht mutiger zu sein.

Die Hand klopfte noch einmal, jetzt fordernder. Dann machte sie ein eindeutiges Zeichen: Er solle die Scheibe herunterkurbeln.

Obwohl eine Stimme in seinem Kopf schrie, es nicht zu tun, überwand Oliver seine Lähmung, erfasste die Kurbel und ließ die Scheibe ein paar Zentimeter herunter.

«Alles in Ordnung?», fragte der Fremde.

«Ja ... danke, ich ...»

«Brauchen Sie Hilfe?»

«Nein ... ich ... es geht schon, die Polizei müsste jeden Augenblick hier eintreffen.»

Oliver wusste nicht, warum er das sagte, es kam einfach so aus ihm heraus.

Einen Augenblick lang sagte der Fremde nichts, und Oliver gab sich schon der Hoffnung hin, die Warnung hätte Wirkung gezeigt.

«Steig aus», befahl der Mann ruhig, fast schon sachlich und mit einer Eiseskälte, wie Oliver sie noch nie gehört hatte. Das Fünkchen Hoffnung erlosch.

Oliver schüttelte den Kopf und kurbelte die Scheibe wieder hoch. Durch den von den Gummilippen freigewischten Spalt sah er, wie der Mann eine Waffe aus dem Hosenbund zog und den Lauf auf das Fenster richtete.

Er schoss, ohne zu zögern.

Das Fenster zerbarst, und Oliver spürte etwas heiß in seine linke Schulter eindringen. Der Schmerz war nicht so schlimm, aber sein Arm war von einer Sekunde auf die andere gelähmt. Warmes Blut lief seinen Rücken hinab. Die Kugel war glatt durch seine Schulter hindurchgegangen.

Mit dem Griff der Waffe schlug der Mann das restliche Glas heraus. Oliver schrie, strampelte mit den Füßen und lehnte sich halb auf den Beifahrersitz hinüber. Der Fremde zog den Verriegelungsknopf an der Tür hoch und öffnete sie.

Dann hob er die Waffe, und Olli blickte in das kleine schwarze Mündungsloch.

Er riss die rechte Hand hoch und hielt sie schützend vor sein Gesicht.

«Bitte … bitte nicht … ich hab doch gar nichts geseh…»

Die Kugel durchschlug seine Hand und drang in seinen Kopf ein.

2.

Ihr Zug erreichte den Hamburger Hauptbahnhof mit zweistündiger Verspätung. In der großen Halle roch es nach Abgasen und zerriebenem Metall. Leni zog den schweren Rollkoffer über den Bahnsteig hinter sich her und spürte, wie sich Müdigkeit und Stress hinter den Schläfen durch ein unangenehmes Pochen bemerkbar machten. In den Bahnhofshallen war einiges los. Die Menschen irrten scheinbar hektisch und ziellos umher, jeder ganz bei sich selbst und ohne Rücksicht auf andere. Durch ständiges Ausweichen versuchte Leni Zusammenstöße zu verhindern. Niemand achtete auf sie. Die Leute schauten auf ihre Handys, Reisepläne, zur Seite, auf ihre Füße oder stur geradeaus. Nur keinen Blickkontakt aufnehmen. Als sie den Ausgang erreichte, war Leni sogar noch genervter, dabei hatte sie schon geglaubt, diese Chaoszugfahrt sei nicht zu toppen. Eines stand fest: Bahnfahren war nicht ihr Ding und würde es auch niemals werden. Sie tat es, weil sie kein Auto besaß und dazu gezwungen war, denn beim Busfahren wurde ihr schlecht. Wenn sie erst einmal genug Geld verdiente, würde sie sich als Allererstes einen vernünftigen Wagen zulegen, mit dem sie fahren konnte, wann und wohin sie wollte. Und zwar ohne Kontakt zu anderen Menschen.

Bis dahin war es aber noch ein langer Weg, das wusste sie. Immerhin war dieses Praktikum beim Verlag ein wichtiger Schritt zum Ziel – auch wenn es erst einmal kein Gehalt gab, sondern nur eine Art Aufwandsentschädigung.

Sehnsüchtig sah Leni zu der Reihe wartender Taxis hinüber.

Die Adresse, unter der sie über die Online-Zimmervermittlung BedtoBed.com – einen neuen und wesentlich kleineren Konkurrenten von AirBnB – ein Zimmer für die nächsten drei Wochen gemietet hatte, lag vom Bahnhof drei Kilometer entfernt.

Sie schaute zum Nachthimmel hinauf. Wenigstens war es trocken und für diese Zeit sogar noch warm.

Die Kleidung klebte nach sieben Stunden im ICE, in dem die Klimaanlage ausgefallen war, an ihrem Körper, sie fühlte sich schmutzig und unwohl und sehnte sich nach einer Dusche. Nach einem Bett. Nach so etwas wie einem Zuhause, in dem sie für sich sein konnte. Unter Menschen zu sein stresste Leni, das war schon immer so gewesen. Vielleicht liebte sie Bücher deshalb so sehr. In Geschichten konnte man Menschen kennenlernen, ohne ihnen persönlich begegnen zu müssen. Man hatte Zeit, nachzudenken, sich ein Bild zu machen, abzuwägen – alles, was in der schnellen Welt von heute fehlte. Bücher waren für Leni die bessere Realität, denn sie sorgten für den richtigen Abstand.

In einem weiten Bogen zog sie an den wartenden Taxis vorbei und warf aus den Augenwinkeln neidische Blicke zu anderen Reisenden hinüber, die sich eines leisten konnten. Jemanden zu fragen, ob sie mitfahren dürfe, war keine Option für sie. Das fiel in die gleiche Kategorie, wie per Anhalter zu fahren. Viel zu gefährlich! Außerdem lag es ihr nicht, Fremde anzusprechen und um Hilfe zu bitten.

Drei Kilometer waren schließlich noch zu bewältigen.

Da es ihr erster Besuch in Hamburg war und sie sich überhaupt nicht auskannte, nutzte sie zum Navigieren ihr Handy. Aber auch das war nicht so einfach, wenigstens nicht für Leni. Sie kannte sich nicht besonders gut mit diesen ganzen Apps aus.

Sie lief und lief. Hievte den schweren Koffer über Bordsteine, umkurvte Schlaglöcher, suchte Schilder mit Straßennamen, glich die Karte auf dem Display mit der Realität ab, die irgendwie anders aussah, ging in falsche Richtungen und wieder zurück. Vor einer besonders hohen Kante blieb eine der beiden Rollen des Koffers zwischen den Metallstreben eines Kanaldeckels hängen. Leni riss und zog, die Rolle brach ab und blieb im Kanaldeckel stecken.

«Ach, komm schon, bitte nicht», flehte sie und spürte Verzweiflung aufsteigen.

Sie versuchte, die Rolle zu befreien, um sie vielleicht irgendwie wieder am Koffer anzubringen, konnte sie aber nicht zwischen den Streben herauslösen. Zu allem Überfluss vertrieb ein laut hupender Bus sie von der Straße. Leni gab auf und ging weiter. Mit Schlagseite eierte der schwere Koffer über den Asphalt kratzend hinter ihr her.

Nach mehr als einer Stunde Fußmarsch erreichte sie die Straße, in der ihr Domizil für die nächsten drei Wochen lag.

Die Eilenau.

Zu behaupten, sie sei fix und fertig, traf es nicht wirklich. Leni fühlte sich mehr tot als lebendig, sie stank so sehr nach Schweiß, dass sie sich selbst riechen konnte, ihre Füße brannten, und ihre Knie taten weh. Sie wusste, mit sechsundzwanzig sollte man sich nach einem Fußmarsch nicht wie ein alter Mensch fühlen, man sollte fitter sein und so etwas leicht wegstecken. Aber sie war eben nicht fit. Wer in diesem Alter schon dreitausend Bücher gelesen hatte, kam nicht dazu, auch noch ins Fitness-Studio zu gehen. Und selbst wenn – Leni hatte daran kein Interesse.

Sie stützte sich an einem Poller ab, der unbefugtes Parken verhinderte, atmete tief ein und aus und betrachtete ihre Umgebung. Auf der rechten Seite der Straße verlief ein Kanal. Die Wasseroberfläche lag vier Meter tiefer als die Straße, war vielleicht sechs, sieben Meter breit und so glatt wie Fensterglas. Mächtige Weiden wuchsen auf dieser Seite des Kanals, ihre langgliedrigen Äste hingen bis ins Wasser, und in ihrem Laub schimmerte das orangefarbene Licht der Straßenlaternen. Am Ufer lagen Hausboote vertäut. Sechs Stück zählte Leni, die so etwas noch nie gesehen hatte. Es waren flache Boote mit modernen Aufbauten aus Metall und Holz. In einem von ihnen brannte Licht hinter weißen Vorhängen, in einem anderen flackerte ein Fernseher. Das sah gemütlich aus, wie ein Zuhause, eine Zuflucht in der Natur mitten in der Stadt. Aber Leni hatte Angst vor Wasser; sie hätte sich nie in ein solches Hausboot gewagt.

Auf brennenden Füßen ging sie weiter und achtete auf die Hausnummern. Alte, stuckverzierte Kaufmannsvillen standen hier neben gesichtslosen Bauten aus den siebziger Jahren. Ungefähr in der Mitte der Eilenau fand Leni Haus Nummer 39b.

Ein imposanter Bau!

Fünf Stockwerke hoch, Stuck an der vorderen Fassade sowie eine Einfahrt zur Tiefgarage. Das Haus sah weder besonders gepflegt noch ungepflegt aus, so als kümmerten sich nicht die Besitzer der Wohnungen darum, sondern irgendwelche Dienstleister. Das große, üppig begrünte Grundstück war von der Straße durch eine Mauer mit eingelassenen, schmiedeeisernen Elementen getrennt. Nach oben hin spitz zulaufende Metallstangen vermittelten einen wehrhaften, abweisenden Eindruck.

Alles in allem ganz in Ordnung, dachte Leni. Es lag kein Müll vor der Tür, und es lungerten keine Junkies herum.

Sie wollte eben zwischen zwei geparkten Autos hervortreten und die Straße überqueren, da schoss von links ein flacher silberner Sportwagen mit schwarzem Cabriodach heran. Der Motor klang hart und trocken, im Inneren wummerten Bässe. Leni kannte sich mit Autos nicht besonders gut aus, hielt den Wagen aber für einen Porsche.

Mit quietschenden Reifen stoppte er genau vor Nummer 39b.

Leni zog den einen Fuß, den sie bereits auf die Straße gesetzt hatte, wieder zurück und verbarg sich zwischen den geparkten Autos.

Die Beifahrertür sprang auf, ein Schwall lauter Musik schwappte in die Nacht, nackte lange Beine glitten aus dem Wageninneren, und spitze High Heels berührten den Asphalt. Leni sah unter dem unanständig kurzen schwarzen Lederrock ein weißes Höschen aufblitzen.

Die Frau wollte aussteigen, doch eine gebräunte Hand packte sie im Nacken und zog sie ins Wageninnere zurück. Die Frau schrie, und als ihre Hand verzweifelt nach der Tür griff, war Leni klar, dass dies kein Spaß war. Die Frau wurde gegen ihren Willen im Wagen festgehalten.

Leni wusste, sie musste handeln, sofort, aber da war diese Sperre in ihrem Inneren, die sie daran hinderte. Eine Art Überlebensinstinkt, der ihr davon abriet, sich in fremder Leute Angelegenheiten einzumischen. Vielleicht war es klüger, sich versteckt zu halten und einfach nur den Notruf zu wählen. Dies war eine Großstadt, die Polizei wäre sicher schnell vor Ort.

Doch in dem Sportwagen schrie die Frau, und niemand außer Leni hörte es. Egal, wie schnell die Polizei auch sein würde, sie wäre niemals rechtzeitig hier.

«Also gut ... also gut», flüsterte Leni und trat auf die Straße.

3.

Während Jana wartete, spielte sie mit den Freundschaftsbändern an ihrem Handgelenk, knibbelte nervös daran herum, löste einzelne Fäden und zerfranste sie.

Mit einem lauten Pling fiel der Wassertropfen in die runde Metallschüssel. Der Abstand zwischen den einzelnen Tropfen betrug zwanzig Sekunden, das hatte Jana Heigl durch Mitzählen herausgefunden, und bis der Boden der großen Schüssel bedeckt war, dauerte es ungefähr drei Minuten. So lange musste sie warten, bis aus dem Pling-Pling wieder ein leises Platschen wurde. Das Geräusch ertrug sie besser, es war sanfter und fraß sich nicht so tief in ihren Kopf. Aber sie wusste auch, dass sie spätestens nach fünf Minuten durch die Gitterstäbe greifen, die Schüssel zu sich heranziehen und sie in einem Zug leeren würde. Das Wasser darin, nicht mehr als ein Mundvoll, war klar und kalt, schmeckte unglaublich gut und linderte für einen Moment das Brennen in ihrer Kehle und den ekelhaften Geschmack in ihrem Mund.

Jana starrte zu der niedrigen Gewölbedecke hinauf, wo sich an einem Spalt zwischen den Backsteinen ein neuer Tropfen bildete. Langsam schwoll er an, wurde dicker und dicker, bis die Schwerkraft ihn von der Decke riss. Sie folgte ihm mit den Augen und beobachtete seinen Aufprall in der Schüssel. Ein wenig spritzte aus der Schüssel heraus auf den Steinboden, und Jana trauerte um diese verlorene Flüssigkeit. Ihr Durst war unmenschlich, sie hätte die Feuchtigkeit vom Boden geleckt, wenn sie herangekommen wäre.

Automatisch fuhr ihre Zunge über ihre trockenen, rissigen Lippen. Ihre Kehle fühlte sich so wund an wie damals mit zwölf, als man ihr die Mandeln herausoperiert hatte. Sie wusste noch, wie enttäuscht sie gewesen war, als es statt des erhofften Vanilleeises nur glasklare und geschmacklose Eiswürfel gegeben hatte.

Das Leben war voller Enttäuschungen.

Pling.

Wieder ein Tropfen.

Zehn, vielleicht zwanzig mussten noch folgen, bis das Geräusch sich änderte und sie darüber nachdenken konnte, erneut zu trinken.

Dieses Sich-Zusammenreißen kostete sie unermesslich viel Kraft. Sie war ein ungeduldiger Mensch, der ungeduldigste der Welt, wie Niklas oft sagte.

Der Gedanke an Niklas machte sie traurig. Sie wusste ja, wie sehr er sich um sie sorgte und dass er sie liebte, auch wenn er es nicht immer zeigte. Dieser Streit war unnötig gewesen, sie hätte nicht auf dem Kurzurlaub bestehen sollen – und schon gar nicht hätte sie ohne ihn fahren dürfen. Jetzt bereute Jana es, sich nicht von Niklas verabschiedet zu haben. Sie war einfach gegangen, ohne ihm die Chance auf eine Versöhnung zu geben. Sie hatten gemeinsam eine Städtetour durch Deutschland geplant, er wusste also, dass sie zuerst nach Hamburg, danach nach Berlin und über Köln zurück nach München wollte, aber er wusste nicht, wo sie wann sein würde.

Bestimmt suchte er bereits nach ihr, zusammen mit ihren Eltern und ihrem Bruder. Jana vermisste sie alle, und an sie zu denken tat ihr in der Seele weh. Wenn sie nur nicht immer ihren Dickkopf durchsetzen müsste! Warum nur stieß sie die Menschen, die sie liebte, ständig vor den Kopf?

In der schier endlosen Zeit, die sie in diesem Gewölbe gefangen gehalten wurde, hatte sie geweint und gebetet und sich selbst und Gott versprochen, zukünftig netter zu ihren Liebsten zu sein.

Sie wusste nicht, wo sie war und wie sie hierhergekommen war, konnte sich nur an einige Augenblicke erinnern, die wie Stroboskop-Blitze vor ihrem inneren Auge auftauchten. Die Autofahrt, das Rumpeln und Schaukeln, der Spalt zwischen den beiden Türen, durch den sie hinausschauen konnte, weil ein Gummi fehlte. Der kleine silberne Wagen mit dem blonden Mann am Steuer. Ihre blutige Hand an der Scheibe, der Abdruck daran, um ihn auf sich aufmerksam zu machen. Obwohl es weh tat, weil ihre Haut an den Handgelenken wundgescheuert war, war es ihr gelungen, diese Fessel abzustreifen, nicht jedoch die Fußfessel, die mit einer Metallöse am Wagenboden verbunden war.

Ihre nächste Erinnerung setzte in diesem Gewölbe ein. Nackt in einen wärmenden Schlafsack gehüllt, war sie auf einem weichen Bett erwacht. Sie hatte die Augen aufgeschlagen und zuallererst das metallene Schild an der Wand gesehen.

Wer schweigt, überlebt.

Plopp.

Da war er, der erste Tropfen, der in eine geschlossene, ausreichend hohe Wasserschicht fiel und deshalb ein anderes Geräusch erzeugte. Jana schluckte trocken. Sie hatte fast dreißig Jahre alt werden müssen, um zu erfahren, wie sich wirklicher Durst anfühlte und was er mit dem Verstand machte: Er schaltete ihn quasi ab. Nichts anderes als der Durst selbst und der Wunsch, trinken zu können, spielten dann noch eine Rolle. Angst nicht, Schmerzen nicht, Liebe nicht. Der Durst war ein gnadenloser Diktator, der keine anderen Gefühle neben sich duldete.

Das Geräusch einer zufallenden Tür riss Jana aus ihren Gedanken. Einen Moment lang glaubte sie, ein Vibrieren in der Wand zu spüren, an der sie mit dem Rücken lehnte. Schließlich hörte sie ein Schaben und Kratzen – ein furchterregendes Geräusch, so als lebte etwas Großes in den Wänden.

Jana schob sich an der Wand empor und behielt das schwarze, halbrunde Loch im Blick, aus dem die Geräusche anscheinend drangen. Es befand sich rechts von ihr zwischen zwei gewaltigen Stützpfeilern, die die niedrige Gewölbedecke trugen, war kaum höher als einen halben Meter und sah aus wie der Zugang zu einer Höhle.

Sie war sich ganz sicher: Von dort kam das Schaben und Kratzen.

Es wurde lauter, intensiver, ein qualvolles Keuchen gesellte sich hinzu, und Jana lief es kalt den Rücken hinab. Sie hätte nicht geglaubt, dass ihre Angst noch steigerungsfähig war – jetzt wurde sie eines Besseren belehrt.

Jana spürte, wie sich ein Schrei in ihr aufbaute.

Wer schweigt, überlebt.

Und sie wollte überleben, unbedingt, deshalb schlug sie sich die Hand vor den Mund, sperrte den Schrei ein, der sich als ein dumpfes, gequältes Geräusch dahinter entlud.

Denn in diesem Moment schob sich der Kopf eines grauenvollen Wesens aus dem Loch hervor.

4.

Leni nahm ihren Mut zusammen und trat auf die Straße.

«Hey! Was machen Sie da! Hören Sie sofort auf!»

Zivilcourage war schließlich wichtig!

Im letzten Sommersemester an der Uni, wo sie literarisches Schreiben studierte, hatte Leni einen Kursus belegt für richtiges Verhalten in gefährlichen Situationen. Sei laut, hatte der Trainer ihr eingebläut. So laut du kannst! Schrei, mach andere auf dich aufmerksam, gebärde dich meinetwegen wie eine Verrückte, aber sei auf keinen Fall ein stilles stummes Opfer. Und wenn du ein stilles stummes Opfer siehst, dann sei du seine Stimme. Die Welt hört nur noch die, die lauter sind als das feige Schweigen.

Leni schrie jetzt, und zwar richtig laut, aber im Wagen schien sie wegen der noch lauteren Musik niemand zu hören. Sie musste näher heran.

Zwei Schritte, mehr nicht. Sich selbst in Gefahr zu bringen war keine vernünftige Strategie, auch das hatte der Trainer gesagt.

Die schmale Hand der Frau klammerte sich noch immer an den Türholm, ihre Beine strampelten in der Luft, der Rock war hochgerutscht, sodass Leni jetzt den ganzen Slip sehen konnte. Weil der Sportwagen so niedrig war, blieb alles andere, was sich im Inneren abspielte, vor ihr verborgen.

«Ich rufe die Polizei», schrie Leni lauthals.

Diesmal hörte man sie.

Jemand regelte die Lautstärke der Musik herunter. Die Frau kam aus dem Dunkel unter dem Cabriodach hervor. Sie floh aber nicht, wie Leni es erwartet hatte, sondern blieb auf der Kante des Sportsitzes hocken. Ihr langes blondiertes Haar sah zerrupft aus, die Lippen waren viel zu stark geschminkt, die weit geöffnete Bluse entblößte mehr als nur den Brustansatz. An den Ohrläppchen trug sie auffällige silberne Ohrringe in Form von Indianerfedern.

«Was bist du denn für eine?», fragte sie und knöpfte die oberen beiden Knöpfe der Bluse zu.

«Soll ich noch mit raufkommen oder nicht?», fragte der Mann am Steuer des Wagens.

«Nee, lass mal, muss morgen früh raus», antwortete die Blondine.

Sie stieg aus und strich den Rock glatt. Eine wunderschöne Frau mit schlanker Taille, weiblicher Hüfte und großer Oberweite, eine Frau, wie Leni sie niemals sein würde.

«Ich … ich dachte …», stotterte Leni.

«Schon klar, was du dachtest, aber hier ist alles in Ordnung. Kannst weitergehen.»

«Dann mach endlich die Tür zu», rief der Fahrer, und für den Bruchteil einer Sekunde sah Leni im Wageninneren seine Hand. Sie ruhte auf dem Schalthebel, war braun gebrannt, und ums Handgelenk lag eine goldene Kette mit übertrieben dicken Gliedern.

«Geht's noch!», fuhr die Blondine ihn an und schlug die Tür zu.

Der Motor röhrte auf, und der Sportwagen schoss davon.

«Arschloch!», rief die Frau ihm hinterher, dann wandte sie sich Leni zu.

«Was ist? Warum glotzt du mich so an?»

«Ich … nichts …» Leni sah zu Boden.

«Was machst du überhaupt um diese Zeit hier auf der Straße?»

«Ich wohne da drüben.»

«Da?» Die Blondine zeigte auf das Haus Nummer 39b.

Leni nickte.

«Seit wann?»

«Seit heute … quasi. Ich komme gerade eben an.»

Leni spürte, wie die Blondine sie eingehend musterte. Schließlich stolzierte sie auf ihren unfassbar hohen und schmalen Absätzen auf sie zu.

«Dann sind wir quasi Nachbarinnen, du und ich. BedtoBed-Zimmer?»

Leni sah auf und nickte.

«Ich auch. Eine Woche Party in Hamburg. Ich angele mir einen Millionär. Soll ja genug davon geben hier. Und du?»

«Ich bin für ein Praktikum in der Stadt.»

«Ja, so siehst du auch aus. Lass mich raten. Du kommst aus der Provinz und warst noch nie in einer Metropole wie Hamburg.»

«So ähnlich.»

Leni dachte nicht daran, der Frau zu verraten, wie unglaublich provinziell der Ort war, aus dem sie stammte. Es gefiel ihr dort, aber sie hatte auch immer gewusst, dass ihre Heimat für sie keine Zukunft bereithielt. Ein öder Ort für alte Menschen, die tagein, tagaus an den Fenstern hockten, Zeit und Leben ungenutzt verstreichen ließen, Geister schon zu Lebzeiten. Nicht einmal Internet gab es in Sandhausen. Man musste auf den einzigen Hügel des Ortes hinauf, um ein wenigstens einigermaßen gutes LTE-Signal zu bekommen.

Die Blondine lachte und streckte ihre Hand aus.

«Ich bin Vivien. Und du?»

«Leni.»

«Okay, Leni Landei, dann lass uns mal von der Straße verschwinden, bevor ein irrer Killer in einem Porsche uns entführt und zu Tode foltert.» Vivien lachte lauthals auf, ein richtiges Männerlachen, und ging voran. Leni folgte ihr, den eiernden Koffer hinter sich herziehend. Sie hatte die Ironie im letzten Satz sehr wohl verstanden und ärgerte sich ein wenig darüber. Es hatte sie Überwindung und Mut gekostet einzugreifen, und jetzt machte sich diese aufgebrezelte Blondine über sie lustig.

«Wolltest du mir gerade wirklich helfen?», fragte Vivien auf dem Weg zur schmiedeeisernen Pforte.

«Entschuldige bitte, es sah so aus, als ob … na ja, als ob der Mann dich …»

Vivien drehte sich zu ihr um. Sie hatte wunderschöne, große grüne Augen, die leider viel zu stark geschminkt waren.

«Ach, der Typ ist in Ordnung, vielleicht ein wenig aufdringlich, aber ich bin mir nicht einmal sicher, ob er wirklich so viel Geld hat, wie er behauptet. Aber sag mal: Niemand macht so etwas heutzutage. Die Leute schauen weg oder tun so, als bekämen sie nichts mit. Warum wolltest du mir helfen? Du kennst mich doch gar nicht?»

«Muss man jemanden kennen, um zu helfen?»

Vivien zuckte mit den Schultern.

«Schaden kann es nicht. Also warum?»

Leni dachte einen Moment nach und sagte dann:

«Weil … weil ich dachte, du brauchst Hilfe.»

Das war nicht die ganze Wahrheit, aber die Wahrheit erzählte Leni niemandem. Sie versuchte sogar, sie vor sich selbst zu verschweigen, weil sie nur so halbwegs erträglich war. Meistens klappte das ganz gut.

Vivien sah Leni mit einem Blick an, der zwischen Verwunderung und Unverständnis schwankte, vielleicht lag auch ein wenig Hochmut darin, aber schließlich lächelte sie, entblößte dabei perfekte weiße Zähne und legte Leni einen Arm um die Schultern.

«Na, dann komm mal mit rein, Leni Landei, bevor dir hier auf der Straße noch etwas passiert.»

Die Umarmung fühlte sich nett an, wie eine Wiedergutmachung für den beschissenen Tag, aber Leni konnte mit so viel Nähe nicht gut umgehen. Zur Haustür führten vier Stufen empor, und Vivien musste sie loslassen, weil Leni sich mit ihrem Koffer abmühte.

«In welcher Wohnung bist du?», fragte Vivien und hielt die Tür auf.

«Vierte Etage. Bei …»

«Egbert?»

«Ja.»

«Ich auch! Ist 'ne riesige Wohnung, und alle Zimmer sind vermietet. Wir haben Spanier, Chinesen, Portugiesen und Deutsche. Leider nur ein Bad, dafür mit Wanne. Und zwei Toiletten. Nicht schlecht also.»

«Wie jetzt?», fragte Leni. «Die komplette Wohnung ist über BedtoBed vermietet? Wo sind die eigentlichen Bewohner? Ich dachte, so etwas sei gar nicht erlaubt!»

«Willst du günstig wohnen oder doofe Fragen stellen?»

Vivien bückte sich, streifte ihre Schuhe ab, nahm einen in jede Hand und ging barfuß vor ihr die Treppe hinauf. Ihr schmaler Hintern wackelte, die Wadenmuskeln spielten unter der gebräunten Haut.

Der Koffer war zu schwer, um ihn zu tragen, also zog Leni ihn die vier Stufen hinauf. Vivien wartete an der geöffneten Tür.

«Was hast du da drin? Deinen kompletten Hausstand?»

«Ich bleibe ein bisschen länger», antwortete Leni ausweichend, weil sie nicht zugeben wollte, sechs Bücher eingepackt zu haben, die sie während ihres Aufenthaltes in der Stadt lesen wollte. Dicke Wälzer mit ordentlich Gewicht.

«Wie lange?»

«Drei Wochen.»

«Drei Wochen Urlaub?»

«Nein, wie ich schon sagte, ich mache ein Praktikum.»

«Scheiße, Landei, du kannst einem wirklich leidtun. Einen Fahrstuhl gibt es hier aber nicht. Komm, ich helfe dir.»

Bevor Leni dankend ablehnen konnte, packte Vivien zu. Zusammen trugen sie den Koffer hinauf. Auf halber Strecke ging Leni die Puste aus, während Vivien wirkte, als strenge sie das überhaupt nicht an.

Als sie die vierte Etage erreichten, schwitzte Leni schon wieder aus jeder Pore.

Vivien öffnete die nicht verschlossene Wohnungstür, verschwand im dunklen Flur, machte Licht und kam noch einmal zurück ins Treppenhaus.

«Dein Zimmer ist am Ende des Ganges. Deine Vorgängerin ist erst vor zwei Tagen ausgezogen, das Bett ist also fast noch warm. Vielleicht sieht man sich ja morgen!»

Damit verschwand Vivien, und Leni blieb allein zurück. Sie trat ein, schloss die Wohnungstür und sah sich um. Vor ihr erstreckte sich ein schmaler Gang bis zu einem Fenster, wo er einen Knick nach links machte.

Leni fand es befremdlich, eine fremde Wohnung zu betreten. Sie hatte erwartet, von dem Vermieter begrüßt zu werden, doch offenbar handelte es sich hier tatsächlich um eines der illegalen Angebote, vor denen im Internet gewarnt wurde. Der Chef ihres Praktikumsverlags, Herr Seekamp, hatte Leni auf dieses Haus hingewiesen und gesagt, seine Praktikantinnen bekämen zehn Prozent Rabatt. Wahrscheinlich betrieb er hier ein steuerfreies Nebengeschäft.

Sie folgte dem Gang, kam an vier Zimmertüren vorbei, hinter denen es still war, bog am Ende nach links ab, passierte vier weitere Türen und stand schließlich vor der letzten. Daran haftete eine handschriftliche Notiz.

L. Fontane.

Sie öffnete die Tür und prallte erschrocken zurück.

5.

Jana drückte sich eng an die Wand und beobachtete, wie sich zuerst ein Kopf, dann Arme, Schultern und schließlich der Rest eines Körpers aus dem Loch schob.

Das hier war kein Wesen, sondern ein Mensch. Eine nackte Frau, deren langes dunkles Haar wie ein Vorhang vor ihrem Gesicht hing. Sie krallte ihre Finger in den feuchten Steinboden, zog sich gänzlich aus dem Loch heraus und blieb auf allen vieren hocken. Irgendwo in den Tiefen der Wände erklang ein dumpfes Geräusch, so als schlüge ein Riese mit einem Hammer darauf ein. Nur langsam ebbten Geräusch und Erschütterung ab, und erst, als es vollkommen still war, bewegte die Frau sich wieder.

Sie strich sich das Haar aus dem Gesicht, legte einen Finger an die Lippen und schüttelte den Kopf.

Jana verstand. Sie sollte nicht sprechen.

Wer schweigt, überlebt.

Die Frau richtete sich auf.

Sie wirkte geschwächt und stützte sich an der Wand ab. Sie war vielleicht vierzig Jahre alt, sehr schlank und hatte langes schwarzes Haar. Da sie nackt war, konnte Jana diverse blaue Flecken an ihrem Körper erkennen. Besonders an den Rippenbögen und am Gesäß häuften sie sich. Manche sahen neu aus, andere verheilten bereits und verfärbten sich gelblich grün.

In kleinen Trippelschritten bewegte Jana sich in ihrem Schlafsack auf das Gitter zu und hielt sich mit den Händen an den Metallstäben fest.

Auf der anderen Seite des schmalen Ganges gab es zwischen mächtigen Stützpfeilern eine weitere Zelle wie die, in der sie sich selbst befand. Quadratisch, mit einem Bett darin und einem Campingklo in einer Nische in der Wand, vor die man einen gelben Duschvorhang ziehen konnte, wenn man seine Notdurft unbeobachtet verrichten wollte.

Die Frau stolperte auf diese Zelle zu, betrat sie, blieb mit dem Rücken zu Jana stehen und wartete. Wenige Sekunden später erklang ein elektrischer Summton, und die Zellentür setzte sich in Bewegung. Sie glitt auf einer Schiene von rechts nach links und rastete metallisch klackend ein.

Stille.

Plopp.

Die Wasserschüssel füllte sich.

Wieder Stille.

Jana starrte auf den schmalen Rücken der Frau. Unter der Haut zeichneten sich die einzelnen Segmente der Wirbelsäule und die Rippenbögen ab. Ihre Pobacken waren rund und ohne Fett, die Beine muskulös und schlank. Ihre Nacktheit schien ihr nichts auszumachen, auch die feuchte Kälte nicht, die Jana so sehr zusetzte, seit sie hier erwacht war.

Eine unerträglich lange Zeitspanne verging, zweimal ploppte es in der Wasserschüssel, aber Jana verspürte jetzt keinen Durst mehr. Hinter ihren Lippen stauten sich Fragen, wollten hinaus, drängten gegen die Sperre aus Angst.

Endlich bewegte sich die Frau. Sie ballte die Hände zu Fäusten, ein Zittern lief durch ihren Oberkörper, dann drehte sie sich um, trat ans Gitter, und ihre schlanken, langen Finger mit den perfekten Nägeln krallten sich darum, so als befürchte sie umzukippen. Die eckigen Stäbe aus glänzendem Stahl rahmten ihr schönes Gesicht ein wie ein Bilderrahmen ein Gemälde.

«Ich darf zu dir sprechen», sagte sie, und Jana erschrak, weil die Worte so unerwartet kamen. «Doch du musst schweigen. Bitte versprich mir zu schweigen! Sonst werde ich jedes deiner Worte zu spüren bekommen.»

Die Frau deutete auf etwas, was Jana selbst bislang nicht bemerkt hatte: eine schwarze Halbkugel an der Decke, in einer Vertiefung an der Stelle, an der vier Bögen der Stützpfeiler zusammenliefen.

«Er kann uns sehen und hören, ihm bleibt nichts verborgen. Auch in diesem Moment sieht er uns zu.»

Beide blickten zu der Halbkugel, die wie das Auge Gottes über ihnen schwebte.

«Ich bin Nummer sechs», fuhr sie fort. «Du bist Nummer sieben. Das sind unsere Namen, wir dürfen uns niemals anders nennen. Meine Aufgabe ist es, dich in die Regeln einzuweisen. Die Einhaltung der Regeln ist immens wichtig, verstehst du? Verstöße ziehen Schmerzen oder Schlimmeres nach sich. Und eines musst du mir bitte glauben …»

Hier brach ihre Stimme zum ersten Mal, und sie musste sich sammeln.

«Der Herr des Hauses kann uns Schmerzen zufügen, die keine Spuren hinterlassen und dennoch deine Vorstellungen und Erfahrungen bei weitem übertreffen. Du erleidest Verletzungen ohne Wunden, die niemals verheilen. Nur wenn wir tun, was er verlangt, werden wir irgendwann gehen dürfen. Nicke bitte, wenn du verstehst, was ich sage, Nummer sieben.»

Jana nickte.

«Gut.»

Nummer sechs schien sich etwas zu entspannen. Angehaltene Luft entwich aus ihrem Körper, sie schloss für einen Moment die Augen und lehnte die Stirn gegen die Metallstreben.

«Wir dürfen nicht darüber reden, wie wir hierhergekommen sind, wer wir vorher waren oder was wir gemacht haben. Es gibt kein Vorher, nur ein Jetzt. Der Herr des Hauses bestimmt, wann unsere Zeit hier endet. Wir sind hier, um ihm zu dienen und zu gefallen. Das allein ist unser Daseinszweck. Er ist ein vielbeschäftigter Mann, deshalb ist es ihm wichtig, seine Wünsche nicht wiederholen zu müssen. Du musst mir gut zuhören und dir alles merken, Nummer sieben, denn bald wirst du nach oben gerufen werden, und dann musst du alles genau so tun, wie ich es dich gelehrt habe und wie ich es von Nummer fünf gelernt habe.»

Die Frage brannte Jana auf der Seele, seitdem die Frau sich selbst Nummer sechs und sie Nummer sieben genannt hatte: Was war mit den Nummern davor? Eins bis fünf?

«Wenn du so weit bist und nach oben gerufen wirst», fuhr die Frau fort und sah Jana nun direkt an, «werde ich nicht mehr benötigt. Du bist dann auf dich allein gestellt, und ich …»

Nummer sechs konnte sich nicht länger auf den Beinen halten. Sie sackte zusammen und setzte sich auf den kalten Boden. Ihr langes Haar verdeckte ihr Gesicht.

Jana hätte gern gegen das Schweigegebot verstoßen, um die

Frau zu trösten, und wenn es nur um sie selbst gegangen wäre, hätte sie es auch getan. Aber die Frau hatte gesagt, sie würde jedes Wort zu spüren bekommen, deshalb musste sie weiterhin schweigen.

Schließlich strich Nummer sechs sich die Haare aus dem Gesicht und deutete auf die Wasserschüssel zwischen den beiden Zellen.

«Darf ich trinken?», fragte sie. «Ich bin so entsetzlich durstig.»

Jana nickte. Dann sah sie dabei zu, wie sich Nummer sechs auf den Boden legte und umständlich die Schüssel zu sich heranzog, die im Gang zwischen den Zellen stand. Sie leerte sie in einem Zug.

Jana wünschte sich, vorher selbst getrunken zu haben.

6.

Damit hatte Leni nicht gerechnet.

Das Zimmer war wirklich eine Wucht!

Drei Meter hohe, stuckverzierte Decken mit einem wuchtigen Kronleuchter in der Mitte. Parkettfußboden auf den kompletten zirka dreißig Quadratmetern. Zwischen Bett und Schrank lag ein teuer aussehender, aber etwas abgewetzter Perserteppich. In eine Nische war ein großer Kleiderschrank eingebaut, in dem gerahmten Spiegel daneben konnte Leni sich von Kopf bis Fuß betrachten. Ein zum Fenster hin ausgerichteter, nostalgischer grüner Ohrensessel mit Fußhocker wartete darauf, dass Leni ihn zum Lesen der mitgebrachten Bücher nutzte.

Es gab sogar einen kleinen gefliesten Bereich mit Waschbecken, Gesichtsspiegel und Steckdose, wo sie sich die Haare waschen und föhnen konnte.

Leni hatte vorher in verschiedenen Foren erschreckende Dinge über Online-Zimmervermittlungen gelesen. Das reichte von verdreckten, unappetitlichen Besenkammern bis hin zu unfreundlichen oder zudringlichen Vermietern. Alles offenbar haltlos, zumindest in ihrem Fall.

Leni öffnete das Fenster, um frische Luft hereinzulassen, zog aber die Vorhänge zu. Sie legte ihre verschwitzte, müffelnde Kleidung ab und wusch sich an dem kleinen Waschbecken Gesicht und Hände. Zu mehr war sie nicht mehr fähig, die Dusche draußen auf dem Gang würde sie morgen früh in Anspruch nehmen. Aus dem Koffer suchte sie ihre Schlafkleidung, zog sie an und schlüpfte schließlich unter die frisch duftende Decke.

Einen Moment ließ Leni das Nachtischlämpchen noch an und versuchte, in ihrem neuen Zuhause anzukommen. So etwas dauerte bei ihr erfahrungsgemäß lange. Ihre Oma hatte mal gesagt, Leni habe eine alte Seele, schon von Geburt an. Sie sei klug und den anderen Kindern weit voraus, aber sie sei auch altmodisch, spröde und langsam. Damals hatte Leni das nicht verstanden, heute wusste sie, wie sehr ihre Oma damit richtiggelegen hatte. Eine alte Seele reise langsam, selbst ein Zug mit ordentlich Verspätung war für sie noch zu schnell. Lenis Körper war in Hamburg angekommen, ihre Seele noch nicht. Vielleicht morgen früh oder gegen Mittag, vielleicht auch erst am Abend, wer konnte das wissen …

Über diese Gedanken fiel Leni in einen tiefen Erschöpfungsschlaf.

Laute Geräusche weckten sie.

Auf dem Gang unterhielten sich Menschen lautstark auf

Spanisch miteinander. Die Stimmen entfernten sich, eine Tür schlug zu, und für einen Moment kehrte Ruhe ein, nur um im nächsten Augenblick von anderem Lärm abgelöst zu werden.

Der kam von draußen und klang nach einem heftigen Streit. Leni sträubte sich dagegen, ihr warmes, schützendes Bett zu verlassen, doch durch das offenstehende Fenster drangen die Wortfetzen in ihr Zimmer, und sie konnte nicht wieder einschlafen.

Also huschte sie ans Fenster.

Die Straßenlaternen waren erloschen, die Eilenau lag in Dunkelheit unter ihr. Auch auf den Hausbooten waren längst alle schlafen gegangen.

Leni sah zwei Personen auf das Haus zukommen. Ein Mann und eine Frau, sie etwas größer als er. Sie stritten miteinander.

«Wozu bist du überhaupt zu gebrauchen?», fuhr sie ihn an.

Ihre Worte erinnerten Leni schmerzhaft an ihr Elternhaus. Solche Kräche waren alltäglich gewesen und hatten regelmäßig zu großen Katastrophen geführt. Es war vollkommen egal gewesen, ob man einlenkte und dem Vater recht gab. Er suchte Streit, wollte ihn, provozierte ihn so lange, bis jemand ein falsches Wort sagte oder etwas Falsches tat. Und am Ende hatte es ihre Mama getroffen, immer. Noch heute, sechs Jahre nach dem Tod des Vaters, litt Leni, sobald sie Paare streiten sah.

Plötzlich vermisste Leni ihre Mama. Sie allein in Sandhausen zurückzulassen, in diesem Ort voller Geister, der nichts zu bieten hatte als Tratsch und übles Gerede, war Leni sehr schwergefallen.

Das streitende Paar verschwand aus ihrem Blickfeld, und die Erschütterung der zufallenden Haustür vibrierte im Mauerwerk. Aus einem Reflex heraus sah Leni zur Zimmertür hinüber und überprüfte, ob sie die Sicherheitskette, die es zum Glück gab, vorgelegt hatte.

Hatte sie.

Als sie sich wieder dem Fenster zuwandte, um es zu schließen, fiel ihr Blick auf das Hausboot, das direkt unter ihrem Zimmer vertäut lag.

Ein großer schwarzer Block aus Metall und Holz, umgeben von schwarzem Wasser.

Obwohl es dunkel war hinter den großen Panoramaglasscheiben, glaubte Leni, in einem schmalen Spalt zwischen den Vorhängen ein Gesicht zu sehen. Oder vielmehr ein Augenpaar, das zu ihr heraufsah.

Leni schlug das Fenster zu, schlüpfte zurück unter die warme Daunendecke und zog sie hoch bis ans Kinn.

Sie strengte sich an, fand aber nicht zurück in den Schlaf.

Immer wieder hörte sie, wie ihr toter Vater an der Zimmertür rüttelte und ihre Mama versuchte, ihn davon abzuhalten, auch noch auf die Tochter loszugehen.

In der Dunkelheit glaubte sie sogar zu sehen, wie sich die Klinke bewegte. Langsam senkte sie sich, blieb einen Moment unten, glitt dann geräuschlos wieder hinauf, und plötzlich war Leni wieder ein kleines Mädchen, das sich aus Angst vor dem eigenen Vater ins Bett verkroch.

Auch als der Schlaf sie endlich gnädig aufnahm, hörte sie in ihren Träumen noch lange Zeit fremde Stimmen und Geräusche und sah schließlich ein schwarzes Loch dort, wo die Tür sein sollte. Es drehte sich, schneller und schneller, und in seinem Zentrum stand winkend und lockend Vivien.

«Komm zu mir, Leni, komm zu mir …»

7.

Jens Kerner parkte seinen 65er Chevrolet Farmtruck in einer dunklen Seitengasse. Er liebte den soliden, feuerrot lackierten amerikanischen Pick-up, aber er war auffällig, und wenn er wie jetzt halb dienstlich, halb privat unterwegs war und deshalb nicht auf einen Dienstwagen zurückgreifen konnte, musste er ihn eben verstecken.

Der Zeiger seiner Armbanduhr rückte auf halb zwölf vor. Seit einer halben Stunde saß Jens im Wagen und behielt den Ausschnitt der Straße vor sich im Auge. Bisher hatte sich nichts getan.

Vertrödelte er seine Zeit?

Vielleicht, aber da er genug davon hatte, spielte es keine Rolle. Außerdem wäre es nicht das erste Mal, dass diese Maßnahme Erfolg brachte. Sich zum Zeitpunkt eines Mordes – sofern er sich denn genau eingrenzen ließ, was hier der Fall war – später noch einmal an den Tatort zu begeben war unter seinen Kollegen nicht eben weit verbreitet, aber Jens tat das gern. Die Polizei kam immer erst mit deutlicher Verzögerung an einen Tatort, und in der Zeit zwischen der Tat und dem Auffinden der Leiche – oder dem Beginn der Ermittlungen – änderte sich vieles: die Tageszeit, das Licht, die Atmosphäre, die Frequentierung der Umgebung. Und über diese mess- und greifbaren Fakten hinaus änderte sich auch sein ganz persönliches Gefühl für die Umstände, wie sie geherrscht hatten, als der Täter zuschlug.

Da er im Fall des erschossenen Krankenpflegers Oliver Kienat nicht weiterkam, war er, statt ins Bett zu gehen, in seinen geliebten Truck gestiegen, hatte ein paar Runden durch die

Stadt gedreht, um den 7-Liter-Motor warm zu fahren, und war schließlich hierhergekommen.

Auf den ersten Blick sah es so aus, als sei Oliver Kienat das zufällige Opfer eines Raubmordes geworden. Sein Portemonnaie, seine Papiere und seine Wohnungsschlüssel fehlten. Allerdings hatten die Jungs von der Spurensicherung tief unter dem Fahrersitz des Opel Corsa ein Handy gefunden – und damit änderte sich alles. Die letzten Anrufe des Opfers waren allesamt unverdächtig, das war in den vergangenen zwei Tagen überprüft worden, aber der junge Mann hatte kurz vor seinem Tod ein Foto geschossen.

Auf dem Bild war die obere Hälfte des hinteren Teils eines weißen Kastenwagens zu erkennen. Der Wagen verfügte über zwei Flügeltüren, eine davon breiter als die andere, in jeder Tür eine Scheibe. Das Licht einer Straßenlaterne spiegelte sich darin. Dennoch konnte man so etwas wie einen Handabdruck auf der linken Scheibe erkennen, sowie Fingerspuren, so als ob die Hand nach unten weggerutscht wäre. Für Jens sah es so aus, als bestünde der Abdruck aus Blut, aber da Kienat beim Auslösen des Fotos gewackelt hatte, war das nicht deutlich.

Leider hatte der junge Mann es auch versäumt, das Kennzeichen zu fotografieren.

Die Frage war, warum Kienat dieses Foto überhaupt geschossen hatte. Er war auf dem Rückweg von seiner Spätschicht im Krankenhaus gewesen, früher als gewöhnlich, da seine Chefin ihn wegen einer beginnenden Erkältung nach Hause geschickt hatte. Man konnte also ausschließen, dass ihm jemand aufgelauert hatte. Kienat war seinem Mörder zufällig begegnet, vielleicht hatte er auf den nächtlichen Straßen etwas gesehen, was er nicht hätte sehen sollen. Vielleicht hatte ihn jemand aus dem Verkehr gezogen, um eine andere Straftat zu verdecken. Wer aus einem solchen Grund tötete, der hatte zuvor auch schon getötet. Der blutige Handabdruck würde zu dieser Annahme passen.

Aber warum hier?

Jens stieß die Autotür auf, stieg aus, zündete sich eine Zigarette an und machte sich auf den Weg. Die Querstraße, in der er parkte, stieß nach wenigen Metern auf die Zufahrt zum Hafen. Fünfzig Meter weiter links war Kienat mit seinem Wagen gegen ein Verkehrsschild gefahren und dann erschossen worden. Eine Kugel durch die Seitenscheibe und die Schulter in den Sitz, eine zweite durch die Hand in den Kopf. Beide aus nächster Nähe abgefeuert.

Die Projektile brachten sie nicht weiter, sie passten zu keiner registrierten Waffe.

Noch im Schatten der Gasse lehnte sich Jens mit der Schulter an eine backsteinerne Mauer und ließ seinen Blick wandern. Die Straßenlaternen brannten hier die ganze Nacht, weil es Lieferverkehr vom und zum Hafen gab, trotzdem war dies eine düstere Ecke. Fußgänger gab es nicht, weder tagsüber noch nachts.

Was den Ablauf der Tat anging, hatte Jens eine genaue Vorstellung: Kienat kommt von seiner Nachtschicht, fährt hier entlang, sieht etwas, was er nicht hätte sehen sollen, wird verfolgt, abgedrängt, zum Halten gezwungen und erschossen. Dabei konnte sich der Täter relativ sicher sein, nicht beobachtet zu werden, und lange dauerte es ja nicht, jemandem in den Kopf zu schießen. Dass der Täter sich keine Zeit genommen hatte, bewies das Handy unter dem Sitz. Bei einer schnellen, oberflächlichen Suche übersah man es. Die Jungs von der Spurensicherung hatten es auch erst entdeckt, als sie den Wagen so richtig auseinandergenommen hatten.

Vor zwei Tagen hatte Jens noch geglaubt, er müsse nur nach anderen Straftaten im Stadtgebiet Ausschau halten, um diesen Mord aufzuklären. Eine Entführung möglicherweise. Doch es gab keine.

Ein Kleintransporter kam die Straße hinunter und fuhr vorbei.

Nachdem er verschwunden war, trat Jens aus der Gasse hinaus und schlenderte zu der Stelle hinüber, an der eine Polizeistreife den Wagen mit dem Erschossenen darin gefunden hatte. Laut Gerichtsmediziner war er ungefähr eine Stunde zuvor getötet worden, so lange hatte der Wagen unentdeckt an dem Straßenschild gestanden. Pures Glück, dass ausgerechnet eine Streife ihn fand. So hatte die Presse bisher keine Notiz davon genommen. Das würde auch so bleiben, bis Jens es für richtig hielt, die Hilfe der Öffentlichkeit in Anspruch zu nehmen.

Das Straßenbauamt hatte das Schild längst ersetzt.

Nichts wies mehr darauf hin, dass hier ein Mensch gestorben war.

Jens zog an seiner Zigarette und ging auf die ehemalige Tankstelle zu, in der jetzt Windschutzscheiben repariert und ersetzt wurden. Ihm kam eine Idee, und er machte sich eine geistige Notiz, um sie gleich am Vormittag in die Tat umzusetzen.

Neben der Halle bewegte sich etwas.

Jens nahm die Zigarette aus dem Mund, weil ihm der Qualm in die Augen stieg, und sah genauer hin.

Tatsächlich, da war jemand!

«Hey!», rief Jens und ging auf die Halle zu.

Sofort sprintete die Gestalt nach links weg. In dem Dreckslicht konnte Jens nicht mehr erkennen als eine hoch aufgeschossene Person in langem Mantel. Mantelschöße und Gürtelenden flatterten hinter ihr her.

«Stehen bleiben!», rief Jens, doch der Flüchtende dachte gar nicht daran, seinem Befehl Folge zu leisten. Er lief einfach weiter, und er war verdammt schnell.

Weniger als hundert Meter konnte Jens die Geschwindigkeit mithalten, dann machten sich die Schachtel Zigaretten pro Tag, sein Alter und der fehlende Sport bemerkbar. Seine Lunge rebellierte, er wurde langsamer. Der Flüchtende machte einen Satz nach rechts und verschwand in einer Seitengasse. Jens sah, wie er über einen zwei Meter hohen Maschendrahtzaun kletterte, geschickt und schnell, so als habe er das trainiert.

Dahinter lag das Gelände eines Gebrauchtwagenhändlers. Dutzende Fahrzeuge standen in ordentlichen Reihen herum, in einer davon verschwand der Flüchtende.

Jens machte sich daran, ebenfalls den Maschendrahtzaun zu überwinden. So elegant wie der hagere Mann bekam er es jedoch nicht hin. Sein kleiner Altersbauch störte, die ungelenken Glieder weigerten sich, und nachdem er oben abgesprungen war, knickte er beim Aufprall mit dem Fußgelenk um. Heißer Schmerz schoss ihm durchs Bein.

«Scheiße!», schrie er auf, zog seine Waffe und humpelte auf die Reihen geparkter Autos zu.

«Komm da jetzt raus, du blödes Arschloch, oder ich schwöre dir, ich trete dir in den Arsch, bis sie dir einen Seitenausgang legen müssen.»

Der Schmerz im Fußgelenk stachelte Jens' Wut noch an, und er stürmte leichtsinnig in den dunklen Gang zwischen die geparkten Autos.

Etwas Großes flog ihm entgegen, krachte hart gegen seinen Kopf und schaltete seine Lichter aus.

KAPITEL 2

1.

«Hast du einen Ausweis?», fragte der große, übergewichtige Polizist und hakte seine Daumen in die Gürtelschlaufen der Hose. Über dem Bund spannte ein ordentlicher Wohlstandsbauch das schwarze Hemd. Auf seinem Namensschild stand R. Hagenah.

«Wieso?»

«Hast du oder hast du nicht?»

Klar hatte er einen Ausweis, aber es widerstrebte ihm, dem Bullen einfach so zu geben, was er wollte. Und wieso duzte der ihn überhaupt? Diese Frage lag ihm auf der Zunge, doch er schluckte sie runter. Die Bullen saßen am längeren Hebel, und er hatte keine Lust, den Tag in der Arrestzelle zu verbringen.

«Gibt es einen Grund für die Kontrolle?», fragte er.

«Gibt es einen Grund, warum du dich hier versteckst?»

Den gab es, aber er würde mit R. Hagenah nicht darüber sprechen, nicht einmal wenn der freundlicher und nicht so herablassend gewesen wäre.

«Ist schön ruhig hier», antwortete er ausweichend.

Eine verzinkte Metalltreppe führte als Notausgang für den Feuerfall an der Hinterseite des Bürogebäudes aus dem vierten Stock hinunter. Wo sie den Boden erreichte, schirmten Büsche und ein Sichtschutz aus Holzpalisaden für die beiden großen Müllcontainer den Bereich zur Straße hin ab. Von dort konnte man nicht hineinsehen, deswegen hatte er sich nach seiner

Flucht vom Schrottplatz in der vergangenen Nacht diesen Platz ausgesucht.

Und wegen seiner Erinnerungen natürlich.

«Wenn du keinen Ausweis hast, nehme ich dich mit auf die Wache», sagte der Bulle, und sein Blick ließ keinen Zweifel daran aufkommen, dass er es ernst meinte.

«Was soll der Stress, ich störe hier doch niemanden?»

Widerwillig erhob er sich von seinem Nachtlager und kam mühsam auf die Beine. Jetzt waren die Nächte noch einigermaßen warm, und trotzdem taten ihm morgens die Knochen weh, und dieser ständige pochende Schmerz in seiner linken Niere verhieß auch nichts Gutes. Sein Ausweis steckte in der Innentasche des langen Regenmantels. Er holte ihn hervor und reichte ihn dem Bullen. Der nahm ihn mit spitzen Fingern entgegen, so als fürchte er, sich mit einem Virus anzustecken.

«Nagelneuer Scheckkartenausweis? Erstaunlich. Wie lange lebst du schon auf der Straße?»

«Wer sagt denn, dass ich auf der Straße lebe?»

Der Polizist nickte in Richtung des schwarzen Schlafsacks mit der dicken Isomatte darunter. Eine Rolle Luftpolsterfolie in einer Aldítüte diente als Kopfkissen.

«Nach einem Picknick sieht das nicht aus, Herr …», er warf einen Blick auf den Ausweis.

«Herr Förster. Frederic Förster.»

Der Bulle sah ihn mit einem auffordernden Blick an, und Freddy war klar, dass er sich erklären sollte, aber er hatte keine Lust dazu. Also starrte er zurück und hob dabei ebenso die Augenbrauen an. Der Bulle besah sich abermals den Personalausweis.

«Geboren am 25. 11. 1988», las er ab. «Wohnhaft in der Bärenallee 22.»

«Nicht mehr», stellte Freddy klar.

«Seit wann?»

«Ein paar Wochen.»

«Geht's genauer?»

«Seit fast genau drei Monaten.»

«Dann muss der Ausweis geändert werden.»

Der Bulle gab ihm das Dokument zurück.

«Und zwar innerhalb von vierzehn Tagen nach Wohnortwechsel. Sonst droht eine Geldbuße von bis zu eintausend Euro.»

«Hole ich heute noch nach», gab sich Freddy kleinlaut. «War echt stressig in der letzten Zeit. Ich bin einfach nicht dazu gekommen.»

Der Bulle lachte trocken auf. «Ja, das glaube ich dir aufs Wort. Wenn ich dich das nächste Mal treffe und die Adresse ist nicht geändert, gibt's richtig Ärger. Verstanden?»

«Verstanden.»

Freddy steckte den Ausweis ein.

«Vor zwei Tagen gab es hier nachts einen Überfall mit Schusswaffengebrauch», sagte R. Hagenah und deutete mit einem Nicken zur Straße hin. «Keine zwei Kilometer von hier, im Industriegebiet bei der Autoscheibenwerkstatt. Hast du was mitbekommen?»

Freddy zuckte mit den Schultern. «Nee, ich bin erst seit gestern hier. Vorher war ich am Bahnhof.»

Die Lüge kam ihm so glatt über die Lippen wie alle anderen Lügen auch, die ihn hierhergeführt hatten.

Der Bulle musterte ihn mit zusammengekniffenen Augen, so als würde er ihn durchschauen, und Freddys Magen zog sich zusammen. Vielleicht hatte er es ja auch in diesem Metier nicht zu der Professionalität gebracht, die es benötigte, um einen Gesetzeshüter hinters Licht zu führen. Wundern würde es Freddy nicht. Wie sich herausgestellt hatte, war er nur im Versagen wirklich gut. Weltklasse sogar.

«Wenn du auf der Straße etwas hörst, melde es.»

«Mach ich. Ist denn jemand zu Schaden gekommen?»

Eine Frage zu viel, schoss es Freddy durch den Kopf, als die Augen des Bullen sich noch einmal verengten.

«Warum interessiert dich das?»

Freddy zuckte mit den Schultern.

«Nur so.»

«Nur so, ja? Pack jetzt deine Sachen und such dir einen anderen Platz. Die Mieter haben sich beschwert.»

Ja sicher, die Mieter, dachte Freddy. Die in meinen Büros sitzen und nicht einmal ahnen, wer da unter der Feuertreppe schläft. Und selbst wenn, wäre es ihnen egal. Aber das brauchte er dem Bullen nicht zu erklären.

Hastig packte er die Kopfkissenrolle auf den Schlafsack, rollte ihn auf und band ihn mit zwei Zurrgurten zusammen. Dann schulterte er die alte Armeetasche und war bereit zum Aufbruch. Der Bulle sah ihm dabei zu und folgte ihm bis zur Straße, dort trennten sich ihre Wege. Erst als der Bulle an der nächsten Ecke abbog, legte sich Freddys Anspannung, und er warf einen Blick zurück.

Der Bulle folgte ihm nicht – und auch sonst niemand.

Tagsüber würde er hoffentlich sicher sein, aber was war mit der nächsten Nacht? Die letzte hatte bewiesen, dass der Killer auf der Suche nach ihm war. Nur mit viel Glück und weil er immer noch einigermaßen trainiert war, war er ihm entkommen. Wie hatte er nur so dumm sein können, sich noch einmal in die Nähe des Tatortes zu wagen?

Er hatte es vor sich selbst damit begründet, überprüfen zu

wollen, ob der Mörder ihn auf die Entfernung überhaupt gesehen haben konnte, aber das war nicht die ganze Wahrheit. Dieser Platz, an dem so Grausames geschehen war, hatte Freddy magisch angezogen. Noch immer hatte er das Aufblitzen des Mündungsfeuers und das Blut vor Augen, das gegen die Heckscheibe des Corsa spritzte.

Der junge Mann in dem Corsa, mit dem er zuvor Blickkontakt gehabt hatte, war kaltblütig erschossen worden.

Dunkel war es gewesen und regnerisch, und Freddy würde den Täter nicht einmal annähernd beschreiben können, daran waren aber nicht allein Wetter und die Tageszeit schuld. Er war besoffen gewesen, so richtig ordentlich zugedröhnt, obwohl er sich geschworen hatte, es nicht auch noch dazu kommen zu lassen. Aber es gab Tage, da ertrug er sein Schicksal nicht ohne Alkohol, und vorgestern war so ein Tag gewesen. Deswegen hatte er auch nicht sofort begriffen, was da vor sich ging, und war einen Moment zu lange auf der Straße stehen geblieben.

Vielleicht war sein Verfolger gerade jetzt unterwegs, klapperte die Typen ab, die schon ewig auf der Straße lebten, und fragte sie nach einem großen, hageren Mann um die vierzig. Und obwohl kaum jemand von der Straße Freddy kannte, würde der Typ früher oder später den entscheidenden Tipp bekommen.

Ein Auto bog in die Straße ein, und Freddy behielt es im Auge. Der Mann am Steuer sah kurz zu ihm herüber, zeigte aber kein wirkliches Interesse.

Weil es in dieser Gesellschaft auffiel, wenn man untätig irgendwo herumstand, ging Freddy weiter, ohne wirklich zu wissen, wohin. Das war das Schlimmste an seiner Situation: nicht zu wissen, was er tun sollte. Was möglich gewesen war, hatte er getan, er hatte nach jedem Strohhalm gegriffen und jeden um

Hilfe gebeten, der in Frage kam. Keiner, vor allem nicht die, die vorher Geld mit ihm verdient hatten, war bereit gewesen, ihm zu helfen. Verwunderlich war das nicht, schließlich war er ein Verlierer, einer, der es nicht geschafft hatte, und in Deutschland war geschäftliches Versagen nun einmal ein Makel, der so schnell nicht wieder verschwand.

Freddy wühlte in seiner Hosentasche und brachte eine Handvoll Münzen zum Vorschein. Sechs Euro dreißig. In der alten Armeetasche steckten noch zwei Fünfziger, das war alles, was er an Bargeld besaß.

Er sehnte sich nach einem Kaffee und einem Brötchen. Dafür gingen fünf Euro drauf. Ein Riesenvermögen, im Verhältnis gesehen. Aber er brauchte jetzt Koffein, um klar denken zu können, und sein Magen hatte schon gestern Abend geknurrt. Also machte er sich auf den Weg zu einer Bäckerei, von der er wusste, dass man ihn in seinem Aufzug dort nicht gleich wieder hinauswarf.

Er würde sein Frühstück zu gern an einem Tisch einnehmen.

Freddy lachte bitter auf. Mit wie wenig er heutzutage schon zufrieden war!

Nachdem er eine Weile gegangen war, kam ihm ein großer Mann in Sportkleidung und Laufschuhen entgegen. Er joggte, wie so viele Menschen in dieser Stadt. Wie Freddy es auch getan hatte, bevor alles den Bach hinunterging.

Aber warum joggte der Mann hier und nicht an der Binnenalster?

Das war ungewöhnlich!

Freddy zog die Schultern hoch und machte sich klein. Nur niemandem in die Augen schauen, nicht auffallen, keinen Ärger provozieren. Freddy ging mit gesenktem Kopf an ihm vorbei, die Hände in den Manteltaschen zu Fäusten geballt und darauf vorbereitet, sich wehren zu müssen.

Der Mann roch nach einem teuren Parfüm, das war alles, was Freddy von ihm mitbekam. Und die Aura. Nicht dass er an so etwas glaubte, zumindest bisher nicht, aber als der Mann an ihm vorbeilief und ihn dabei leicht an der Schulter berührte, da meinte Freddy, so etwas wie den Hauch des Bösen zu spüren. Geballte Aggressivität, die nur mühsam unter Kontrolle gehalten wurde, aber jederzeit ausbrechen konnte. Solchen Männern ging man besser aus dem Weg.

Freddy wurde schneller, er wollte nur noch weg, doch dann verharrten die Schritte hinter ihm plötzlich, und er wusste, der Mann war seinetwegen stehen geblieben.

«Hey, du!»

Freddy rannte davon.

Wieder einmal.

2.

Lauter Lärm weckte Leni.

Ihr erster Blick ging zum Handy.

Acht Uhr dreißig!

Leni schreckte hoch. So spät schon! Da fiel ihr ein, dass ihr Praktikum beim Verlag heute noch nicht begann. Erleichtert ließ sie sich ins Kissen zurücksinken. Sie war extra einen Tag früher angereist, um sich eingewöhnen zu können, was bei ihr erfahrungsgemäß lange dauerte. Ortswechsel brachten sie durcheinander, alles Ungewohnte war ihr ein Gräuel, aber es ging nun mal nicht anders. Jeder Mensch musste lernen, auf eigenen Beinen zu stehen.

Der Lärm, der sie geweckt hatte, kam vom Flur.

Ein babylonisches Stimmengewirr.

Was hatte Vivien in der Nacht gesagt? Spanier, Chinesen, Portugiesen und Deutsche? Genau so klang es.

Leni nahm sich vor, morgen früh als Allererste ins Bad zu gehen, um diesem Auflauf zuvorzukommen. Das sollte kein Problem sein, wenn alle anderen Mitbewohner Urlauber waren und nicht vor acht aufstanden. BedtoBed war eine prima Sache, aber Wohnungen wie diese, in der jedes Zimmer untervermietet war, waren eigentlich verboten, denn laut Gesetz musste der Vermieter mindestens fünfzig Prozent der Fläche selbst bewohnen, wenn er es nicht als Beherbergungsbetrieb angemeldet hatte. Aber wen kümmerte es, solange es kaum Kontrollen gab? Die Mieter sicher nicht, denn die waren froh, in einer teuren Großstadt wie Hamburg ein günstiges Zimmer zu bekommen.

Auch für Leni war es die einzige Chance, mit ihrem schmalen Budget drei Wochen lang durchzuhalten. Ein WG-Zimmer kam für einen so kurzen Zeitraum nicht in Frage, für ein Hotelzimmer war der Zeitraum wiederum zu lang, und selbst kleine Privatpensionen mit Frühstück waren hier zu teuer.

Auf dem Flur rumste eine Tür zu und schnitt eine spanische Schimpfkanonade mitten im Satz ab.

Leni schob die Arme unter ihren Kopf und sah sich in ihrem neuen Zuhause um. Sie hatte befürchtet, ihre Erinnerung an die vergangene Nacht sei nichts als ein schöner Traum, aber das stimmte nicht.

Wow, schoss es ihr durch den Kopf.

Die Bewertungen im Internet waren gut gewesen, aber nicht

voll des Überschwanges und der Begeisterung, wie es dieses Zimmer eigentlich verdient hätte.

Es klopfte an der Tür, und Leni erschrak.

Sie sagte nichts, weil sie davon ausging, dass es sich um einen Irrtum handelte, schließlich kannte sie hier niemand. Dann fiel ihr Vivien ein.

«Hey, Leni Landei, bist du schon wach?», rief sie im selben Augenblick.

«Ja … Moment.»

Leni wollte nicht unhöflich sein, deshalb schlug sie die Decke beiseite und ging an die Tür. Sie entfernte die Kette, drehte den altmodischen Schlüssel herum und öffnete einen Spaltbreit.

Vivien stand in Unterwäsche davor. In knapper Unterwäsche!

«Lässt du mich nicht rein? Erst mein Leben retten wollen und mich dann vor der Tür stehen lassen? Wie passt das zusammen?»

Leni sah an sich herab und schämte sich augenblicklich. Sie trug dicke Wollsocken, die schon vor Jahren jede Form verloren hatten, eine lange Pyjamahose und ein weißes Männerunterhemd, das ihr viel zu groß war – ihre übliche gemütliche Schlafkleidung. Vivien hingegen sah aus wie ein Modell für Dessous, das knappe Höschen mit dem Spitzenbesatz schien auf ihrem Körper zu kleben, so perfekt saß es, ihre Brüste füllten den BH vollkommen aus. Einzig ihrem Haar sah man an, dass sie wohl gerade erst aus dem Bett gestiegen war.

«Wie war die erste Nacht in der Fremde?»

Vivien sah sie geradezu euphorisch an.

«Gut», sagte Leni.

«Und was hast du heute vor? Soll ich dir die Stadt zeigen? Bis zum späten Nachmittag habe ich Zeit. Dann heißt es wieder: Aufbrezeln und Millionäre jagen.»

«Ich weiß nicht …»

«Ach, komm schon, ich schulde dir was. Immerhin hast du mein Leben gerettet.»

Während Vivien sprach, ging sie im Zimmer umher, als sei es ihres, zog die Vorhänge vom Fenster zurück, lehnte sich auf die Fensterbank und schaute hinaus.

«Eines dieser Boote, das wäre ein Traum, oder?», sagte Vivien. «Ich hab gehört, die kosten ein Vermögen.»

Leni wusste nicht, was sie darauf erwidern sollte. Sie war häufig um eine Antwort verlegen, wenn Menschen dummes Zeug von sich gaben, Smalltalk hielten oder über andere herzogen.

Plötzlich drehte Vivien sich um und klatschte in die Hände.

«Na los, komm schon, Landei. Wir gehen frühstücken. Ich komme um vor Hunger, und du musst doch auch etwas essen, oder nicht? Hier um die Ecke gibt's einen phantastischen Bäcker, der macht die allerbesten Croissants. Und das Coolste ist: Man sitzt direkt über dem Kanal. Ich lad dich ein, meine Lebensretterin.»

Leni hatte schon Hunger, aber sie wäre lieber allein in ein Café gegangen, um die Stadt und ihre Menschen in aller Ruhe auf sich wirken zu lassen. Doch sie konnte Viviens Einladung schlecht ausschlagen, ohne unhöflich zu wirken.

Also sagte sie zu.

«Super! In einer halben Stunde hol ich dich ab.»

3.

Jana Heigl lag schon eine Weile wach und lauschte den leisen Atemgeräuschen von Nummer sechs, als ein lauter Summton sie aufschreckte.

Er ertönte ein einziges Mal für vielleicht fünf Sekunden, hallte einen Moment nach, dann kehrte die Stille zurück.

Jana richtete sich auf und zog sich den Schlafsack eng um die nackten Schultern. Drüben in der anderen Zelle bewegte sich Nummer sechs. Der Stoff ihres Schlafsackes raschelte, sie stöhnte, stellte einen Moment später ihre Füße auf den steinigen Boden neben das Bett, blieb aber noch auf der Kante sitzen und stützte den Kopf in die Hände.

Es fiel Jana unfassbar schwer, nicht zu sprechen. Sie wollte wissen, was das für ein Ton gewesen war, wie es Nummer sechs ging, wie sie wirklich hieß und wie lange sie schon hier war – sie wollte einfach alles wissen und durfte doch keine einzige Frage stellen. Dass es Folter sein konnte, schweigen zu müssen, begriff sie in diesem Augenblick.

Schwer seufzend schälte Nummer sechs sich aus dem Schlafsack und trat wankend an das Gitter, das sich in diesem Moment in Bewegung setzte und den Weg freigab.

Trotz der Kälte befreite Jana sich ebenfalls von dem Schlafsack und eilte nach vorn.

«Sag nichts!», warnte sie Nummer sechs. Ihre Augen waren verquollen und müde, ihr Blick dennoch eindringlich.

«Der Summton war das Zeichen dafür, dass unser Essen bereitsteht und ich es holen darf.»

Mühsam schleppte Nummer sechs sich zu dem halbrunden

Loch hinüber, sank auf die Knie und kroch hinein in die Schwärze, die sie augenblicklich verschlang.

Es war ein unsagbar trauriges Bild, diese abgemagerte nackte Frau in dem Tunnel verschwinden zu sehen. Jana spürte Wut in sich aufsteigen. Seit jeher war sie leicht reizbar und verlor schnell die Kontrolle über sich, wenn sie sich aufregte. Da war eine Wildheit in ihr, vor der sie sich mitunter selbst erschreckte. Die spürte sie auch jetzt. Es machte sie rasend, sich an die Regeln ihres Entführers halten zu müssen.

Mit den Händen ans Gitter geklammert, behielt sie den Tunnel im Auge und fragte sich, wohin er wohl führte. Nur wenige Atemzüge nachdem Nummer sechs darin verschwunden war, ging ein leichtes Beben durch Wände und Fußboden. Irgendwo tief in diesem Gemäuer bewegte sich etwas Großes, Mächtiges.

Die Kälte setzte Jana zu, doch sie hielt aus. Wenn Nummer sechs nackt in dieses Loch kriechen musste, um für sie beide Essen zu holen, konnte sie wenigstens hier stehen und warten.

Sie zitterte vor Kälte, ihre Zähne schlugen aufeinander. Sehnsüchtig glitt ihr Blick zum Schlafsack hinüber, in dem noch Restwärme steckte.

Eine Minute noch, sagte Jana sich, nur noch eine Minute, dann holst du ihn dir.

Sie zählte. Sekunde für Sekunde.

Bei achtundzwanzig hörte sie Geräusche. Es war wieder dieses Schaben und Kratzen, diesmal aber gepaart mit einem Poltern.

Nummer sechs kehrte zurück. Sie schob ein rechteckiges Brett in der Größe eines Schuhkartons mit vier Rollen darunter vor sich her. Darauf befanden sich zwei kleine Plastiktöpfe mit Deckel, einer rot, der andere blau. Bunte Gummibänder mit schwarzen Metallhaken an den Enden hielten sie auf dem Brett fest.

«Tritt zurück», sagte Nummer sechs.

Das tat Jana, und einen Moment später fuhr auch das Gitter zu ihrer Zelle beiseite.

Nummer sechs reichte ihr den blauen Plastiktopf.

«Das ist deins. Du musst alles aufessen, damit ich die Sachen zurückbringen kann. Restlos alles. Wir dürfen nur auf unseren Betten essen. Jede in ihrer Zelle.»

Jana nahm den Topf entgegen und berührte dabei absichtlich Nummer sechs an den Fingern. Für einen Moment blieb die Zeit stehen, und sie blickten sich in die Augen. Jana hoffte, dass ihre Leidensgenossin all die Fragen sah, die ihr auf der Seele brannten, vielleicht auch die Absicht, gemeinsam einen Plan zu schmieden, um von diesem grausamen Ort zu entkommen.

Doch Nummer sechs schüttelte den Kopf.

Sie hatte keine Kraft, keinen Mut, sie war wohl schon zu lange hier. Vielleicht hoffte sie auch einfach nur noch darauf, bald nach Hause zu kommen.

Enttäuscht zog Jana sich mit dem blauen Topf auf ihr Bett zurück. Dort hüllte sie sich in ihren Schlafsack. In dem Topf befand sich warmer Porridgebrei mit Apfelstücken und Rosinen, ein Plastiklöffel steckte darin.

Seit sie in diesem Verlies war, hatte sie nichts zu essen bekommen.

Der Geruch drehte Jana den Magen um.

Dennoch schlang sie den Porridgebrei in sich hinein.

«Iss nicht so schnell, sonst wird dir schlecht», warnte Nummer sechs auf der anderen Seite.

Jana hörte nicht auf sie. Sie konnte einfach nicht langsamer essen. Auch noch das letzte bisschen kratzte sie aus dem Topf und war dennoch nicht wirklich satt, als sie den Deckel wieder schloss.

Außer Atem sah sie zu Nummer sechs hinüber. Langsam und bedächtig schob sie sich einen Löffel nach dem anderen in den Mund, kaute und hielt dabei ihren Blick gesenkt. Das lange Haar hing ihr vor dem Gesicht.

Wieder entfachte dieser traurige Anblick Janas Wut. Scheiß auf die Regeln, sagte sie sich, streifte den Schlafsack ab, trat auf den schmalen Gang zwischen den Zellen, bückte sich, hob die Wasserschüssel vom Boden und trug sie vorsichtig zu Nummer sechs in die Zelle.

Die starrte sie entsetzt an.

«Nein … nicht, du darfst nicht in meine Zelle kommen.»

Jana ging vor ihr auf die Knie, reichte ihr die Schüssel und nickte ihr aufmunternd zu.

Der Blick der Frau wechselte zwischen der Schüssel, Jana und den halbrunden schwarzen Augen Gottes unter der Gewölbedecke. Schließlich ließ sie den Löffel im Porridge stecken und griff doch zu. Gierig trank sie von dem kühlen Wasser, dabei hüpfte der Kehlkopf in ihrem Hals auf und nieder.

Jana fühlte sich gut, weil sie gegen eine dieser verfluchten Regeln rebelliert hatte. Sie öffnete die Lippen, um zu sprechen, wollte auch diese Mauer einreißen, doch Nummer sechs kam ihr zuvor und legte ihr den Finger auf den Mund. Er war warm vom Porridge.

«Nein, bitte, sprich nicht. Der Herr des Hauses wird es mich sonst hundertfach spüren lassen. Ich bin für die Einhaltung der Regeln verantwortlich. Bitte, geh wieder hinüber in deine Zelle. Vielleicht hat er ja gerade nicht hingesehen, und ich komme ungeschoren davon … aber ich glaube nicht daran. Er sieht einfach alles.»

Diese tiefe Traurigkeit und todesähnliche Abgestumpftheit im Blick von Nummer sechs nahm auch Jana den Mut. Sie nickte, nahm die Wasserschüssel, trank den Rest und stellte sie wieder an ihren Platz unter der Gewölbedecke. Enttäuscht, aber nicht mutlos, kehrte sie in ihre Zelle zurück und hüllte sich in den wärmenden Schlafsack.

Erst als Nummer sechs aufgegessen hatte, sprach sie.

«Bald wird der Herr des Hauses dich nach oben holen. Dann darfst du dich nicht widersetzen. Wenn er dir einen Befehl erteilt, führst du ihn aus. Egal, um was es geht. Denn wenn der Herr einen Befehl wiederholen muss, zieht das entsetzliche Strafen nach sich. Er allein weiß, was gut für uns ist, und wir müssen uns darauf verlassen, dass er die richtigen Entscheidungen trifft.»

Jana saß nur da, lauschte und konnte nicht glauben, was sie hörte.

Nummer sechs musste bereits so lange in diesem Verlies sein, dass ihr Entführer sie vollkommen umgepolt hatte. Er hatte ihr jeden Mut, jeden Gedanken ans Aufbegehren genommen und es geschafft, sich selbst zu einer gottgleichen Gestalt aufzuschwingen, die über jeden Zweifel erhaben war. Nummer sechs war eine Gehirnwäsche verpasst worden, das verstand Jana jetzt. In ihr würde sie niemals eine Gefährtin und Komplizin für einen Ausbruch haben.

Wie so oft in ihrem Leben war sie auf sich allein gestellt.

Und trotzdem würde sie es versuchen.

Dieses Arschloch da oben würde sich noch wundern!

4.

Der Außenspiegel eines Autos konnte eine beträchtliche Beule am Schädel eines Menschen hinterlassen – auch an einem Dickschädel wie dem von Jens Kerner. Zumindest sagte man ihm einen solchen nach, und es musste wohl etwas dran sein, denn außer zwei geschiedenen Ehen und drei Disziplinarverfahren hatte er nun auch noch den Angriff eines mutmaßlichen Mörders überstanden.

Natürlich nicht schmerzfrei.

Irgendwo dadrinnen pochte es ganz gewaltig. Einen Arzt hatte Jens nach dem nächtlichen Angriff nicht aufgesucht. Er ging nie zum Arzt. Wenn man damit in seinem Alter, mit Anfang fünfzig, erst einmal anfing, war das Ende nicht mehr weit. Die Beule würde von allein verschwinden, genauso wie der Kopfschmerz. Was allerdings nicht einfach so heilte, war sein angeknackstes Ego.

Wer auch immer den Außenspiegel geworfen hatte, würde das noch bereuen! Jens machte diesen Fall zu seiner ganz persönlichen Angelegenheit, und er würde nicht lockerlassen, bis er es dem Kerl heimgezahlt hatte. Glücklicherweise hatte niemand mitbekommen, dass er wie ein blutiger Anfänger niedergeschlagen worden war, es reichte schon, vor sich selbst wie ein Trottel dazustehen.

Der bitterschwarze Kaffee, den er sich in seiner Wohnung zubereitet, in einen Thermobecher umgefüllt und mitgenommen hatte, war die geschmackliche Entsprechung seiner Laune an diesem Morgen. Er stellte den Becher in die Halterung am Armaturenbrett seiner Red Lady, klemmte sich hinters Steuer, ließ den gewaltigen Motor erwachen und spürte etwas von seiner gewohnten Ruhe zurückkehren. Diese Macht hatte der V8 schon immer gehabt. Das tiefe, zuverlässige Blubbern berührte eine Stelle in seiner Seele, an die keine seiner beiden Exfrauen je herangekommen war.

Mit einer Hand lenkte Jens, mit der anderen trank er den Kaffee, aus den Lautsprechern dröhnte Jonny Cash, und während er sich gemächlich seinen Weg durch die Stadt bahnte, verbesserte sich seine Laune langsam.

Bald war er in der Lage, ruhig nachzudenken.

Erst hatte er gedacht, dass dieselbe Person, die für den Tod von Oliver Kienat verantwortlich war, ihn mit Hilfe des Außenspiegels für ein paar Minuten ins Nirwana geschickt haben musste, aber jetzt überdachte er das noch einmal. Der Mörder war kaltblütig. Hätte so jemand ihn überleben lassen?

Warum war der Täter überhaupt zurückgekehrt?

Manch einen Mörder zog die emotionale Bindung einer Beziehungstat an den Tatort zurück, aber der Krankenpfleger war zufällig getötet worden, oder nicht?

Das war die Frage.

Lohnte es sich, Oliver Kienat noch einmal genauer unter die Lupe zu nehmen?

Vielleicht später. Erst einmal wollte Jens einen anderen, eher pragmatischen Grund überprüfen, der den Täter dazu bewogen haben könnte, sich dort noch einmal blickenzulassen.

Jens' Handy brummte und riss ihn aus seinen Überlegungen.

Die angezeigte Nummer verriet einen Anruf aus dem Präsidium. Er ging ran und freute sich, Rebeccas Stimme zu hören. Sie klang wie immer vergnügt. Es war schon so etwas wie ein Armageddon nötig, um seiner Assistentin die Laune zu verderben. Oder Trump. Der reichte auch. Es war herrlich zu sehen und zu hören, wie sie sich über diesen superreichen Trottel aufregte.

«Wir haben jetzt doch eine Spur zu der Tatwaffe», legte sie los.

«Ich bin gespannt.»

«Sie ist in Berlin vom Set einer Filmproduktion verschwunden. Die Waffe war nicht schussfähig, aber man hat mir gesagt, mit ein wenig Kenntnis und Geschick kann der Täter sie wieder schussfähig gemacht haben.»

«Filmproduktion … hm … einen Durchbruch würde ich das nicht nennen.»

«An dem Tag, an dem ich ein Lob von dir bekomme, mache ich dir einen Heiratsantrag.»

«Und weil ich das weiß, bekommst du keines.»

«Die Chefin ist auf der Suche nach dir», überging Rebecca seine Replik.

«Und?»

«Sie wirkt ungehalten.»

«Ist doch ihr üblicher Zustand. Ich komme später, sag ihr das. Muss noch einmal zum Tatort raus, was erledigen.»

«Lohnt es sich zu fragen, was du dort erledigen willst?»

«Nein, es lohnt sich nicht.»

Damit beendete Jens das Telefonat, rief Rebecca aber sofort zurück, weil ihm etwas Wichtiges eingefallen war.

«Ja, ich vermisse dich auch», begrüßte sie ihn.

«Herzlichen Glückwunsch zum Geburtstag!»

«Oh, danke! Du siehst mich überrascht. Warte mal, wie lange arbeiten wir jetzt zusammen? Fünf Jahre? Und zum ersten Mal denkst du von allein an meinen Geburtstag.»

«Das stimmt nicht! Letztes Jahr habe ich …»

«Letztes Jahr haben die Blumen auf meinem Schreibtisch dich erinnert.»

«Ja, aber …»

«Mach diesen schönen Moment nicht kaputt», warnte sie ihn.

«Ich bring dir Pralinen mit, Teuerste!»

Jens beendete das Gespräch und konnte sich ein Lächeln nicht verkneifen. Er arbeitete gern mit Rebecca. Sie konnte so herrlich zynisch und schlagfertig sein und hob sich dadurch von all den anderen angepassten, drögen Kollegen und Kolleginnen ab. Dabei war sie aber nicht oberflächlich, ganz im Gegenteil. Wenn man sie eine Weile kannte, verstand man die Tiefe ihrer Gedankengänge – und manchmal auch die Untiefen.

Er durfte auf keinen Fall die Pralinen vergessen, sonst würde Rebecca enttäuscht sein.

Als er die Straße erreichte, in der Kienat erschossen worden war, trank Jens den letzten Schluck seines Kaffees. Er hielt vor dem nagelneuen Straßenschild, das das zulässige Gesamtgewicht für Fahrzeuge auf 7,5 Tonnen begrenzte. Es stand hier, damit der Schwerlastverkehr eine andere Route durch den Hafen nahm.

Irgendwie hatte es etwas von einem Grabmal.

Einen kurzen Moment dachte Jens über die Angehörigen des Krankenpflegers nach. Er hatte die Eltern nicht kennengelernt, die Nachricht vom Tode ihres Sohnes hatte der Polizeipsychologe überbracht, und die erste Vernehmung war von einer Kollegin durchgeführt worden. Wussten sie, wo ihr Kind gestorben war? Waren sie schon hier gewesen, an diesem trostlosen Ort, der selbst unter blauem Himmel nicht schön war? Jens stellte sich vor, wie sie Blumen unter dem Verkehrsschild ablegten und in Tränen ausbrachen, und er fragte sich, ob auch dem Täter solche Gedanken durch den Kopf gingen.

Jens wandte sich ab und ging zu der Autoscheibenreparaturwerkstatt hinüber.

Sprung im Glas, wir machen das.

Was für ein blöder Werbespruch!

Das große Metalldach der ehemaligen Tankstelle schützte eine Zapfinsel ohne Zapfsäulen. Rechts davon stand eine Halle, in der einst eine Autowaschanlage gewesen war. Die rostige Falttür aus Eisen hing schief, Risse zogen sich durch die schmutzigen Glasscheiben. An der Hallenwand lehnte Schrott, und auf der kleinen Grünfläche lagen Autoreifenstapel. Genau dort hatte sich in der Nacht der Typ versteckt, der ihn angegriffen hatte.

Jens drehte sich zum Straßenschild um.

Der Mann hatte ihn wahrscheinlich von dem Moment an beobachtet, da er aus der Gasse getreten war, und folglich genug Zeit gehabt, sich zu verdrücken.

Jens betrat den ehemaligen Kassenraum der Tankstelle, der jetzt als Büro diente. Der billige Drehstuhl hinter dem abgestoßenen schwarzen Schreibtisch war leer, der Computer aber in Betrieb. Wo keine Papiere herumlagen, bedeckte Staub die schwarzen IKEA-Oberflächen und die trockenen Blätter der traurigsten Yuccapalme der Welt.

«Moment», rief jemand aus einem der hinteren Räume.

Das klang genervt, und der Mann, der wenig später nach vorn kam, wirkte auch genervt. Er war klein und rund und trug eine dreckverschmierte blaue Latzhose, die nur noch an einem Träger hing. Der schwarze Haarkranz rahmte eine glänzende Platte, auf seinen teigigen Wangen wucherte ein Dreitagebart. Die roten Schnürsenkel seiner Sicherheitsschuhe waren nicht gebunden und schleiften leise klickend über den Boden. Er trocknete seine Hände mit einem Putzlumpen ab.

Jens fragte sich, wobei er den Mann gestört hatte.

«Kann ich helfen?», fragte er und ließ sich auf den Drehstuhl fallen, der ein ganz ordentliches Stück einsackte.

Jens zog seinen Dienstausweis aus der Tasche und stellte sich vor.

«Hauptkommissar Kerner …», wiederholte der Dicke mit leicht spöttischem Unterton in der Stimme. «Wie war das noch im Abendblatt damals? Dirty Harry, oder?»

Er grinste breit und entblößte eine unvorteilhafte Zahnlücke.

Jens überlegte, ob er sich ärgern sollte, entschied aber, dass der Kerl es nicht wert war. Eigentlich sollte dieser Scheiß, der schon zwei Jahre zurücklag, an ihm abprallen, tat er aber nicht. Leider hatten die Menschen in dieser Stadt ein phänomenales Gedächtnis, wenn es darum ging, sich Klatsch und Tratsch zu merken.

«Ich sehe hier nur eine dreckige Person», entgegnete Jens ruhig, und dem kleinen dicken Mann entglitten die Gesichtszüge. «Sind Sie der Inhaber?»

Er nickte.

«Ihr Name?»

«Karl Griesbeck.»

«Herr Griesbeck, Sie wissen, was vor Ihrer Haustür passiert ist?»

«Ein Unfall, sagten die Typen vom Bauamt, die das Schild ausgewechselt haben.»

«Richtig, ein Unfall», bestätigte er. Griesbeck musste die Wahrheit nicht wissen. «Allerdings ist nicht ganz klar, wie es dazu kommen konnte, und ich habe mich gefragt, ob es hier Überwachungskameras gibt?»

Die Frage hatte Jens sich tatsächlich erst letzte Nacht gestellt, nachdem er niedergeschlagen worden war. Vorher war er nicht darauf gekommen, was sicher daran lag, dass die Werkstatt so heruntergekommen aussah.

Griesbeck zeigte mit dem Daumen hinter sich.

«Da oben in der Ecke.»

Von Spinnweben getarnt, hing an dunkler Stelle tatsächlich eine kleine Kamera.

«Nur diese eine?», fragte Jens. «Keine in der Werkstatt oder auf dem Hof?»

«Nee, nur diese. Hat mir die Versicherung aufs Auge gedrückt, weil hier schon dreimal eingebrochen wurde.»

«Was sieht man auf dem Bildausschnitt?»

«Die Eingangstür. Anders kommt man hier nicht rein, deswegen reicht das.»

«Gibt es keine Hintertür?»

«Hab ich zugeschweißt.»

Jens sparte sich die Frage, ob das mit den Brandschutzbestimmungen für einen Gewerbebetrieb vereinbar war.

«Wie lange werden die Aufnahmen gespeichert?»

«Nach einer Woche überschreibt der Computer sie automatisch.»

«Ich möchte die Aufnahmen sehen von der Nacht, als der Unfall passierte.»

Griesbeck zuckte mit den Schultern.

«Wie gesagt, sie ist auf die Eingangstür ausgerichtet, nicht auf die Straße. Aber wenn Sie unbedingt wollen …»

«Ja, ich will unbedingt.»

Griesbeck beugte sich über die Tastatur und gab einige Befehle ein.

«Seit wann kümmert sich ein Hauptkommissar um einen Unfall? Oder sind Sie nach der Sache damals zur Verkehrspolizei versetzt worden?», fragte er dabei.

Jens überging die Spitze. Er würde sich nicht von diesem Arsch provozieren lassen.

«Immerhin ist der Fahrer zu Tode gekommen», sagte er.

«Echt?» Griesbeck sah kurz zu ihm auf, bevor er sich wieder auf den Bildschirm konzentrierte. «Wusste ich gar nicht. So … Moment … was ist das wieder für eine Scheiße hier, nie macht das Ding, was ich ihm sage.»

Griesbecks Computerfähigkeiten hielten sich in Grenzen, das war unschwer zu erkennen. Seine rechte Hand kreiste wie ein Adler über der Tastatur, um dann plötzlich mit ausgestrecktem Zeigefinger auf eine Taste niederzustürzen.

Einfingersuchsystem, dachte Jens und seufzte innerlich. Er hatte keine Lust, hier seine Zeit zu vertrödeln.

«Soll ich mal?», fragte er.

«Nee, ich hab's gleich.»

In angespannter Konzentration hockte Griesbeck da, die Nase dicht vor dem Bildschirm, die ohnehin schon kleinen Augen zusammengekniffen.

Jens gab ihm zwei Minuten, dann würde er die Sache selbst übernehmen. Er war alles andere als ein Computerfachmann, kam mit den gängigsten Anwendungen aber problemlos zurecht. Schneller als Schweinchen Dick war er auf jeden Fall.

Endlich fand Griesbeck die richtige Datei und freute sich darüber wie ein kleiner Junge. Für einen Augenblick wirkte sein Gesicht richtig sympathisch. Jens durfte zu ihm hinter den Schreibtisch treten, und Griesbeck klickte auf den weißen Pfeil zum Abspielen des Videos. Dann lehnte er sich zurück und faltete die Hände vor dem Bauch.

Der Bildausschnitt erfasste die Eingangstür, den überdachten Vorplatz und immerhin ein vielleicht drei Meter breites Stück der Straße – allerdings nicht die Stelle, an der das Schild stand.

«Die Aufzeichnung beginnt um zwanzig Uhr», sagte Jens und deutete auf den eingeblendeten Timer.

«Weil ich meistens bis acht hier bin.»

«Okay, aber der Unfall ereignete sich später in der Nacht. Spulen Sie mal vor.»

«Vorspulen?» Griesbeck runzelte die Stirn. Sein Finger machte sich auf die Suche.

«Lassen Sie mich mal.»

Jens beugte sich vor, öffnete die Oberfläche des Videoplayers und bewegte die Maus auf dem Verlaufsbalken vorwärts. Nach mehreren Versuchen fand er in dem Zeitraum zwischen elf und ein Uhr eine Stelle, an der sich ein Fahrzeug durch den Bildausschnitt bewegte.

Bingo!

Es war ein weißer Kastenwagen.

Jens spulte zurück, ließ die Szene in Zeitlupe ablaufen und beugte sich vor.

Der Wagen sah alt aus, hatte keinerlei Aufschrift und schien in normalem Tempo zu fahren. Form und Aufbau passten zu dem Foto, das Oliver Kienat geschossen hatte. Der Fahrer war nicht zu erkennen. Wäre ja auch zu schön gewesen.

Jens ließ den Bildausschnitt mehrmals in Zeitlupe ablaufen, ohne irgendwas Interessantes zu entdecken. Dann spulte er die Aufnahme weiter vor und gelangte an eine Stelle, an der es erneut Bewegung gab.

Der Kastenwagen kam zurück.

Diesmal fuhr er sehr langsam, und weil die Fahrerseite der Videokamera zugewandt war, konnte Jens hinter der Scheibe ein Gesicht erkennen – oder besser, einen hellen Fleck.

«Ich brauche die Aufnahme», sagte er und holte sein Handy hervor.

5.

«Dein Haar sieht aus wie mit dem Laubrechen gekämmt», sagte Vivien lachend.

«Vielen Dank! Du hast mich doch so gedrängt.»

«Ja, weil ich vor Hunger sterbe und du nicht aus dem Bad kamst.»

«Das Problem war, ich kam selbst nicht hinein», verteidigte sich Leni.

Sie waren unterwegs zu der Bäckerei, von der Vivien geschwärmt hatte, allerdings eine halbe Stunde später als geplant. Vivien war pünktlich fertig gewesen, Leni nicht. Immer wenn sie in das einzige Bad wollte, um zu duschen, war schon jemand drin. Auf diese Art hatte sie zwar gelernt, was «Besetzt» auf Spanisch und Chinesisch hieß – nämlich *ocupado* und *zhanling* oder so ähnlich –, hatte am Ende aber in aller Eile unter nur mäßig warmem Wasser duschen müssen. Leider war nach dem Ansturm der Bewohner das überraschend große Bad nicht mehr im allerbesten Zustand gewesen, man hätte es auch verwüstet nennen können, und Leni hatte sich fest vorgenommen, morgen in aller Herrgottsfrühe vor allen anderen aufzustehen.

«BedtoBed kann auch anstrengend sein», gab Vivien zu. «Aber im Großen und Ganzen liebe ich diese Art zu reisen.»

«Du machst das öfter?»

«Regelmäßig. Ist doch ein geniales System! Überall auf der Welt bekommst du ein bezahlbares Zimmer und triffst tolle Menschen, die du sonst nie kennengelernt hättest. Schau uns beide an. Wir wären uns ohne BedtoBed niemals über den Weg gelaufen.»

«Stimmt. Aber ich habe schon gern mein eigenes Bad. Hast du noch nie schlechte Erfahrungen mit solchen Zimmern gemacht? Zudringliche Vermieter oder so?»

Vivien machte eine wegwerfende Handbewegung.

«Mehr als genug. Von total verdreckten Zimmern bis hin zu einem alten Sugardaddy, der nachts plötzlich im Zimmer stand mit der Ausrede, frische Handtücher bringen zu wollen. In Paris hatte ich mal ein Zimmer in einer WG. Die waren alle cool drauf, liefen aber morgens nackt herum. Das ging mir dann doch ein bisschen weit. Oder diese Bude in London, da habe ich ungelogen zweihundertdrei Zigarettenstummel gezählt, die überall herumlagen. Man darf nicht zartbesaitet sein.»

«Um Gottes willen!», stieß Leni aus.

«Halb so wild. Und unsere Zimmer hier sind doch ein Traum, oder? Ganz ehrlich, so toll habe ich bei BedtoBed noch nie gewohnt. Wenn jemand auszieht, kommt sofort die Putzfrau und macht alles sauber. Das Bett deiner Vorgängerin war noch warm, da wurde es schon neu bezogen. Richtig gut organisiert, die Hütte.»

«Ja, aber ich finde es schon merkwürdig, dass man den Vermieter nicht kennenlernt.»

«Mach da bloß kein Fass auf!», warnte Vivien sie.

«Was meinst du?»

«Na ja, nicht dass du bei BedtoBed anrufst und denen sagst, dass der Vermieter hier gar nicht wohnt.»

«Hatte ich nicht vor.»

«Dann ist ja gut. Nimm es einfach hin, wie es ist, und sieh zu, dass du Spaß hast. Mein Lebensmotto übrigens. Und, Leni Landei: Was ist dein Spaßplan?»

«Nenn mich nicht immer so.»

«Warum nicht?»

«Weil es herabsetzend klingt.»

«Ach, komm schon», Vivien legte ihr eine Hand um die Schulter. «So hab ich es nicht gemeint. Ich finde dich total süß. Richtig unschuldig.»

«Bin ich aber nicht!»

Das kam heftiger als gewollt. Vivien spürte wohl ihren Stimmungsumschwung. Sie ließ Leni los und sah sie von der Seite an.

«Tut mir leid, ich wollte dir nicht zu nahe treten. Sei mir nicht böse, ja.»

«Okay, aber nenn mich bitte nicht mehr so.»

«Versprochen, hoch und heilig.»

Sie gingen schweigend nebeneinanderher. Leni fand das bedrückend, wusste aber nicht, was sie sagen sollte. Das war schon immer so gewesen bei ihr. Sie schaffte es einfach nicht, ein Gespräch in Gang zu bringen, es in Gang zu halten auch nicht, und wenn sie mit jemandem gestritten hatte oder auch nur das Gefühl hatte, es läge etwas im Argen, kaute sie stunden-, manchmal tagelang darauf herum, statt es einfach zu klären. Leni wusste ganz genau, wie sie war, sie hatte sich schon immer gut reflektieren können. Aber wie sie etwas daran ändern konnte, wusste sie nicht.

«Hey, erzähl mal, was ist das für ein Praktikum!», fragte Vivien schließlich.

Leni hörte heraus, dass das Interesse nicht echt war, nahm den Ball aber auf, weil das Schweigen noch schlimmer war.

«Ich habe literarisches Schreiben studiert und möchte in der Verlagsbranche arbeiten, aber ohne Praktikum kommt man nirgendwo rein, deshalb bin ich ganz froh, dass es bei Newmedia geklappt hat. Das ist ein neuer, kleiner Verlag mit innovativen Ideen und einem jungen Team.»

«Aha!»

Vivien lief neben ihr her und beobachtete die anderen Leute, die auf den Bürgersteigen unterwegs waren, taxierte und kategorisierte sie, schob sie in Schubladen, und Leni war sich sicher, dass sie auch in diesem Moment auf der Suche nach ihrem Hamburger Millionär war.

«Und was verdient man da so, in der Verlagsbranche?», fragte sie.

«Beim Praktikum erst einmal nichts …»

«Wie? Du arbeitest umsonst für den Laden?»

Jetzt hatte Leni ihr Interesse gewonnen.

«Na ja, ich arbeite ja nicht wirklich, ich sammle Erfahrungen. Das ist ungeheuer wichtig.»

«Die einzigen ungeheuer wichtigen Erfahrungen bringt dir das Leben», sagte Vivien.

«Zum Beispiel, wie man sich einen Millionär angelt.»

Vivien warf ihr einen Blick zu.

«Jetzt bist du herablassend. Jeder hat seine Ziele, und alle haben irgendwas mit Geld zu tun.»

«Geld sollte aber nicht der Antrieb sein.»

«Nicht? Was dann?»

«Leidenschaft vielleicht?»

«Genau mein Reden! Und in Leidenschaft bin ich richtig gut.»

«Du weißt …»

Aus einer schmalen Seitengasse rechts von ihnen kam jemand herausgeschossen.

Leni nahm ihn nur als Schatten wahr, bevor sie jählings von den Füßen geholt wurde und zusammen mit der anderen Person zu Boden ging. Der Aufprall war hart. Sie schlug mit dem Hinterkopf auf den Asphalt, und für einen Moment wurde ihr schwarz vor Augen. Sie hörte Vivien schimpfen, und als sie wieder bei Besinnung war, sah sie jemanden in langem Mantel fortlaufen.

«Du blödes Arschloch!», rief Vivien ihm hinterher. Sie konnte richtig laut brüllen. «Penner!»

Leni stemmte die Handflächen gegen den Boden und setzte sich auf. Dabei fiel ihr Blick in die Gasse, aus der der Mann gekommen war. Sie war sich nicht ganz sicher, weil sie weiterhin leicht benommen war und vor ihren Augen Hunderte grellweiße Schneeflocken tanzten, meinte aber, dort noch eine weitere Person zu erkennen. Einem Geist gleich, zog sie sich beinahe schwebend in die tiefen Schatten zurück und löste sich im nächsten Moment auf. Dann schob sich Vivien in ihr Blickfeld, sah sie besorgt an, sagte etwas, das Leni nicht verstand, und dieser sonderbare Moment, in dem sie grundlos tiefe Angst verspürt hatte, war vorbei.

«Hast du das gesehen?», fragte sie.

«Was gesehen?»

Vivien folgte ihrem Blick.

«Dort ... in der Gasse ... da war ... jemand.»

Sie verstummte, weil ihr klar war, dass Vivien ihr nicht glauben würde. Sie glaubte es ja selbst nicht und schob ihre Beobachtung auf den harten Schlag gegen den Kopf zurück.

«Ja, ein Arschloch war da», rief Vivien aufgebracht. «Der kann froh sein, dass ich ihn nicht zu fassen bekommen habe, sonst hätte er sein blaues Wunder erlebt. Geht es dir gut? Bist du verletzt?»

«Ich glaube nicht.»

Leni ließ sich von Vivien auf die Beine helfen und tastete die schmerzempfindliche Stelle an ihrem Hinterkopf ab. Sie befürchtete, Blut an ihren Fingerspitzen zu finden, dem war aber nicht so.

«Lass mich mal sehen», sagte Vivien. «Ich habe eine Ausbildung als Rettungsassistentin.»

Sie besah sich die Stelle. «Noch mal Glück gehabt, nichts passiert. Und wenn dir nicht schlecht wird, hast du auch kein Schädel-Hirn-Trauma. Bis zum Bäcker ist es nicht mehr weit, das schaffst du, oder?»

Vivien hakte sich bei ihr ein, und sie gingen weiter.

«War das gerade ein Scherz, oder bist du wirklich Rettungsassistentin?», fragte Leni.

«Warum sollte das ein Scherz sein?»

Leni zuckte mit den Schultern. «Ich weiß nicht. Ich hätte nur nicht gedacht, dass du …»

Sie brach ab, um nach den richtigen Worten zu suchen.

Vivien lachte lauthals ihr Männerlachen.

«Dass ich jemand sein könnte, der anderen hilft?»

«Tut mir leid.»

«Mach dir keinen Kopf, kaum jemand vermutet das bei mir. Liegt vielleicht daran, dass ich im Laufe der Jahre ein bisschen abgestumpft bin und nicht jedes Wehwehchen ernst nehme. Außerdem macht der Job sarkastisch, mich jedenfalls. Da vorn ist der Bäcker.»

Sie zeigte auf ein verglastes Flachdachgebäude, das ans Ufer des Kanals gebaut war und sogar einige Meter über das Wasser hinausragte. Darunter schwamm eine Holzterrasse auf Pontons mit Stühlen, Tischen und kleinen Palmen darauf. Trauerweiden, Eschen und Ahorn am Ufer vervollständigten das Bild. Leni konnte kaum glauben, dass es mitten in dieser vollen, lauten Stadt einen solch idyllischen Ort geben konnte.

«Du musst unbedingt die Croissants probieren!», sagte Vivien und hielt ihr die Tür auf. Leni bestellte zwei davon, einen mit und einen ohne Schokolade, dazu Rührei und Bacon. Sonst frühstückte sie Müsli, aber der Duft war einfach zu verlockend. Sie trugen ihr Frühstück auf die Außenterrasse hinaus und suchten sich einen Platz direkt am Wasser. Dunkel und still lag es unter ihnen, Leni konnte nicht einmal ein paar Zentimeter weit hineinschauen. Sie fand das gruselig, sagte aber nichts. Vivien musste nicht wissen, dass sie Angst vor Wasser hatte.

«Ich kann immer noch nicht glauben, dass dieser Blödmann dich einfach so über den Haufen rennt und abhaut», sagte Vivien und schüttelte den Kopf. Weil sie sich ein halbes Croissant in den Mund gestopft hatte, war es kaum verständlich.

Leni dachte an die Gestalt in der dunklen Gasse zurück, die sich in Rauch aufgelöst hatte.

«Vielleicht hatte er Angst und ist vor jemandem davongelaufen.»

«Jetzt verteidige den Kerl auch noch! So was macht man einfach nicht.»

«Gestern, als ich dir helfen wollte, hast du noch so getan, als wäre es normal, wegzuschauen.»

«Ist es heutzutage auch. Aber das muss mir ja nicht gefallen. Menschen wie dich trifft man nur noch selten. Ganz ehrlich … das gestern Nacht … kaum jemand hätte das getan. Ich auch nicht.»

«Mir ist es ein bisschen peinlich.»

«Kann ich verstehen, war es ja auch.» Vivien lachte. «Ich glaube, den Typen im Porsche sehe ich nie wieder. Kein großer Verlust, denke ich.»

Viviens Smartphone, das neben ihrem Tablett auf dem Tisch lag, gab ein kurzes Vibrieren von sich. Sie nahm es, schaute nach, und ein verschmitztes Lächeln huschte über ihr Gesicht, während sie etwas schrieb.

«Bist du eigentlich bei Instagram?», fragte sie.

Leni schüttelte den Kopf.

«Twitter, Flickr?»

«Nein, nur Facebook.»

«Großer Gott, Leni Landei! Niemand ist mehr bei Facebook. Hier, schau mal.»

Sie hielt Leni ihr Handy hin. Darauf war ein junger Mann in Jeans und weißem Hemd zu sehen, der lässig in die Kamera lächelte. Die geöffnete Knopfleiste des Hemdes entblößte eine stahlharte Bauchmuskulatur.

«Wer ist das?»

«Mein Date für heute Abend.»

«Und wer ist Vivilove?»

«Na wer wohl, ich natürlich. Das ist mein Name in den sozialen Netzwerken.»

Vivien nahm ihr das Handy weg und warf einen sehnsüchtigen Blick auf das Display.

«Süß, oder?»

«Ja, schon. Ein bisschen angeberisch aber auch.»

«Hey, das ist Instagram, da geht es um schöne Fotos. Du solltest dir auch einen Account zulegen.»

«Ach, ich weiß nicht … wer interessiert sich schon für mein Leben?»

«Du musst es nur interessant machen. Es kommt auf die richtigen Bilder an. Ich hab eine Idee. Du kommst heute Abend mit in den Club, und dort beginnt dein neues, aufregendes Leben. Inklusive Fotos.»

«Ich muss morgen früh raus.»

«Scheiß drauf, dann schläfst du eben mal schneller.»

«Lieber nicht.»

«Hey, so eine Einladung lehnt man nicht ab, in diesen Club kommt nämlich nicht jeder rein. Das ist sehr exklusiv dort, die

Millionärsdichte ist hoch. Ich führe dich in die exklusive Hamburger Nachtszene ein. Das ist das Mindeste, was ich für meine Lebensretterin tun kann.»

Leni brachte ein missglücktes Lächeln zustande. Sie wollte auf keine Party, ihr graute sogar davor, sie spürte aber, dass sie gegen Viviens Enthusiasmus nicht ankam.

Das hatte man also davon, wenn man hilfsbereit war.

6.

Wenn er dich zu sich nach oben holt, darfst du dich nicht widersetzen.

Dieser Satz von Nummer sechs ging Jana nicht mehr aus dem Kopf.

Ihre Leidensgenossin lag drüben in der Zelle und schlief. Ihre leisen Atemgeräusche waren in dem ansonsten stillen Verlies deutlich zu hören.

Nachdem sie gegessen hatten, war der durchdringende Ton noch einmal erklungen, und Nummer sechs hatte Jana angewiesen, in ihrer Zelle zu bleiben. Kurz darauf hatte sich Janas Zellentür geschlossen, und Nummer sechs war mit dem kleinen Wägelchen, auf den sie zuvor die leeren Plastiktöpfe geschnallt hatte, in das schwarze Loch gekrochen. Es hatte eine, vielleicht zwei Stunden gedauert, bis sie zurückgekehrt war. Wortlos war sie in ihren Schlafsack gekrochen und sofort eingeschlafen.

Jana konnte nicht schlafen.

Sie dachte pausenlos über ihre Flucht nach. Diesem sogenannten Herrn des Hauses war es gelungen, Nummer sechs zu einer willfährigen Sklavin zu machen. Jana würde es nicht zulassen, dass er mit ihr das Gleiche tat.

Aber wie schottete man seinen Verstand und seine Seele gegen seine psychischen Angriffe ab?

Am besten ließ sie es erst gar nicht dazu kommen. Sie würde versuchen, den Herrn des Hauses zu reizen, ihn wütend zu machen. Vielleicht würde er dann einen Fehler begehen, und sie hätten eine Chance zur Flucht.

Aber allein konnte Jana nicht fliehen. Egal, was passierte, sie musste Nummer sechs mitnehmen. Sie würde es sich niemals verzeihen, wenn sie womöglich wegen ihres Ungehorsams sterben müsste.

Plopp ...

Ein Wassertropfen fiel in die gefüllte Schüssel. Jana spürte ihren quälenden Durst.

Es kostete sie Überwindung, sich aus dem Schlafsack zu schälen, nicht nur wegen der Kälte, sondern weil sie wusste, dass sie über eine Videokamera beobachtet wurde. Aber es ging nicht anders, sie kam nicht an die Wasserschüssel heran, solange sie im Schlafsack steckte.

Nackt ging sie vor dem Gitter auf die Knie und legte sich schließlich auf den Bauch. Die Kälte des Steinbodens drang sofort in ihren Körper, Jana konnte spüren, wie sich ihre Organe zusammenzogen. Sie biss die Zähne zusammen, legte sich mit der rechten Schulter ans Gitter und steckte den Arm hindurch. Nur wenn sie sich gegen die Metallstreben presste, bis es weh tat, kam sie mit den Fingerspitzen an die Schüssel heran. Dabei musste sie ihr Gesicht aber abwenden, weil es nur klappte, wenn ihr Hinterkopf an den Streben lag. Durch die veränderte Position der Schulter reichte ihr Arm dann ein oder zwei Zentimeter weiter. Es schien so, als habe der Herr des Hauses den Abstand zum Käfig genau abgemessen.

Janas Fingerspitzen tasteten sich an das kalte, feuchte Metall heran, sie hakte den Zeigefinger über den Rand und zog die Schüssel zu sich heran. Auch dieser Vorgang verlangte höchste Konzentration, denn der Boden war uneben, die Schüssel konnte sich verkanten und umkippen.

Das Geräusch des über die Steine rutschenden Metalls erfüllte das Gewölbe. Sie zog die Schüssel durch den Spalt, führte sie an ihren Mund und trank.

Das herrlich kühle Wasser benetzte zuerst ihre aufgesprungenen Lippen, dann die Zunge und schließlich die Kehle, und Jana hätte weinen können vor Glück. Mit geschlossenen Augen trank sie in winzigen Zügen, bis nichts mehr übrig war.

Dann öffnete sie die Augen – und erschrak!

Nummer sechs stand am Gitter ihrer Zelle und starrte sie an. Ihre Zunge schnellte hervor und wischte über die trockenen Lippen.

Jana ließ die Schüssel sinken. Sie war leer. Plötzlich schämte sie sich dafür, das Wasser allein getrunken zu haben.

Nummer sechs schüttelte den Kopf, als sei das in Ordnung, aber ihr Blick strafte sie Lügen. Sie verzehrte sich nach einem Tropfen Wasser, das war eindeutig.

Jana wiederholte die Prozedur von eben und positionierte die Schüssel an ihrem Platz, damit sie sich wieder füllen konnte.

Als ihre feuchten Fingerspitzen über den Steinboden glitten, hinterließen sie Spuren im Staub. Plötzlich hatte Jana eine Idee.

Sie benetzte ihre Fingerkuppen noch einmal in der Feuchtigkeit rund um die Schüssel und schrieb dann ihren Namen in den Staub.

Jana

Nummer sechs sah ihr dabei zu. Ihre Augen wurden starr vor Entsetzen. Ihr Blick ging immer wieder zu dem göttlichen Auge unter der Gewölbedecke empor.

Als Jana fertig war, stand sie auf und sah Nummer sechs an, nickte ihr zu, forderte sie auf, das Gleiche zu tun, doch sie schüttelte den Kopf. Jana ärgerte sich über ihre Feigheit, zeigte es aber nicht. Stattdessen schloss sie ihre Hände wie zum Gebet und formte mit ihren Lippen das Wort Bitte. Schließlich nickte Nummer sechs. Auch sie streckte den Arm durchs Gitter und schrieb ihren Namen auf den staubigen Boden.

Katrin.

Nun waren sie nicht mehr länger Nummer sechs und Nummer sieben, sondern Menschen mit Namen, auch wenn sie sie nicht aussprechen durften.

Plötzlich drang ein scharrender und knarzender Ton durch das Gewölbe. Eine entsetzlich laute, verzerrte, kaum als menschlich zu bezeichnende Stimme drang von allen Seiten auf sie ein. Sie hallte zwischen den steinernen Wänden wider und fuhr tief in ihren Kopf.

Mit einem metallischen Klacken entriegelten sich die Käfigtüren und fuhren langsam zurück.

«Nummer sechs. Nummer sieben. Nach oben kommen. Sofort!»

7.

Frederic Förster lief, bis ihm die Luft ausging und seine Lunge schmerzte, als brenne ein Feuer darin. Dann lief er noch eine Weile weiter, wurde immer langsamer, schleppte sich schließlich nur noch dahin und blickte immer wieder über die Schulter zurück, weil er glaubte, Schritte zu hören, die ihm folgten.

Unter einer schmalen Kanalbrücke brach er schließlich zusammen. Immerhin geschützt vor neugierigen Blicken, lag er auf dem schmutzigen Pflaster und wartete darauf, dass sein Atem sich beruhigte. Seine rechte Schulter schmerzte von dem Zusammenprall. Er hatte die Person nicht mal richtig gesehen, nur die wütenden Rufe gehört. Kraftausdrücke und Verwünschungen, die er verdient hatte.

Auch der Begriff Penner war gefallen.

Ja, er war ein Penner. Ein Obdachloser. Das war jetzt aus ihm geworden, aus dem aufstrebenden Jungunternehmer, dem die Welt für eine kurze Weile zu Füßen gelegen hatte. Bis er ihren Verlockungen nachgegeben und sich den Frauen hingegeben hatte, allen, die wollten, nur nicht seiner eigenen. Es gab Dutzende anderer Gründe für sein Versagen und seinen Absturz, aber der Betrug an sich selbst und seiner Familie hatte den Ausschlag gegeben.

Jener Abend vor zwei Jahren, als er mit der Blondine, an deren Nachnamen er sich nicht einmal erinnerte, ins Bett gegangen war, hatte ihn zwangsläufig und unaufhaltsam hierher unter die Brücke geführt. Die Frage war, ob er sich vor zwei Jahren anders verhalten hätte, moralischer, ehrenvoller, wenn ihm jemand gesagt hätte, was ihn erwartete.

Freddy wusste es nicht.

Er hatte einen schwachen Charakter. Was er anfangs für Durchsetzungswillen und geschäftliche Cleverness gehalten hatte, war nichts weiter als das armselige Streben nach Geld und Anerkennung, um damit ein Ego aufzupolieren, das auf Sand gebaut war. Auf Sand und Scheiße.

Und nun lag er hier im Dreck, außer Atem und voller Angst, und das Schicksal packte noch ein Pfund obendrauf, so als ob es nicht reichte, ganz unten angekommen zu sein. Nein, es musste sich ihm auch noch ein Verfolger an die Fersen heften. Ein zu allem entschlossener Mann, der ihn früher oder später erwischen würde. Es war ein Wunder, dass er überhaupt noch lebte.

Freddy war nach Heulen zumute.

Er wäre gern in irgendein Loch gekrochen und dort gestorben, aber so einfach war das nicht mit dem Sterben. Selbst wenn alles in Schutt und Asche lag und jeder auf einen herabsah, glomm tief im Inneren noch immer der Lebenswille und hielt die Hoffnung auf Besserung aufrecht. Du kannst immer noch neu anfangen, sagte dieses Fünkchen Hoffnung. Kannst irgendwas aufbauen, darin bist du doch gut.

Ja, aber im Kaputtmachen war er sogar noch besser. Das hatte er bewiesen.

Nach endlosen Minuten richtete Freddy sich auf und sah sich um. In Reichweite lagen gebrauchte Spritzen und blutige Taschentücher herum, es roch nach Urin, in dem stählernen Traggestell der Brücke standen leere Bier- und Wodkaflaschen.

Als klargeworden war, dass er aus seiner Wohnung musste und kein Geld für eine andere Bleibe auftreiben konnte, hatte er sich geschworen, niemals so tief zu sinken, mit den Berufspennern zusammen unter einer Brücke zu schlafen. Aber jetzt war er tatsächlich unter einer Brücke angekommen, einem abgefuckten Ort inmitten der Stadt und gleichzeitig dem einzigen Platz, der ihm zumindest flüchtige Sicherheit bot.

Freddy begann zu weinen. Angst und Anspannung strömten aus seinem Körper, während über ihm Schritte die schmale Brücke zum Schwingen brachten. Jemand lachte, Gesprächsfetzen drangen zu ihm, er hörte Verkehrslärm und Sirenen, hörte dieses ewige Rauschen der Stadt und wusste: Er gehört nicht mehr dazu.

Nach ein paar Minuten hatte er sich beruhigt und dachte darüber nach, was er tun konnte.

Die Polizei war keine Option. Er schuldete einigen Menschen viel Geld, und die würden ihn in den Knast wandern lassen, sobald er auftauchte.

Es musste einen anderen Weg geben.

Sein Verfolger würde ihn auf den Straßen, den Plätzen, an den Stellen suchen, die Obdachlose eben aufsuchten. Dorthin durfte er auf keinen Fall, andererseits durfte er aber auch nicht der Polizei auffallen. Mit all diesen Einschränkungen wurde selbst eine große Stadt wie Hamburg sehr eng.

Auf dem schmalen Kanal vor ihm näherte sich ein schlankes gelbes Kajak. Darin saß ein Mann und schwang mit geübten Bewegungen das Doppelpaddel. Als er nahezu geräuschlos an Freddy vorbeizog, nickte der Fremde ihm zu und Freddy hob die Hand zum Gruß. Er sah dem Kajak nach, bis es hinter einer Kurve verschwand.

Stirb oder tu das Härteste, was du dir vorstellen kannst, sagte Freddy sich im Stillen.

Er rappelte sich auf, klopfte sich den Staub von den Kleidern und machte sich auf den Weg.

8.

Der Tunnel!

Dieses finstre, halbrunde Loch in der Wand, in dem die Schwärze wie ein fester Block lag, ängstigte Jana zutiefst. Allein hätte sie nie die Kraft und den Mut aufgebracht, hineinzukriechen, ganz egal, ob der Herr des Hauses es verlangte oder nicht. Sollte er doch zu ihnen ins Verlies kommen!

Doch das würde er nicht tun, hatte Katrin erklärt. Wenn sie sich weigerten, würde er rein gar nichts tun. Die Tropfen aus der Gewölbedecke würden versiegen, die Wasserschale sich nicht mehr füllen. Kein Essen, kein Licht, nichts. Der Tod würde sie langsam und qualvoll dahinraffen.

Also folgte Jana der Anordnung, weil es die einzige Chance war, zu überleben.

Katrin kroch vor, sie mit einigen Metern Abstand hinterher. Im Tunnel war es so dunkel, dass sie die Hand vor Augen nicht sehen konnte, geschweige denn Katrin. Jana hörte sie vor sich über den Boden kriechen und vor Anstrengung keuchen.

«Einfach geradeaus, immer weiter», stieß sie zwischendurch aus.

Der Tunnel wurde mit jedem Meter flacher. Bald spürte Jana die massive Decke an ihrem Rücken schaben. Die Enge quetschte ihr Herz und ihre Lunge zusammen, sie bekam kaum noch Luft und war einer Panik nahe.

«Keine Angst, gleich haben wir es geschafft», sagte Katrin irgendwo vor ihr.

«Ich … ich kann nicht weiter», wimmerte Jana und ließ sich auf den Bauch sinken. Sie konnte die Decke nicht sehen, spürte aber deren immenses Gewicht, das sie zu erdrücken schien. Sie zitterte am ganzen Körper, gleichzeitig brach ihr Schweiß aus, und ihre Atmung wurde hektisch und flach.

«Bleib ganz ruhig und atme langsam ein und aus», sagte Katrin.

Aber das konnte Jana nicht. Panik kontrollierte jetzt ihren Körper und ließ sie hyperventilieren. Sie brachte kein Wort hervor, ihre Muskeln verkrampften und machten es ihr unmöglich, sich zu bewegen.

Plötzlich war da eine Hand, tastete zuerst an ihrem Kopf, dann an ihrer Wange.

«Ganz ruhig, dir passiert nichts.»

Katrin streichelte ihr Gesicht. Ihre Lippen waren ganz nah an ihrem Ohr. Jana spürte ihren warmen Atem auf ihrer Haut.

«Der Tunnel ist sicher. Komm weiter. Du musst nur regelmäßig atmen.»

Katrins Berührungen und ihre sanfte Stimme verdrängten die Panik. Jana spürte, wie ihre Atmung sich langsam beruhigte und der Nebel in ihren Gedanken sich lichtete.

«Geht's wieder?»

«Ja … gleich.»

Sie brauchte noch einige Atemzüge, dann konnte sie sich bewegen.

«Bleib dicht bei mir», riet Katrin. «Wir kriechen nebeneinander weiter.»

Aber dafür war der Tunnel kaum breit genug und die rauen Wände aus Stein schabten an ihrer Haut. Jana ertrug den Schmerz, sie war froh und dankbar, Katrin neben sich zu spüren.

Plötzlich ging es nicht mehr weiter. Vor sich ertastete Jana eine massive Wand aus kaltem Stahl.

«Nicht erschrecken», sagte Katrin. «Gleich wird es laut.»

Sie hatte es kaum gesagt, da ging ein dumpfes Grollen durch den Tunnel. Die Wände bebten, der Boden bebte, und vor ihnen hob sich quälend langsam das stählerne Schott. Zentimeter für Zentimeter ratterte es nach oben und ließ ein wenig Licht hinein. Gerade genug, um endlich wieder Katrins Gesicht sehen zu können.

Katrin legte ihre Hand auf Janas und hielt sie fest.

«Warte ... noch nicht ...»

Erst als das Grollen verstummte, sagte sie: «Jetzt», und sie krochen weiter. Vielleicht zwei, drei Meter, dann richtete Katrin sich auf und zog Jana mit auf die Beine.

Einander stützend, standen sie da und sahen sich um.

Sie befanden sich in einem quadratischen kleinen Raum, die Wände waren weiß getüncht, in der Decke gab es eine durchsichtige Platte, durch die schwaches, künstliches Licht hereinfiel. Vor einer roten Metalltür ohne Griff lag etwas auf dem Boden.

Katrin bückte sich danach und hielt Jana etwas aus Stoff entgegen.

«Das müssen wir anziehen.»

Es handelte sich um ein Patientenhemd in blauer Farbe, mit kurzen Ärmeln und zwei Bändern am Rücken.

Jana zog es rasch an. Nicht weil sie fror, sondern weil sie nicht länger nackt sein wollte. Dann halfen sie sich gegenseitig dabei, das Patientenhemd am Rücken zuzubinden. Während sie noch damit beschäftigt waren, klackte es im Schloss der roten Metalltür, und sie schwang zwei Zentimeter weit auf.

Helles Licht drang durch den Spalt.

Katrin trat vor sie hin, umfasste ihre zitternden Hände und sah sie eindringlich an.

«Wenn wir tun, was der Herr des Hauses sagt, wird uns nichts Schlimmes geschehen. Hörst du?»

Jana nickte. Ihr Selbstbewusstsein und ihr Dickkopf waren verschwunden. Stattdessen war da nur noch unermessliche Angst.

«Dann komm. Ich gehe vor.»

Katrin drückte mit beiden Händen gegen die rote Tür, und sie schwang vollends auf. Als sie hindurchtraten, erkannte Jana den Grund dafür, warum die Tür so schwer war. An der Rückseite war ein Regal befestigt, das mit zur Seite schwang. Darin lagen flache Kartons mit Deckel. Eine perfekte Tarnung.

Sie betraten einen Lagerraum. An allen Wänden standen identische, gut gefüllte Regale. In einer Ecke sah Jana eine gewundene hölzerne Treppe, die emporführte. Der Handlauf war speckig schwarz, wo unzählige Hände ihn berührt hatten. Ohne zu zögern, stieg Katrin die Treppe hinauf. Jana folgte ihr. Nachdem sie die zweite Wendung hinter sich gelassen hatten, zeichnete sich im hellen Rechteck einer Tür eine große dunkle Gestalt ab. Sie stand breitbeinig und reglos dort, die Arme hingen locker herunter.

Katrin verharrte und senkte den Blick auf die Treppenstufen. Jana tat es ihr gleich. Sekunden vergingen, dehnten sich zu einer Minute, zwei, drei …

Jana konzentrierte sich auf ein Holzauge in der Treppenstufe und bildete sich ein, es würde sie anstarren.

Warum bewegte der Mann dort oben sich nicht?

Warum sagte er nichts?

Was sollte das?

Gerade als Jana meinte, die Warterei nicht länger ertragen zu können, hörte sie seine Stimme.

«Kommt herauf. Beide.»

Sofort setzte Katrin sich in Bewegung. Jana blieb ganz dicht hinter ihr. Am Ende der Treppe traten sie durch eine massive Holztür in einen großen Raum.

9.

Mit Beinen, schwer wie Blei, schleppte Freddy sich über die Straße, nachdem er eine Weile das Umfeld beobachtet hatte. Niemand war ihm von der Brücke hierhergefolgt, und niemand konnte wissen, dass hier seine Exfrau und sein Sohn lebten, aber es konnte nicht schaden, vorsichtig zu sein.

Silke und Leon lebten in einem Vier-Parteien-Haus in der Wohnung oben rechts. Ihr Balkon ging auf die kleine Grünfläche hinaus. Leon war um diese Zeit im Kindergarten, und das war auch besser, denn so sollte er seinen Vater auf keinen Fall zu sehen bekommen.

An der Klingel stand Silkes Mädchenname. Seidel. Sie hatte sich gar nicht schnell genug von ihm scheiden lassen können, als herausgekommen war, was er getan hatte. Da hatte sie noch nicht gewusst, wie es um seine Finanzen stand. Silke war es nie ums Geld gegangen, so eine Frau war sie nicht. Sie war eine Frau, die er nicht verdient hatte.

Jede Treppenstufe in den ersten Stock hinauf fiel ihm schwer. Er ging langsam, hielt sich am Geländer fest, rang mit sich, wollte am liebsten umkehren, wusste aber, dass ihm nur der Platz unter der Brücke blieb. Ein paar Sätze hatte er sich auf dem Weg hierher zurechtgelegt, doch als er vor der Wohnungstür stand, waren sie alle weg.

Die Klingel.

Das Tonschild an der Tür, handgemacht von ihr und Leon. Die Schrift des Kleinen war deutlich zu erkennen.

Nein, das konnte er nicht bringen! Er durfte sie nicht belästigen oder vielleicht sogar in Gefahr bringen.

Als Freddy sich gerade entschieden hatte, nicht zu klingeln, sprang plötzlich die Tür auf. Silke trat mit einem Weidenkörbchen über dem Arm heraus. Sie sah ihn, erschrak, wich zurück, und Freddy sah ihr an, dass sie ihn nicht erkannte. Der Bart, das lange Haar, die verdreckte Kleidung – er hatte sich verändert in den letzten Monaten.

«Ich bin's», gab er sich zu erkennen.

«Frederic?» Sie stieß seinen Namen mit der angehaltenen Atemluft aus und presste ihre rechte Hand aufs Herz.

Silke hatte nie die Abkürzung seines Namens benutzt. Nicht ein einziges Mal. Frederic klinge weich, intelligent und wie eine schöne Melodie, hatte sie einmal gesagt. Freddy dagegen nach Straßenjargon.

Er sah sie nur an. Seine Frau, die er ein dutzend Mal betrogen hatte, und es brach ihm sein ohnehin schon mehrfach gebrochenes Herz, als sich wieder diese Härte über ihre Gesichtszüge legte, die sie in den letzten Monaten ihrer Ehe nur noch gezeigt hatte. Vorher, als sie sich noch geliebt hatten, hätte Freddy all sein Geld darauf verwettet, dass Silke zu solcher Härte gar nicht fähig sei. Er hatte sich in ihr getäuscht, sie unterschätzt, hatte nicht gewusst, wie Schmerz einen Menschen verändern konnte.

«Was willst du hier?»

Kein «Wie geht es dir?». Wenigstens das hatte er sich erhofft.

«Ich … brauche Hilfe.»

Ihr Blick wanderte an ihm herab und wieder hinauf.

«Du lebst auf der Straße?»

Freddy sah zu Boden und nickte.

«Genau da gehörst du auch hin.»

Nein, bitte nicht wieder dieser Hass, bitte keinen lautstarken Streit, keine Vorwürfe, das würde er nicht aushalten. Er hatte sich damals alles von ihr sagen lassen, wirklich alles, ohne auch nur den Versuch zu unternehmen, sich zu verteidigen, aber da hatte er noch gehofft, alles würde wieder gut werden, wenn er nur genug büßte. Jetzt, so gänzlich ohne Hoffnung, war jeder Vorwurf wie ein Messerstich.

«Ich weiß», flüsterte Freddy. «Ich weiß ...»

Einige Sekunden vergingen schweigend, und er traute sich nicht, sie anzusehen. Ihre Blicke zu spüren war schmerzhaft genug.

«Komm rein», sagte sie schließlich und ging voran.

Freddy folgte ihr.

Drinnen war es hell und weiß und freundlich, es roch gut, war aufgeräumt, ein Nest, ein Zuhause, ein Ort für eine Familie. Er hatte all das gehabt und es leichtfertig verspielt.

Sie sah ihn an. Da war keine Zuneigung mehr, nur noch Mitleid. Wenigstens das.

«Möchtest du Kaffee?»

«Gern.»

«Ich kann dir Toast machen.»

«Danke.»

Er stand herum, während sie mit dem Kessel und dem Toaster hantierte. Die Anspannung zwischen ihnen war mit Händen zu greifen, und Freddy bereute es, hergekommen zu sein.

«Geht es Leon gut?», fragte er.

Silke erstarrte. Sie stand mit dem Rücken zu ihm an der Arbeitsplatte in der Küche, stützte sich ab und schüttelte den Kopf.

«Was willst du, Frederic?»

Ihre Stimme war Warnung genug.

«Auf keinen Fall mit dir streiten», sagte er. «Ich muss … na ja, untertauchen.»

Silke drehte sich zu ihm um. In ihren Augen schimmerten Tränen.

«Untertauchen? Wie weit denn noch? Vor ein paar Wochen war Lars hier und sagte, er hätte dich auf der Straße gesehen.»

«Echt? Warum hat er mich nicht …»

«Schlafend!», fuhr Silke ihm ins Wort. «Du hast in einem Hauseingang geschlafen.»

Freddy zuckte mit den Schultern. «Kann sein.»

«Was ist nur aus dir geworden?»

«Ich komme da wieder raus. Hör zu, im Moment geht es mir nicht gut, ich habe Schulden, aber das ist nicht mein drängendstes Problem. Ich muss …»

Silke hob die Hand. «Hör auf», würgte sie ihn ab. «Ich will das nicht hören. Deine Probleme sind nicht mehr meine, und das ist allein deine Schuld. Glaubst du, mir geht es gut, wenn ich so etwas über dich höre? Was soll ich unserem Sohn erzählen, wenn er nach seinem Vater fragt? Dass er als Penner auf der Straße lebt?»

Sie redete sich in Rage. Freddy begriff, dass er keine Chance hatte. Wenn er ihr jetzt von dem Mord erzählte, den er beobachtet hatte, und von dem Typen, der ihm auf den Fersen war, würde sie ihm nicht glauben.

«Es tut mir leid», sagte er. «All das …»

«Was willst du noch von mir, Frederic? Geld?»

«Nein. Um Gottes willen, nein! Ich hatte gehofft, hier schlafen zu können. Eine oder zwei Nächte vielleicht.»

Sie schüttelte den Kopf.

«Auf keinen Fall. Das werde ich Leon nicht antun.»

Ich bin sein Vater, dachte Freddy. Wie schlimm kann es für den Kleinen sein, mich zu sehen? Ganz gleich, in welchem Zustand meine Kleidung ist, ob ich Geld habe oder nicht. Diese Worte lagen ihm auf der Zunge, und trotz allem, was er Silke angetan hatte, war es nicht verkehrt, sie darauf hinzuweisen. Er tat es nicht.

«Ja, klar, verstehe ich», sagte er stattdessen und wandte sich ab. «Ich hätte nicht herkommen sollen.»

Auf dem Weg zur Wohnungstür hoffte Freddy, sie würde ihn zurückrufen, damit er wenigstens den Kaffee trank und den Toast aß. Dann hätten sie doch noch Gelegenheit, miteinander zu sprechen, und er könnte ihr seine Situation schildern, für die er diesmal nun wirklich nichts konnte.

Doch sie hielt ihn nicht auf, und als er auf der Treppe war, hörte er, wie hinter ihm die Tür ins Schloss fiel. Er zuckte zusammen und spürte überdeutlich die Endgültigkeit, die in diesem Geräusch steckte. In den letzten Monaten waren so einige Türen hinter ihm oder direkt vor seiner Nase zugeworfen worden. Von Freunden, Bekannten und sogar Familienmitgliedern. Sein eigener Vater hatte ihn zum Teufel gewünscht, wegen lächerlichen zwanzigtausend Euro, die er ihm nicht zurückzahlen konnte, wie er es versprochen hatte.

Er konnte nirgendwohin.

Die Straße war jetzt sein Zuhause.

Und dort lauerte ein Mörder.

10.

Vor Jana erstreckte sich eine große, hochmodern gestylte Küche. Rechts und links der Wände zogen sich Schränke mit grau lackierter, glänzender Oberfläche dahin. Die Hängeschränke reichten bis knapp unter die Decke, aus dem verbliebenen schmalen Spalt sickerte kaltes, blaues Licht.

Die Mitte des Raumes nahm eine langgestreckte Kochinsel ein. Zwischen zwei schwarzen Platten aus Marmor war ein Glaskochfeld eingelassen, darüber schwebte eine Dunstabzugshaube aus poliertem Edelstahl. Drei schmale, oben halbrunde Fensteröffnungen in der gegenüberliegenden Wand waren durch Jalousien verdunkelt. Der Fußboden bestand aus glänzenden, grau-schwarzen Fliesen. Die Küche wirkte nagelneu, nirgendwo stand etwas herum, alles erinnerte an einen Ausstellungsraum. Deshalb fiel das schmutzige Geschirr neben dem Spülbecken besonders auf. Zwei bauchige Weingläser sowie einige Teller und Töpfe.

«Der Abwasch muss gemacht werden», sagte der Mann.

Sofort setzte sich Katrin in Bewegung. Sie ging zur Spüle hinüber, öffnete das Fach darunter, nahm eine Plastikflasche mit Spülmittel, eine Bürste mit langem Griff und ein weißes Geschirrtuch heraus. Dann stellte sie das Wasser an. Aus einem beinahe lächerlich großen Hahn lief es beinahe geräuschlos ins Spülbecken.

«Na los!», sagte der Mann hinter Jana und verpasste ihr einen Stoß gegen den Rücken.

Jana erschrak und stolperte vor.

Katrin hielt ihr das Geschirrtuch hin. Jana war so perplex,

dass sie es einfach entgegennahm, so als sei es das Normalste der Welt, in der Küche ihres Entführers den Abwasch zu erledigen.

Katrin drehte an einem kleinen Metallknopf, der Ausguss verschloss sich, und das Wasser sammelte sich in dem tiefen Becken aus Stein.

«Nein!», sagte der Mann hinter ihnen scharf. «Wie oft habe ich es dir schon gesagt? Wir spülen nicht im stehenden Wasser. Das ist ekelerregend.»

Hastig öffnete Katrin den Verschluss, sodass das Wasser abfließen konnte.

«Entschuldigung», murmelte sie und zog den Kopf zwischen die Schultern, so als erwarte sie eine Bestrafung.

Jana fiel auf, dass Katrin es peinlich vermied, sich zu dem Mann umzudrehen, und dieses Verhalten übertrug sich auf sie. Sie wollte wissen, wie er aussah, traute sich aber nicht, ihn anzuschauen. Überhaupt war der Mut zur Rebellion und Flucht, den sie noch unten im Verlies gespürt hatte, auf dem Weg durch den Tunnel vollkommen verpufft. Noch immer zitterten ihre Beine, und sie spürte diese entsetzliche Enge wie eine eiserne Klammer um ihren Brustkorb. Es würde noch eine Weile dauern, bis sie sich davon erholt hatte.

Jana beschloss, einstweilen den Anordnungen des Mannes Folge zu leisten.

Katrin ließ Spülmittel in eine kleine Glasschale laufen, tauchte die Bürste kurz hinein und begann, unter dem laufenden Wasser das Geschirr zu spülen.

Jana nahm ihr einen Teller aus der Hand und trocknete ihn mit dem steifen Geschirrtuch ab.

Hinter ihnen bewegte sich der Herr des Hauses. Er schien auf und ab zu gehen, während er sprach.

«Nummer sieben, du bist neu hier, deshalb lasse ich alles, was bislang geschehen ist, ungestraft. Du sollst aber wissen, dass jeder weitere Ungehorsam Konsequenzen nach sich ziehen wird. Deine Schonzeit ist vorbei, ab sofort beginnt auch für dich der Ernst des Lebens. Trockne weiter ab, während ich spreche.»

Jana hatte innegehalten und beeilte sich jetzt, Katrin einen weiteren Teller abzunehmen.

«Du bist hier, um mir zu dienen», fuhr der Mann fort. «Das seid ihr beide. Euer Leben kann einfach oder schwierig sein, das hängt ganz allein von euch ab. Leider hat Nummer sechs ihre Aufgabe, dich zu unterweisen, nicht zu meiner Zufriedenheit ausgeführt. Das muss bestraft werden.»

Katrin ließ sich nichts anmerken. Konzentriert und eifrig wusch sie das Geschirr und war dabei deutlich schneller als Jana. Nach den Tellern legte sie Besteck auf die Ablage. Gabel, Löffel, Messer.

Jana nahm eines der Messer auf und trocknete es ab. Sie spürte die Blicke des Mannes in ihrem Nacken und fragte sich, ob sie wohl eine Chance hätte, wenn sie mit dem Messer auf ihn losging. Körperlich war sie ihm unterlegen, und das Messer war weder besonders lang noch scharf, sie müsste ihn damit schon ins Auge stechen oder an der Halsschlagader erwischen. Leider gab es keine Möglichkeit, das Messer irgendwo an ihrem Körper zu verstecken. Dazu war das dünne und hinten offene Patientenhemd nicht geeignet.

Nach ein paar Minuten war das Geschirr gespült, und als Jana den kleinen Kochtopf abgetrocknet auf der Ablage abgestellt hatte, sagte der Mann hinter ihnen:

«Nummer sieben, halte das Geschirrtuch unter den Wasserstrahl und mach es nass.»

Jana wollte sich zu ihm umdrehen.

«Sofort!», befahl er mit schneidender Stimme.

Also tat sie, was er verlangte.

«Wring es aus.»

Auch das tat sie.

«Nummer sechs, öffne dein Hemd am Rücken.»

Katrin löste den Knoten im Nacken, ließ die beiden Hälften auseinanderfallen, beugte sich ein Stück weit vor und stützte sich mit den Händen an der Arbeitsplatte ab.

«Nummer sechs muss bestraft werden, und ich will, dass du das übernimmst, Nummer sieben. Du wirst ihr so lange mit dem nassen Geschirrtuch auf den Rücken schlagen, bis ich halt sage. Und ich verlange kräftige Schläge.»

Jana stand da, das nasse Geschirrtuch in den Händen, und wollte nicht glauben, was sie da hörte. Das konnte doch nicht sein Ernst sein!

Sie schüttelte den Kopf, und ihr Blick ging zu dem Messer auf der Ablage.

Katrin sah sie an.

«Bitte», flüsterte sie kaum hörbar. «Bitte tu es.»

«Auf gar keinen Fall!», sagte Jana.

«Tu es!», brüllte hinter ihr der Mann, und Jana fuhr erschrocken zusammen. Ihre Hände verkrampften sich um das Geschirrtuch.

«Wenn du es nicht tust, mache ich es, aber dann wird es für Nummer sechs ungleich schmerzhafter.»

Jana und Katrin sahen sich an. Katrin nickte und versuchte sich in einem aufmunternden Lächeln. Tränen liefen ihr aus den Augenwinkeln. Ihr schmaler Rücken lag bloß.

Janas Gedanken rasten.

Sie konnte doch nicht tun, was dieser Irre von ihr verlangte!

Das war doch krank! Aber wenn sie sich weigerte, würde Katrin noch schlimmer bestraft werden.

«Jetzt mach schon!», schrie plötzlich Katrin, und ihr Blick veränderte sich, wurde hart und fordernd. «Schlag mich, du feige Schlampe. Schlag mich endlich.»

Der letzte Widerstand in Jana zerbrach.

Der erste Schlag mit dem nassen Tuch war lasch. Zwar zuckte Katrin zusammen, aber wohl eher aus Überraschung denn vor Schmerz.

«Stärker!», forderte der Herr des Hauses. «Oder soll ich es tun?»

Beim zweiten Schlag klatschte das Tuch auf Katrins nackte Haut, der dritte hinterließ einen roten Striemen. Jana schossen die Tränen nur so aus den Augen, während sie zuschlug. Katrins Finger verkrampften sich um die Kante der Arbeitsplatte, sie zuckte jetzt unter jedem Hieb zusammen, ging aber nicht in die Knie und schrie auch nicht.

Sechs Schläge schaffte Jana, dann gewann ihre Wut die Oberhand. Sie spürte Hitze in sich aufschießen, und ihre Hand griff automatisch zu dem Messer auf der Ablage. Ihre Finger schlossen sich darum, und mit einem wilden Schrei fuhr sie herum, um sich auf den Mann zu stürzen. Doch zwischen ihr und ihm befand sich die Kochinsel. Sie musste sie umgehen, sodass er genug Zeit hatte, sich auf den Angriff vorzubereiten.

Jana war jetzt so vollkommen von Wut und Angst erfüllt, dass ihr alles egal war. Immer noch schreiend, den Blick von Tränen verschleiert, die Hand mit dem kümmerlichen Messer hoch erhoben, drängte sie auf den Herrn des Hauses zu.

Er hob die Hände in Abwehrhaltung und wich zurück. Eigentlich unternahm er überhaupt keinen Versuch, sich zu wehren.

Hatte er etwa wirklich Angst vor ihr?

Sein Verhalten stachelte Jana noch mehr an.

Sie würden diesen Wahnsinn jetzt beenden, und wenn sie ihn mit dem Messer in Stücke hacken müsste.

Noch drei Schritte, noch zwei … sie holte mit dem Messer weit aus, um ihn mit dem ersten Hieb möglichst schwer zu verletzen.

Bring ihn um, bring ihn um, tönte es in ihrem Inneren.

Jana warf sich schreiend nach vorn.

11.

Am Nachmittag machte Leni sich auf den Weg zum Verlag. Bevor es morgen losging, wollte sie wenigstens einmal hallo sagen und sich vorstellen.

Vivien hatte sie zum Shoppen mitnehmen wollen, doch zumindest dagegen hatte Leni sich verwahren können – nicht jedoch gegen die Einladung in den Club am Abend. Vivien war unnachgiebig geblieben. Das Hamburger Nachtleben wartete auf Leni und bereitete ihr jetzt schon Magenschmerzen.

Sie hatte es aufgegeben, nach einem Grund zu suchen, warum sie nicht mitkommen konnte. Sie war allein hier und kannte niemanden in der Stadt; einen Besuch vorzuschieben, ging also nicht. Sich einfach ins Bett zu legen und so zu tun, als sei sie nicht da, würde auch nicht funktionieren. Nicht bei der hartnäckigen Vivien. Kurz war ihr der Gedanke gekommen, ihre Periode vorzuschieben, aber sie schreckte davor zurück, mit Vivien über solche Intimitäten zu sprechen.

Na ja, vielleicht würde es ja ganz nett werden. Und wenn nicht, konnte sie immer noch früh gehen.

Leni schob den Gedanken an den Abend vorerst beiseite und bereitete sich auf das Gespräch im Verlag vor. Dort kannte sie niemanden persönlich. Sie hatte eine Initiativbewerbung an eine Reihe von Verlagen geschickt, und Newmedia war der einzige, der zugesagt hatte. Nach zwei Telefongesprächen mit dem Verleger Horst Seekamp war das Praktikum abgemacht gewesen. Herr Seekamp war am Telefon überaus liebenswürdig gewesen, hatte bei der Zimmersuche geholfen und immer wieder beteuert, wie sehr er sich auf die Zusammenarbeit freue. Auch eine spätere Anstellung sei nicht ausgeschlossen, hatte er gesagt.

Leni folgte dem Kanal, der in seinem Verlauf immer schmaler wurde. Fußgängerbrücken überspannten das Wasser, Hausboote gab es hier nicht mehr. Entenfamilien planschten ohne Scheu vor Menschen umher. Leni hatte gelesen, dass es in Hamburg mit seinem guten Dutzend Kanälen und ebenso vielen Fleeten mehr Brücken gab als in Venedig. Ein Stück weiter sah sie sogar einen Mann in einem kleinen gelben Kajak mühelos über das dunkle Wasser gleiten und von dem Kanal in einen kleineren Arm abbiegen. Das sah irgendwie romantisch und friedlich aus, auch wenn sie Angst vor Wasser hatte und nicht schwimmen konnte.

Der Verlag war in einer alten Kaufmannsvilla untergebracht, einem stuckverzierten Gebäude mit einem Turm an der rechten Seite und einem Parkplatz davor. Mit fünfundzwanzig Mitarbeitern war Newmedia ein kleiner Verlag, der nur zwei Dutzend Neuerscheinungen pro Jahr herausbrachte, aber laut Herrn Seekamp hatte man Großes vor.

Lenis Magen flatterte, und ihr wurde heiß, als sie auf den

Klingelknopf drückte. Sie hasste ihre Nervosität, die bei jeder Gelegenheit auftrat, sei sie auch noch so nichtig. Wenn es richtig schlimm wurde, so wie jetzt, bekam sie hektische Flecken im Gesicht, damit auch jeder sehen konnte, wie sie sich fühlte.

Bleib cool, sagte sie sich im Stillen. Sei ein bisschen so wie Vivien.

Ihr war klar, dass zwischen ihr und ihrer neuen Freundin Welten lagen und sie niemals deren Selbstbewusstsein erlangen würde, aber vielleicht half es ja, sich ein klein wenig an Vivien zu orientieren.

Eine Frau mittleren Alters öffnete die Tür. Leni stellte sich vor und erfuhr Namen und Funktion ihrer Gesprächspartnerin: Elke Althoff, Sekretärin und Mädchen für alles. Auch sie betonte, wie sehr man sich auf Leni freue, und brachte sie sogleich in den zweiten Stock zum Herrn Verleger.

«Frau Fontane, was für eine Überraschung!», begrüßte der sie.

Herr Seekamp war groß, hatte eine Halbglatze und war in einen eleganten blauen Anzug gekleidet. Er sah auf eine seriöse, väterliche Weise gut aus. Sein Händedruck war warm und weich und vermittelte Leni das Gefühl, wirklich willkommen zu sein. Er bat ihr Platz in einer Sitzecke seines Büros an und orderte Tee bei Frau Althoff.

«Wir hatten Sie erst morgen erwartet», sagte er, schlug die Beine übereinander und faltete die Hände.

«Ich bin schon in der Nacht angekommen, damit ich am ersten Tag auf jeden Fall pünktlich bin.»

«Diese Einstellung lobe ich mir, junge Dame. Dergleichen hört man heute nur noch selten.»

Sie sprachen über ihre Anreise, und Herr Seekamp schien

ehrlich interessiert zu sein an allem, was Leni sagte. Das war neu für sie und ließ sie ungewohnt gesprächig werden.

«Und wie gefällt Ihnen Ihre Unterkunft?», fragte er schließlich.

«Oh, ganz wunderbar! So ein schönes Zimmer hatte ich nicht erwartet.»

«Ich kenne den Eigentümer des Hauses, deshalb helfe ich gern bei der Vermittlung. Sie werden ihn auch noch kennenlernen. Er ist ein großer Unterstützer des Verlages und Anteilseigner. Morgen Nachmittag haben wir einen Empfang anlässlich unseres fünfjährigen Bestehens, da wird Herr ten Damme zugegen sein. Ich stelle Sie dann vor. Sagen Sie, haben Sie etwas dagegen, sich während des Empfangs ums Catering zu kümmern?»

«Catering?», fragte Leni etwas hilflos.

«Fingerfood und Getränke reichen, mehr nicht. Wäre das in Ordnung für Sie? Ich weiß, dafür haben Sie nicht studiert, aber wir können wirklich jede Hilfe gebrauchen. Es kommen an die hundert Gäste.»

«Nein, das ist kein Problem, natürlich helfe ich.»

«Schön!», rief Herr Seekamp, klatschte in die Hände und erhob sich.

«Leider muss ich heute noch auf den letzten Drücker den Wein für den Empfang aussuchen, deshalb habe ich leider nicht die Zeit, Sie durch den Verlag zu führen.»

Er geleitete Leni zur Tür. Sie fühlte sich abgeschoben und hätte sich gern noch ein wenig länger mit Herrn Seekamp unterhalten.

«Wie schade», sagte sie.

«Ja, ich bedaure das auch.» Er runzelte die Stirn und betrachtete Leni. «Aber wissen Sie was? Begleiten Sie mich doch einfach zur Weinprobe. Dann haben wir genug Zeit zum Reden.»

«Ich weiß nicht, ich kenne mich mit Wein nicht aus.»

«Dann wird es höchste Zeit.»

Leni ließ sich von Herrn Seekamp aus dem Büro führen. Er legte ihr seine große Hand in den unteren Rücken. Leni hatte das unangenehme Gefühl, sein Daumen befinde sich zu tief und drücke etwas zu fest in ihr Fleisch, aber er war ihr zukünftiger Chef – was hätte sie tun sollen?

Auf dem Weg hinaus stellte er die Frage, die jeder stellte:

«Gibt es familiäre Verbindungen zu Friedrich oder Theodor Fontane?»

«Leider nicht», sagte Leni.

«Schade. Aber dann wäre es doch umso schöner, wenn Sie diesen großen Namen in der Literaturszene zu neuem Glanz verhülfen, nicht wahr!»

«Wenn ich kann.»

«Aber, aber, nicht so schüchtern, junge Dame. Was ich von Ihnen lesen durfte, war beeindruckend.»

«Danke, aber ich habe noch einen weiten Weg vor mir.»

«Und den pflastern wir mit bodenständiger und gleichzeitig innovativer Verlagsarbeit. Wer weiß, vielleicht steht hier eine unserer zukünftigen, erfolgreichen Lektorinnen.»

Leni hatte angenommen, sie würden mit dem Wagen fahren, aber Herr Seekamp schritt zügig aus und führte sie die Straße hinunter zu einer Kreuzung. Sie warteten einen Moment an der Ampel, und als sie auf Grün schaltete, legte er ihr erneut seine Hand in dieser leicht unangemessenen Art und Weise in den Rücken.

Nach fünfzehn Minuten, die Herr Seekamp mit einem Monolog über den anhaltend schwierigen Buchmarkt füllte, erreichten sie die Weinhandlung. Sie befand sich in einem alten, backsteinernen Haus, das groß und wuchtig eine Straßenecke füllte. Die kleinen Fenster, die tief im Mauerwerk versanken, waren warm beleuchtet. Die hölzerne Eingangstür, zu der drei Stufen aus grauem Sandstein hinunterführten, wurde flankiert von zwei bauchigen Holzfässern mit schwarzen Metallringen. Darauf standen schmiedeeiserne Laternen mit Kerzen darin.

Herr Seekamp hielt Leni die Tür auf, und sie betraten die Weinhandlung. Außer ihnen waren keine weiteren Kunden darin. Sobald die Tür zugefallen war, schien es Leni, als existiere die Stadt nicht mehr. Kein Geräusch durchdrang die dicken Mauern.

Der Verkaufsraum war angefüllt mit Holzregalen, in denen Flaschen lagerten. Die Beleuchtung war heimelig und dezent.

«Der Laden gehört einem Bekannten», sagte Seekamp. «Wir haben zusammen einen Ratgeber für Weinfreunde herausgebracht. Knapp dreißigtausend Exemplare sind verkauft, nicht schlecht für ein Sach- und Fachbuch … ah, da ist er ja!»

Mit großer Geste begrüßte Herr Seekamp den Ladeninhaber, während Leni danebenstand und sich furchtbar überflüssig vorkam. Sie wollte an einem Schreibtisch sitzen und sich mit Büchern beschäftigen, nicht Weine für eine Party aussuchen, die sie dann auch noch servieren musste.

Als Herr Seekamp sie vorstellte, lag seine Hand wieder auf ihrer Hüfte. Leni reichte es jetzt, aber sie traute sich nicht, dem Chef des Verlages zu sagen, dass sie das nicht mochte – schon gar nicht vor einem Dritten.

Der Ladeninhaber schüttelte ihr die Hand und schenkte ihr ein warmes Lächeln. Er war groß und schlank und wirkte nett, fand Leni.

Danach schickte Seekamp den Mann hin und her. Eine Flasche Wein nach der anderen wurde entkorkt und verkostet. Leni gefiel die blumige Sprache, mit der Herr Kleinschmidt, der Ladeninhaber, den Wein beschrieb.

«Dies hier ist ein feiner, eleganter Wein mit floralem Duft und einem Feuerwerk an sanften, zartwürzigen Aromen. Unterlegt mit einem Hauch Waldbeere, im Hintergrund mineralische Anklänge, überzeugt der Wein durch eine schwerelose und eisklare Struktur, dazu ist er herrlich saftig, mit einem beschwingten, würzigen Abgang.»

So oder ähnlich ging es eine halbe Stunde. Leni nippte an der einen oder anderen Probe, aber nachdem Herr Seekamp sie zweimal um ihre Meinung gebeten hatte und sie nicht mehr als «lecker» zu sagen wusste, legte er keinen Wert mehr darauf.

Seekamp wurde immer redseliger, aber auch frivoler. Der Wein schien ihm zu Kopf zu steigen und förderte unanständige Herrenwitze zutage. Leni spürte, dass die auch dem Ladeninhaber nicht gefielen und er aus reiner Höflichkeit mitlachte.

Nachdem die Wahl getroffen war, war Seekamp bereits ordentlich angeheitert.

Er schlug dem Fass buchstäblich den Boden aus, als beim Verlassen des Ladens seine Hand wie zufällig gegen ihren Hintern schlenkerte – und das gleich zweimal hintereinander. Auf dem Rückweg zum Verlag hielt Leni einigen Abstand zu ihrem Chef und fragte sich ernsthaft, ob es ein Fehler gewesen war, diesen Verlag für ihr Praktikum auszusuchen.

Plötzlich hatte sie starkes Heimweh.

12.

In dem abgedunkelten, nur von den Computerbildschirmen diffus beleuchteten Raum roch es nach dem süßen Koffeingetränk, das der IT-Techniker Linus Tietjen dosenweise in sich hineinschüttete. Ein Wunder, dass Tietjen so fit aussah und augenscheinlich kein Gramm Fett zu viel mit sich herumschleppte.

«Was für eine schrottige Kamera», stieß er aus, rülpste leise und bediente die Regler des Programms.

Jens Kerner hockte neben ihm auf einem dieser Gesundheitsstühle, die wie Barhocker aussahen, statt eines Fußes eine Feder hatten und sich in alle Richtungen bewegen ließen. Angeblich trainierten sie die Rückenmuskulatur. Jens fand das Sitzen darauf einfach nur anstrengend, einen anderen Stuhl gab es aber leider nicht.

Linus arbeitete an der Aufnahme aus dem Büro der Scheibenreparaturwerkstatt. Er holte das Möglichste heraus und vergrößerte den Ausschnitt, in dem das Gesicht des Fahrers hinter der Seitenscheibe als heller Kreis zu erkennen war. Leider begrenzte das schlechte Ausgangsmaterial den Erfolg.

«Mehr geht nicht», sagte er nach ein paar Minuten.

Jens sah nur Pixel. Er lehnte sich auf dem Gesundheitshocker ein Stück zurück, kniff die Augen zusammen, ermahnte sich, endlich einen Augenarzt aufzusuchen, und versuchte, aus den Pixeln ein Gesamtbild zu formen. Er sah Ohren, Mund, Nase und Augen, aber alles ohne Details.

«Kannst du damit etwas anfangen?», fragte er, an Linus gewandt.

Der seufzte schwer.

«Das Gesicht ist zwar frontal zu sehen, aber leider schlecht beleuchtet. Selbst mit der Viola-Jones-Methode wird es schwer, Vergleiche herzustellen. Wir können es versuchen, wenn du einen Verdächtigen hast, aber die übliche Trefferquote erreichen wir sicher nicht.»

«Wo liegt die denn?»

«Bei den heutigen Methoden ist die Fehlerquote auf ein Prozent reduziert. Von hundert Personen wird eine nicht erkannt.»

«Und bei diesem Bild?»

«Wenn du eine Vergleichsperson hast, kann ich dir zu sechzig Prozent sagen, ob es sich um den Mann hinterm Steuer handelt oder nicht. Und das ist bei der Qualität schon viel. Schau mal hier …»

Linus legte den Mauszeiger auf das Gesicht und zog ein paar horizontale und vertikale Linien.

«Wir können zwar keine Details erkennen, aber dieses Gesicht verrät uns dennoch etwas. Ich würde es als beinahe perfekt bezeichnen. Dafür sollte der Abstand zwischen Augen und Mund etwas mehr als ein Drittel des Abstandes zwischen Haaransatz und Kinn betragen. Außerdem sollte der Abstand zwischen den Pupillen nur halb so groß sein wie der zwischen den Ohren.»

«Aber man sieht die Pupillen doch gar nicht.»

«Der Typ blickt geradeaus, wo werden die Pupillen da schon sein? In der Mitte der Augen! Und die kannst du immerhin als Schatten erkennen. Ich sage dir, dieser Mann kommt dem Goldenen Schnitt ziemlich nah. Du suchst also nicht nach Quasimodo. Der Typ sieht wahrscheinlich gut aus.»

Jens stieß die Atemluft aus, wollte sich aus alter Gewohnheit anlehnen und fiel beinahe vom Gesundheitshocker. Er stand auf und drückte den Rücken durch.

«Ein gutaussehender Mann in einem weißen Kastenwagen, der nachts durch Hamburg fährt und einen Krankenpfleger erschießt. Du hast mir wirklich sehr geholfen.»

«Kein Problem. Kann ich sonst noch etwas für dich tun?»

Jens schlug dem IT-Techniker freundschaftlich auf die Schulter.

«Ich brauch das Kennzeichen des Wagens.»

«Keine Chance. Beschwer dich bei dem Fotografen.»

«Der ist tot.»

«Schlecht für ihn … und für dich.»

Jens verabschiedete sich und verließ den technischen Bereich des Präsidiums. Bevor er das Vorzimmer seines Büros betrat – Rebeccas Reich –, holte er die kleine Packung Mozartkugeln aus seiner Jackentasche, die er auf dem Weg in einer Confiserie gekauft hatte. Er wusste, wie gern sie sie aß, und hatte sie schon häufiger auf ihrem Schreibtisch liegen sehen. Auch wenn Rebecca immer wieder mit ihrem Übergewicht haderte, würde sie dazu nicht nein sagen.

«Herzlichen Glückwunsch, Teuerste», rief Jens, öffnete die Tür und lief seiner Chefin direkt in die Arme.

Kriminalrätin Mareike Baumgärtner bedachte ihn mit einem argwöhnischen Blick.

«Etwas zu spät, fürchte ich», sagte sie. «Oder zu früh.»

«Ist nicht für Sie, sondern für Frau Oswald.»

«Was Sie nicht sagen.»

Bei Baumgärtners Anblick musste Jens an den Goldenen Schnitt und das perfekte Gesicht denken, von dem Linus gerade gesprochen hatte, und er fragte sich, ob diese Unnahbarkeit, die Baumgärtner an den Tag legte, automatisch mit gutem Aussehen einherging. Von Anfang an war ihm seine Chefin wie ein auf Hochglanz lackierter Kühlschrank vorgekommen. Außen glatt, innen kalt. Er kannte sie allerdings nicht allzu gut, möglicherweise war sie privat ganz anders. Seine Erfahrung lehrte ihn jedoch, dass die äußere Fassade der Menschen meist die schönere war.

«Wie weit sind Sie mit dem Fall Kienat?», fragte Baumgärtner.

«Noch am Anfang.»

«Also kein Täter in Sicht?»

«Nein.»

«Sie suchen in diesem Zusammenhang doch nach Vermisstenfällen. Wir haben eine Anfrage reinbekommen. Eine junge Frau aus Heidenheim wird vermisst.»

«Heidenheim in Bayern?»

«Baden-Württemberg», verbesserte sie ihn. «Ihr letzter Aufenthaltsort war wahrscheinlich Hamburg.»

«Warum wahrscheinlich?»

«Sie sind spät dran, und ich habe keine Zeit, Ihnen die Details zu erklären. Die Anfrage ist in Ihrem Mailfach, checken Sie sie. Ich muss zu einer Besprechung mit dem Bürgermeister.»

Damit wandte sie sich ab und verschwand aus dem Vorzimmer.

Zurück blieb Rebecca, die hinter ihrem Schreibtisch saß und freudestrahlend zu Jens aufsah.

«Ich hab dir doch gesagt, sie ist angespannt», sagte sie und rollte auf ihrem Rollstuhl hinter dem Schreibtisch hervor.

«Pralinen? Für mich? Wie aufmerksam.»

Sie nahm sie ihm aus der Hand. «Und auch noch Mozartkugeln. Ich soll wohl noch dicker werden, was?»

«Bleib einfach, wie du bist. Alles Gute.»

«Vielen Dank.»

Jens drängte sich an ihr vorbei, schloss die Tür hinter sich und atmete erleichtert aus. So viel Menschenkontakt am frühen Morgen bekam ihm nicht gut. Er konnte nicht klar denken, wenn man ihn bedrängte. Es war, als würden sich die Gedanken und Gefühle der anderen mit seinen eigenen verheddern und am Ende ein Knäuel ohne Anfang und Ende ergeben.

Jens war neugierig auf den Vermisstenfall, von dem die Baumgärtner gesprochen hatte.

Er öffnete die Datei der Kollegen aus Heidenheim und las sie durch.

Jana Heigl. Sechsundzwanzig. Alleinstehend. Studentin. Wohnhaft in Heidenheim. Aktuell auf Städtereise durch Deutschland. Letzter bekannter Aufenthaltsort: Hamburg, wo sie wahrscheinlich via Airbnb ein Zimmer gemietet hatte. Die Kollegen schrieben jedoch, ihr letzter Eintrag bei Facebook zeige sie am Hauptbahnhof. Von dort wollte sie nach Berlin weiter.

Jens öffnete Facebook und rief den Account von Jana Heigl auf.

Das letzte Bild in ihrer Timeline stammte von vor drei Tagen und zeigte ihr Gesicht unter einer Anzeigetafel am Hauptbahnhof. Die elektronische Anzeige kündigte einen ICE nach Berlin an. Unter dieses Bild hatte Jana Heigl nur zwei Sätze geschrieben:

«Geht gleich los! Berlin, ich komme.»

13.

«Das wird ein geiler Abend, glaub mir! Wir zwei mischen die Jungs so richtig auf.»

In roter Spitzenunterwäsche und vollkommen ungeniert sprang Vivien in ihrem Zimmer umher.

Leni saß im Schneidersitz auf dem Bett und wartete auf den großen Moment. Vivien hatte sie herübergeholt, damit sie ihre Meinung zur Beute ihrer Shoppingtour abgab – als ob Leni dafür die Richtige wäre. Sie hätte sich lieber ein wenig in ihrem Zimmer ausgeruht, ein Buch gelesen und die Gedanken schweifen lassen. Mit einer Freundin wie Vivien war das aber wohl unmöglich.

Vivien schüttelte eine Plastiktüte über dem Bett aus. Heraus fielen ein roter Rock und eine weiße Bluse.

«Die haben Wahnsinnsläden hier in Hamburg, und diese Sachen hier hab ich richtig günstig geschossen.»

Leni musste zugeben, Viviens Enthusiasmus und Begeisterung waren ansteckend, und so langsam machte sich auch in ihr eine gewisse Vorfreude auf den Abend bemerkbar.

Ruck, zuck hatte Vivien die Sachen angezogen. Der Rock war eng und sehr kurz. Von der Farbe einmal abgesehen, sah er haargenau so aus wie der, den sie getragen hatte, als Leni sie aus dem Sportwagen hatte steigen sehen. Die Bluse fiel locker, hatte aber keine Ärmel und war am Rücken geradezu unanständig tief ausgeschnitten.

Vivien zog die passenden hohen Schuhe dazu an, stemmte die Hände in die Hüften und drehte sich im Kreis.

«Tadaaa! Was meinst du?»

«Man sieht hinten den BH», bemerkte Leni.

«Das muss so sein. Macht die Jungs verrückt, ständig den Verschluss zu sehen und ihn nicht anfassen zu dürfen.»

«Und man kann dir unter den Rock schauen, wenn du dich hinsetzt.»

Vivien lachte lauthals auf.

«Leni Land… entschuldige … Leni vom Lande, du musst noch eine Menge lernen, wenn es darum geht, Männern den Kopf zu verdrehen.»

«Vielleicht will ich das ja gar nicht.»

«Du wirst es wollen, sobald du den Richtigen triffst, glaub mir. Wie sehen diese hier dazu aus?»

Vivien griff auf die Ablage unter dem Spiegel und hielt sich die silbernen Federohrringe an die Ohrläppchen.

«Sehen toll aus», sagte Leni. «Die sind mir gleich an dir aufgefallen. Woher hast du sie?»

«Meine Lieblingsstücke … hab sie von meinem Stiefvater zum Geburtstag bekommen. Im selben Jahr ist er gestorben.»

«Das tut mir leid. Woran ist er gestorben?»

«Autounfall. Zusammen mit meiner Mutter. Waren beide sofort tot.»

Vivien stand mit dem Rücken zu Leni vor dem Spiegel, und Leni konnte ihr Gesicht nicht sehen, aber das musste sie auch nicht, um zu wissen, wie sehr Vivien unter diesem Schicksalsschlag litt. In ihrer Stimme schwang Trauer. Die Schultern sackten hinunter, die Spannung verschwand.

«Oh Gott», stieß Leni aus. «Wann war das?»

«Vor zwei Jahren.»

«Vivien … das tut mir so leid.»

Vivien presste die Lippen zusammen, nickte, trat einen Schritt zurück und setzte sich auf die Bettkante.

«Es wird besser, weißt du. Jeden Tag ein bisschen.»

Sie starrte auf die Ohrringe in ihrer Handfläche und strich mit dem Daumen darüber.

In diesem Moment musste Leni sich für den Körperkontakt nicht überwinden. Spontan nahm sie Vivien in den Arm und streichelte ihre Schulter. Blöde Sätze wie «Alles wird wieder gut» verkniff sie sich lieber. Sie ärgerte sich jedes Mal, wenn sie solche Plattitüden in Büchern las, und würde sie niemals selbst benutzen.

«Hattet ihr ein gutes Verhältnis?», fragte sie stattdessen.

Vivien nickte und schluckte trocken. «Er hat mich mehr geliebt als mein biologischer Vater. Ein toller Mann, echt.»

Beinahe hätte Leni gesagt, dass das mehr war, als die meisten anderen bekamen, als sie selbst bekommen hatte, aber auch das verkniff sie sich. Man zog kein Mitleid auf sich selbst, wenn eine Freundin ihre Seele öffnete, und es spielte jetzt auch keine Rolle, dass Lenis Vater sie nicht geliebt hatte. Er hatte niemanden geliebt, auch sich selbst nicht, und es war im Grunde eine Form der Genugtuung für sie, darüber nicht auch noch zu sprechen.

«Möchtest du wissen, welche Worte von Robert Frost mich immer wieder aufbauen?», fragte Leni.

«Klar.»

Also zitierte Leni ihren Lieblingsschriftsteller. «Es gibt drei Wörter, die alles zusammenfassen, was ich über das Leben gelernt habe: Es geht weiter.»

Vivien nickte.

«Keine Ahnung, wer Robert Frost ist, aber er hat recht.»

«Leg sie an, sie passen wunderbar zu der Bluse», sagte Leni.

Und das tat Vivien. Dann erhob sie sich vom Bett, trat noch einmal vor den Spiegel und betrachtete sich. Ein wenig nachdenklich und weniger aufgedreht als zuvor. Schließlich drehte sie sich zu Leni um.

«Was ziehst du an?», fragte sie.

«Ich … keine Ahnung. Jeans und Bluse, denke ich.»

«Soll ich dich beraten?»

«Nett von dir, aber ich bekomme das schon allein hin. So freizügig wie bei dir wird es aber nicht werden.»

«Muss es auch nicht. Nur wenn man sich in seiner Kleidung wohl fühlt, ist man auch schön darin.»

«Den Spruch merke ich mir», sagte Leni. «Eine Bitte habe ich noch.»

«Raus damit! Für meine neue Freundin tue ich alles.»

«Lass mich in dem Club bitte nicht allein herumstehen.»

«Hey, Süße, keine Angst, wir beide machen zusammen Party. Das wird toll, wirst schon sehen.»

«Okay … ich hab nur nicht so viel Erfahrung mit solchen Veranstaltungen.»

«Dann werden wir das mit der heutigen Nacht ändern, Leni Fontane. Und wer weiß, vielleicht finden wir ja gleich den passenden Millionär für dich, dann musst du nicht mehr umsonst für diesen Verlag arbeiten.»

14.

«Es war deine Aufgabe, ihr die Regeln beizubringen. Du hast versagt.»

Das waren die ersten Worte, die Jana hörte, als ihr Bewusstsein sich langsam einen Weg aus nebelverhangener Ohnmacht suchte. Sie begriff den Zusammenhang nicht und wusste auch nicht, wer da sprach. In ihrem Kopf wummerte dumpfer Schmerz, ausgehend von einer empfindlichen Stelle in ihrem Nacken. Es dauerte einige Sekunden, bis sie überhaupt realisierte, wo sie sich befand und was passiert war, aber als die Erinnerung einsetzte, tat sie es mit erschreckender Wucht.

Mit dem Messer in der Hand war sie auf den Mann zugesprungen und sich sicher gewesen, ihn auch zu erwischen. Ihr letztes Erinnerungsbild zeigte ihn, wie er mit angstvoll geweiteten Augen in seiner gestylten Küche vor ihr zurückwich.

Und dann?

Nichts mehr.

Der Schmerz im Nacken verriet ihr, dass sie niedergeschlagen worden war. Doch von wem?

Es war nur eine einzige andere Person in der Küche gewesen: Katrin. Ging die Gehirnwäsche bei ihr so weit, dass sie sich lieber auf die Seite des Entführers schlug als auf ihre?

«Ja, mein Herr, ich habe versagt. Ihr müsst mich bestrafen.»

Das war Katrins Stimme!

Jana suchte noch nach einer Verbindung zu den ersten Worten, da hörte sie ein zischendes Geräusch, gefolgt von einem Klatschen, und Katrin schrie schmerzgepeinigt auf.

Jana schaffte es, die Lider einen Spaltbreit zu öffnen. Schwaden geisterhaften Rauches zogen vor ihren Augen vorbei, und zunächst konnte sie nichts Konkretes erkennen, nur Schemen, die keinen Sinn ergaben.

Das änderte sich jedoch in den nächsten Sekunden.

Indirektes schummriges Licht von irgendwo an der Decke floss an Wänden aus Naturstein herunter und versickerte in den dunklen Eichendielen am Boden.

Eisenringe und Ketten an den Wänden, ein schweres Metallgitter unter der Decke, verschiedene Haken daran. Ein mit fleckigem Leder bezogener Bock, wie Jana ihn von früher aus dem Sportunterricht in der Schule kannte, stand mitten im Raum und dominierte ihn. Darunter lag eine durchsichtige Plastikfolie.

Katrin lag bäuchlings über dem Bock, das Patientenhemd am Rücken geöffnet. Der Mann stand hinter ihr und hielt einen dünnen Bambusstock in der Hand. In der Küche hatte er eine Jeans und ein weißes Oberhemd getragen. Das Hemd hatte er jetzt ausgezogen. Sein Oberkörper war haarlos, gebräunt und trainiert, die Muskeln zeichneten sich deutlich ab, sein Bauch war vollkommen fettfrei. Er sah aus wie ein Model für Unterwäsche.

«Sieh an, wer da wieder zu sich kommt. Das wird aber auch Zeit.»

Neben dem Schmerz in Kopf und Nacken spürte Jana ein Ziehen in den Schultergelenken.

Sie hing in Ketten an der Wand!

Mit dem letzten bisschen Kraft stemmte sie die Beine gegen den Boden und entlastete die Schultergelenke. Für einen Moment intensivierte sich der Schmerz, danach wurde es besser.

Der Mann trat einen Schritt auf sie zu und sah sie interessiert an. Dabei legte er den Kopf schief, beinahe wie ein Hund.

«Und? Wirst du dich jetzt fügen und tun, was ich sage?»

Er näherte sich ihr bis auf wenige Zentimeter, ein kleines Lächeln lag in seinen Mundwinkeln.

«Du Dreckschwein», stieß Jana mühsam hervor.

Seine Reaktion darauf war merkwürdig. Beinahe schien es so, als zucke er vor ihr und ihren Worten zurück.

Im Hintergrund hob Katrin den Kopf. Jana konnte ihr für einen kurzen Moment in die Augen sehen. Katrin litt Schmerzen und stand Todesängste aus, und im Stillen schien sie Jana darum anzuflehen, sich zu fügen. Doch Jana wollte nicht. Der Mann würde sie und Katrin sowieso schlagen, egal was sie tat. Vielleicht war es sogar besser, sich gegen ihn aufzulehnen. Vielleicht war er gar nicht der autoritäre Herrscher, für den Katrin ihn hielt, gut möglich, dass er Angst hatte vor Frauen und nicht damit umgehen konnte, wenn sie sich widersetzten. Auch jetzt zwinkerte er nervös.

«Das werde ich dir austreiben», sagte er, trat aber wieder hinter Katrin.

Im nächsten Augenblick zischte der Stock durch die Luft, und auf Katrins Rücken breitete sich blitzartig ein roter Striemen aus. Ihr Gesicht verzerrte sich, sie bäumte sich auf und rutschte dann in einer quälend langsamen Bewegung vom Bock zu Boden, wo sie auf der Plastikfolie liegen blieb.

«Ich habe sie noch alle gefügig gemacht», stieß der Mann aus. Breitbeinig stand er da und schwang den Stock durch die Luft. Es hatte fast den Anschein, als wartete er auf ein Lob.

Am ganzen Körper zitternd, stemmte Katrin sich ein Stück vom Boden ab und hob den Kopf. Sie sah nicht den Mann an, sondern Jana.

«Sie ist schuld! Sie allein! Ich habe alles versucht, aber sie will sich deinen Regeln nicht unterwerfen.»

In Katrins Gesicht lagen Angst und Wut. Tränen schimmerten in ihren Augen, ihr rechter Mundwinkel zuckte nervös.

«Bestrafe sie, mein Herr!», schob sie nach.

Jana wusste, dass sie aus Angst so handelte, dennoch konnte sie den Verrat kaum fassen. Dabei hätte sie damit rechnen müssen. Katrin war schon viel zu lange in der Gewalt des Entführers, ihre Seele war zerbrochen, sie würde alles tun, um ihn milde zu stimmen.

«Wie kannst du nur», stieß Jana aus. «Wir müssen zusammenhalten, sonst haben wie keine Chance.»

«Schweig!», befahl die kräftige männliche Stimme.

«Scheiß auf deine Regeln», schrie Jana. «Du kannst mich mal! Ich werde auf keinen Fall länger schweigen.»

«Töte sie!», stieß Katrin aus.

Wie kalt ihr Blick plötzlich war!

Der Mann runzelte die Stirn.

«Warum sollte ich das tun?»

«Weil sie dir nie gehorchen wird.»

«Das wollen wir doch erst mal sehen. Ich habe Mittel und Wege …»

«Nein, du musst sie töten», unterbrach Katrin ihn. «Sie schmiedet einen Plan gegen dich, ich weiß es genau. Du musst sie töten, sonst macht sie alles kaputt.»

«Bitte, tu das nicht», flehte Jana. Für einen Moment blickten sie sich in die Augen, und Jana suchte nach einem geheimen Zeichen, einem Plan, den sie ihr wortlos zu erklären versuchte. Doch da war nichts dergleichen. Nur Schmerz und Wut, vielleicht sogar Hass, und Jana verstand, dass Katrin sie opfern würde. Vielleicht war das von Anfang an ihr Plan gewesen, um hier rauszukommen. Jana war zutiefst enttäuscht, spürte aber keinen Hass auf Katrin.

Der Mensch wollte leben. Um jeden Preis.

Der Mann kam wieder auf Jana zu.

«Vielleicht hat Nummer sechs recht, und ich sollte dich töten. Ich kann hier keine Unruhestifterin gebrauchen.»

«Töte sie!», schrie Katrin. «Wenn du der Herr des Hauses sein willst, musst du sie töten.»

Wie eine Furie steigerte Katrin sich in ihren Hass hinein. Das zu sehen war unerträglich und trieb Jana Tränen in die Augen.

Der Mann schien unentschlossen. Sein Blick wanderte zwischen der am Boden liegenden Katrin und Jana hin und her.

«Lass uns reden», versuchte Jana es. «Wir finden bestimmt eine Lösung. Du musst das nicht tun.»

Der Mann starrte Katrin an. Sie hielt seinem Blick stand, und es dauerte sicher eine volle Minute, ehe er sich wieder bewegte.

«Doch», murmelte er. «Ich muss das tun.»

Er ging zur Wand hinüber. Dort lagen auf einem Holztisch einige Dinge, die Jana aus ihrer Position nicht erkennen konnte. Als der Mann sich zu ihr umdrehte, hatte er ein Messer in der Hand. Die Klinge aus Edelstahl war dünn, kaum breiter als ein Zeigefinger, aber von beiden Seiten geschliffen.

Jana richtete sich kerzengerade auf und wich zurück, drückte ihren Rücken gegen die raue Wand. Ihr Blick war starr auf das Messer gerichtet.

«Nein, bitte, tu das nicht. Hör nicht auf sie. Lass mich leben, und ich werde alles tun, was du sagst.»

Ihre Worte schienen nicht mehr zu ihm durchzudringen. Sein Blick war merkwürdig entrückt, seine Bewegungen wie ferngesteuert. Seine Lippen bewegten sich, so als wiederhole er im Stillen ein Mantra.

Er sah Jana nicht an, als er ihr das schlanke Messer in den Bauch trieb.

Wieder und wieder stieß er zu, bis Jana ihr Leben aushauchte.

KAPITEL 3

1.

Nun also doch eine Brücke!

Freddy hatte sich drei Monate dagegen gesträubt, diese letzte Stufe auf der nach unten führenden Karriereleiter eines Obdachlosen zu gehen. Aber heute zog feiner Nieselregen durch die Straßen der Stadt, vom Wind gepeitscht, gelangte er auch noch in die hinterletzte Ecke, ein Dreckwetter, das seinen ohnehin schon angeknacksten Durchhaltewillen schließlich brach.

Er stand unter einer der vielen Kanalbrücken und schaute hoch in den dunklen Bereich, wo die Brückenkonstruktion auf dem Widerlager ruhte. Zwischen dem Erddamm und den Trägern war in der Höhe vielleicht anderthalb Meter Platz. Genug, um zu liegen, und der Regen kam dort nicht hin.

Freddy vergewisserte sich, dass ihn niemand beobachtete. Dabei dachte er gar nicht in erster Linie an seinen Verfolger, sondern an Bekannte aus seinem vorherigen Leben. Seit er bei Silke gewesen war, ging ihm der Gedanke nicht mehr aus dem Kopf, dass sein alter Kumpel Lars ihn schlafend in einem Hauseingang gesehen hatte – in einen Schlafsack gehüllt, mit der gefüllten Aldítüte als Kissen unter dem Kopf.

Wie lange mochte Lars dort gestanden haben? Und warum hatte er ihn nicht wach gerüttelt und seine Hilfe angeboten? Als seine Geschäfte noch liefen, waren Lars und er bei jedem Heimspiel des HSV im Stadion gewesen, und oft hatte Freddy die Karten für sie beide bezahlt. Sie hatten zusammen Abi gemacht und in den Jahren danach den Kontakt über den Fußball aufrechterhalten. Freddy hatte Lars immer als Freund betrachtet, einen von der Sorte, die man um Hilfe fragte, wenn man umziehen wollte, nicht jedoch in geschäftlichen Dingen. Geschäftsfreunde waren nämlich keine Freunde, sondern getarnte Feinde, das hatte Freddy schon früh begriffen. So hatte es ihn auch nicht gewundert, als diese Geier sich nach seinem Absturz als Erste über das Aas hermachten, seine Firma fledderten und herausholten, was herauszuholen war. Aber dieses Buddy-Ding zwischen ihm und Lars, das war doch etwas anderes! Warum war er weitergegangen, nachdem er ihn in dem Hauseingang gesehen hatte? Okay, viel mehr als der Fußball verband sie nicht, aber das war doch schon eine ganze Menge. Genug jedenfalls, um einen alten Kumpel nicht der Straße zu überlassen.

So konnte man sich täuschen.

Silkes Verhalten am Vormittag war für Freddy dagegen in Ordnung; er hatte ja nichts anderes verdient. Doch was Lars getan hatte, setzte ihm wirklich zu. Er wünschte sich, Silke hätte es ihm nicht gesagt.

Freddy machte sich daran, den staubigen Wall hinauf zum Widerlager der Brücke zu erklimmen. Es roch dort, als hätten die wilden Katzen der Stadt diesen Platz als ihre Toilette auserkoren. Oben angekommen, ließ er sich auf die Knie fallen und packte seinen Schlafsack aus, um ihn in den Spalt zu schieben.

«Hier ist besetzt.»

Freddy fiel vor Schreck beinahe rückwärts den Wall hinunter.

Ein bärtiges, verhärmtes Gesicht tauchte aus der Dunkelheit vor ihm auf, glasige, blutunterlaufene Augen starrten ihn an. Der alte Mann zog lautstark die Nase hoch.

«Is mein Stammplatz!», schnauzte er.

«Kein Problem, bin schon weg», sagte Freddy und zog seinen Schlafsack zu sich heran, um ihn wieder aufzurollen. Sein Herz raste vor Angst.

«Biste allein?», fragte der Obdachlose.

«Ja.»

«Einer passt noch rein. Aber nur wennste nicht schnarchst.»

«Ist schon gut, ich such mir was anderes.»

«Bin ich dir nicht fein genug, oder was?»

Freddy wollte so schnell wie möglich hier weg, hielt aber inne und dachte nach. Vielleicht war es ja gar nicht schlecht, wenn er die nächste Zeit nicht allein schlief. Vier Augen sahen mehr als zwei, und er müsste nicht die ganze Nacht vor Angst wach liegen, wenn er jemanden in seiner Nähe wüsste. Hinzu kam, dass er nach diesem beschissenen Tag wirklich fertig war und keine Kraft mehr hatte, sich nach einem anderen Schlafplatz umzuschauen.

«Ich will nicht stören», sagte Freddy lahm.

«Haste ja schon. Komm rein oder lass es. Is mir egal.»

«Aber nur wenn es Ihnen nichts ausmacht?»

Der Alte lachte auf, und in seiner Kehle schien eine Gerölllawine abzugehen.

«Seit Jahren hat mich keiner mehr gesiezt», sagte er. «Bist noch nicht lange auf der Straße, oder?»

«Stimmt.»

«Mein Home ist dein Home», sagte der Alte und rutschte ein Stück beiseite. «Ich bin Alfred, aber alle nennen mich Alf.»

«Freddy.»

Freddy hatte den beinahe ununterdrückbaren Drang, dem Alten zu erklären, dass er nur vorübergehend auf der Straße leben musste. Nur so lange, bis seine Gläubiger Ruhe gaben und er die Chance hatte, wieder auf die Beine zu kommen. Alles in ihm verlangte danach, sich von diesem Mann, der anscheinend schon lange draußen lebte, abzugrenzen, sich eine Stellung über ihm zu verschaffen, so wie es die Reichen mit Autos, Häusern und Booten taten – so wie er es jahrelang selbst getan hatte.

Freddy ließ es bleiben.

Er hatte keine Stellung mehr.

Sein Platz war jetzt unter dieser Brücke.

Also breitete er die Isomatte aus, zog seine Schuhe aus, schlüpfte in seinen Schlafsack und zog den Reißverschluss zu. Zwischen ihm und dem Penner war kaum mehr als ein halber Meter Platz, ihre Füße zeigten Richtung Kanal, die Köpfe lagen am engsten Platz unter der Brücke. Wenige Zentimeter über sich blickte Freddy auf Stahlträger, die er in der Dunkelheit mehr erahnen als sehen konnte. Sobald ein Wagen über die Brücke fuhr, dröhnte die Konstruktion, und die Vibrationen drangen durch das Erdreich in seinen Körper. Der Boden war hart und uneben, etwas drückte in seinen unteren Rücken, aber er war viel zu müde, um daran etwas zu ändern.

«Haste was zu trinken dabei?», fragte der Alte neben ihm.

«Nein, tut mir leid.»

«Ich hab Wodka. Willste was ab?»

«Nein, danke.»

«Nein, danke», äffte Alf ihn nach. «Deine Höflichkeit gewöhnste dir besser gleich mal ab. Ist viel zu gefährlich.»

«Warum?»

«Weil dich damit jeder sofort als Anfänger erkennt. Und dann klauense dir das bisschen auch noch, was du hast. Glaub mal ja nicht, wir seien eine Bruderschaft oder so. Ein Hauen und Stechen, sag ich dir.»

Freddy schwieg und dachte darüber nach, inwieweit er dem Alten trauen konnte. Er hatte immer noch Geld im Geheimfach seiner Armeetasche.

«Keine Angst, ich mach so was nich», sagte der Alte, als könne er seine Gedanken lesen. «Bin ein ehrlicher Idiot. Alle Ehrlichen sind Idioten. Nur die Lügner und Betrüger kommen weiter heutzutage.»

«Leider auch nicht alle», sagte Freddy.

«Meinste?»

«Ich weiß es. Ich habe gelogen und betrogen, und jetzt sieh mich an.»

Der Alter lachte keckernd.

«Mann, dann warste einfach nicht gut genug.»

Es deprimierte Freddy zusätzlich, dass der Mann ihn so einfach durchschaute.

«Wie lange machst du das schon?», fragte er, um das Gespräch von sich abzulenken.

«Was meinste?»

«Draußen schlafen.»

«Weiß nicht. Solange ich denken kann.»

«Ist nicht dein Ernst!»

«Na ja, ich kann mich nicht mehr an die Zeit davor erinnern, also schon mein Ernst, würde ich sagen.»

«Und wie ist es dazu gekommen?»

«Ich hab die klassische Biographie», sagte Alf und lachte sein Gerölllachen. «In der Schule nur Scheiße im Kopf, später nur Drogen und nebenbei noch ein bisschen Spielsucht. Aber ich hab das in den Griff gekriegt, echt, kannste glauben. Mit fünfundzwanzig hatte ich meinen ersten richtigen Job, in so 'ner Backfabrik, Maschinen reinigen. War gar nicht schlecht, da hätte ich's aushalten können. Immer schön warm und so.»

«Was ist passiert?»

«Was den meisten Süchtigen irgendwann passiert. Bin wieder spielen gegangen, statt zu arbeiten.»

«Bereust du es?»

Bisher hatte Alf jede Frage sofort beantwortet, so als sei er froh, jemanden zum Reden zu haben. Jetzt schwieg er allerdings eine Weile.

«Erst nicht. Aber seit ein paar Jahren schon. Weißte, was das Schlimmste ist? Wenn ich totgehe, wird keiner da sein. Da muss ich dann allein durch … und ich gäbe was dafür, noch eine Chance zu bekommen. Kannste aber vergessen. Nach so langer Zeit auf der Straße kriegste keine mehr.»

«Scheiße», entfuhr es Freddy.

«Kannste laut sagen. Und es wird immer beschissener. Heutzutage biste Freiwild, kann ich dir sagen. Wennste nicht aufpasst, zünden dich ein paar Kids an, nur weil sie Spaß haben wollen. Oder sie schmeißen dich in einen Kanal und gucken zu, wie du absäufst. Alles schon da gewesen.»

«Und trotzdem schläfst du allein hier?»

«Ist ein sicherer Platz. Hier oben findet dich so schnell keiner.»

«Ich hab dich gefunden.»

«War ja wohl mehr ein Zufall, oder?»

Freddy kam eine Idee.

«Wenn du jemanden aus der Obdachlosenszene finden müsstest, wo würdest du suchen?»

«Na ja, die üblichen Plätze halt. Bahnhof, Park oder eine von den Unterkünften, wo wir schlafen und duschen können. Warum fragst du?»

«Nur so.»

«Sucht jemand nach dir?»

«Kann schon sein.»

«Etwa dieser Typ, der seit zwei Tagen überall herumfragt?»

Freddy richtete sich in seinem Schlafsack so weit auf, wie es der Platz zuließ.

«Was für ein Typ?»

«So ein großer, gutaussehender.»

«Hat er dich auch gefragt?»

«Ja, gestern … oder vorgestern. Ich weiß nicht mehr so genau. Wollte wissen, ob ich einen langen, hageren Kerl gesehen habe, der einen fast neuen schwarzen Mantel trägt und eine Armeetasche dabeihat. Ich hab eben gar nicht hingesehen. Hast du so eine Tasche?»

«Und wenn, würdest du mich dann verraten?»

«Vergisses. So was mach ich nich.»

«Würdest du den Mann wiedererkennen?», fragte Freddy.

«Ich glaub schon. Der hatte so einen stechenden Blick.»

«Pass auf, ich geb dir zehn Euro, wenn du mir einen Gefallen tust.»

Der spontane Einfall wuchs zu einem Plan heran, und plötzlich wusste Freddy, was er tun musste, um diesem irren Killer zu entkommen.

Verstecken war nicht die richtige Strategie.

Er musste zum Gegenangriff übergehen.

«Was für einen Gefallen?», fragte Alf argwöhnisch.

Freddy dachte darüber nach, ob er dem Alten die Wahrheit erzählen konnte. Sein erster Impuls war, es nicht zu tun, aber warum eigentlich? Schließlich hatte Freddy nichts angestellt, in diesem Fall zumindest nicht, sondern einen Mord beobachtet. Nur dadurch war er selbst zur Zielscheibe geworden.

Kurz entschlossen berichtete er dem Alten davon.

«Scheiße», sagte Alf. «Bist ein echter Pechvogel, was?»

«Kann man so sagen. Aber ich will nicht dauernd weglaufen und mich verstecken müssen, deshalb habe ich mir gedacht, wenn ich wüsste, wo dieser Mann lebt, könnte ich es der Polizei melden.»

«Polizei?! Ohne mich! Mit denen will ich nix zu tun haben.»

«Anonym natürlich, von einer Telefonzelle aus.»

«Ach so. Und warum haste das nich schon längst gemacht?»

«Was soll ich denn sagen? Hallo, ich habe einen Mord beobachtet, weiß aber nicht, wie der Täter aussieht? Die würden mich nicht ernst nehmen, und selbst wenn, bringt es nichts. Aber wenn ich den Bullen eine Adresse liefern kann, sind die doch quasi verpflichtet, der Sache nachzugehen.»

«Kann schon sein.»

«Wie sieht's aus? Hilfst du mir, den Typ zu finden?»

«Zehn Euro?»

«Versprochen.»

«Okay, dann bin ich dabei.»

2.

Laute elektronische Musik mit stampfendem Bass und vibrierenden Beats umgab Leni wie eine feste Hülle, aus der es kein Entrinnen gab. Für sie war dieser Club ein lebensfeindlicher Raum, der ihr keine Luft zum Atmen ließ. Gedanken starben in diesem Lärm, noch ehe sie entstanden, und Leni fühlte sich, als stünde sie unter Drogen. In einem Meer aus Oberflächlichkeiten, Anzüglichkeiten, unterschwelliger Gewalt und offen zur Schau gestellter Sexualität versuchte sie verzweifelt, nicht unterzugehen.

Die Tanzfläche in der Mitte des Clubs war schon überfüllt gewesen, als sie und Vivien vor zwei Stunden angekommen waren. Wippende und schwingende Leiber unter zuckendem Licht, Arme, die in die Höhe geworfen wurden, nackte Haut, vor allem bei den Frauen, die unglaublich freizügig gekleidet waren.

Leni stand an einem Pfeiler aus Marmor gelehnt am Rand der Tanzfläche und empfand den Unterschied zwischen sich und den anderen Frauen als demütigend. Sie war die Einzige, die keine nackten Beine zeigte, sondern eine Jeans trug. Auch war ihr Bauchnabel bedeckt, und von ihren Brüsten sah man nicht einmal den Ansatz, weil sie ihre Bluse bis oben hin zugeknöpft hatte. Unter all diesen wunderschönen Modelfrauen fühlte Leni sich dick und ungelenk, niemals würde sie sich zu dieser Musik so bewegen können – es sei denn, sie betrank sich, was sie nicht vorhatte. Morgen war ihr erster Arbeitstag im Verlag, deshalb war sie standhaft geblieben, als Vivien sie hartnäckig bekniet hatte, wenigstens einen Sekt mit ihr zu trinken. Stattdessen trank sie Cola, und die war längst warm und ohne Kohlensäure. Trotzdem nippte sie immer wieder daran, weil sie nicht allein zur Bar gehen und sich eine neue bestellen wollte.

Die vor Sex vibrierende Luft prallte aber nicht an Leni ab, sie spürte sie sogar sehr intensiv. Sie wünschte sich, lockerer sein zu können. Warum gelang es ihr nicht, den ganzen Ballast einfach abzuwerfen und so zu tun, als gäbe es kein Morgen? All die anderen schönen Menschen in diesem Club taten das doch auch. Hatten die keine Sorgen, Probleme oder Nöte? Mussten die am nächsten Tag nicht irgendwo arbeiten?

Es war natürlich so gekommen, wie Leni befürchtet hatte. Obwohl Vivien hoch und heilig versprochen hatte, sie nicht allein zu lassen, war sie nach nicht einmal zwanzig Minuten mit einem Mann auf die Tanzfläche verschwunden. Es war der Typ mit dem offenen Hemd, den Vivien ihr auf dem Handy gezeigt hatte. David hatte auch ihr die Hand geschüttelt und sie neugierig gemustert.

Seitdem trieb Vivien Sex im Stehen. Anders konnte Leni ihre Art zu tanzen kaum beschreiben. Wie sie sich an den Mann drückte, ihre Schenkel und ihr Becken an seinen Beinen rieb, ihn lüstern ansah und ihren Oberkörper nach hinten bog, das war einerseits erotisch, andererseits aber auch entsetzlich vulgär.

Leni würde so etwas niemals tun. Aber immer wenn Vivien in ihr Blickfeld geriet, sah sie genau hin, studierte ihre Bewegungen, ihre Blicke, ihre Gesten, und sie verstand, was Vivien mit den Männern machte, wie sie sie betörte und in ihr Netz lockte.

Heute Vormittag, nach der Sache auf dem Weg zum Bäcker und auch später, war Vivien hilfsbereit und verständnisvoll gewesen, eine ganz andere Frau als die, die Leni jetzt auf der Tanzfläche beobachtete.

Leni trank den letzten Schluck warme Cola. Damit war der Zeitpunkt erreicht, den sie sich insgeheim als Deadline gesetzt hatte. Noch länger würde sie nicht herumstehen und darauf warten, dass Vivien sich an sie erinnerte. Obwohl sie ein wenig sauer war auf ihre neue Freundin und am liebsten einfach verschwunden wäre, machte sie sich auf die Suche nach ihr, um sie wissenzulassen, dass sie nach Hause ging. Sie umrundete die Tanzfläche und hielt dabei nach Vivien Ausschau, entdeckte sie jedoch nicht.

Im hinteren Bereich des Clubs gab es schummrig beleuchtete Séparées. Runde Sitzbereiche aus braunem Kunstleder mit runden Tischen, voneinander getrennt durch aufwendig gestaltete Raumteiler. Dort fand sie Vivien. Sie hockte mit gespreizten Schenkeln auf dem Schoß eines Mannes, hatte ihre Arme um seinen Hals geschlungen und küsste ihn leidenschaftlich. Dabei bewegte sie ihr Becken vor und zurück. Der Mann ließ seine Hand an ihrer Wirbelsäule entlanggleiten. Sein Gesicht konnte Leni nicht sehen, aber an seiner linken Hand fehlte der kleine Finger.

Enttäuscht wandte Leni sich ab und kämpfte sich durch die feiernden Menschen zum Ausgang durch. Als sie in die warme Nachtluft hinaustrat, war sie den Tränen nah. Wie hatte sie nur glauben können, in so kurzer Zeit eine Freundin zu finden? In Filmen und Büchern gab es so etwas, im wahren Leben nicht.

Vor dem Club schaute sie sich um und bemerkte, dass sie nicht einmal wusste, in welche Richtung es ging. Während sie noch nachdachte, bemerkte sie eine Gestalt, einen Mann unter dem Vordach eines Hauses, wo die Dunkelheit seine Konturen auflöste. Er trug eine Kapuze, unter der sein Gesicht ganz verschwand, und dennoch hatte Leni das Gefühl, er würde sie anstarren.

Nichts wie weg!

Sie würde den Weg zurück in die Eilenau auch allein finden, dafür brauchte sie Vivien nicht. Sie war ihr ganzes Leben lang mehr oder weniger allein zurechtgekommen, und während ihres Studiums in Augsburg hatte sie bereits bewiesen, dass sie mit den Tücken einer Großstadt nicht überfordert war.

Die ersten zehn Minuten trieben Enttäuschung und Verärgerung sie voran, doch beides war schnell verraucht, und Leni begann, ihre Umgebung wahrzunehmen. Die Geräusche und Gerüche, die Stille, die dunklen Ecken und schwarzen Gassen. Die wenigen Gestalten, die sich darin herumtrieben.

An einer Straßenkreuzung blieb sie stehen, um sich zu ori

entieren. Sie drehte sich hierhin und dorthin, hatte aber keine Ahnung, wo sie sich befand – es musste irgendwo im Bereich der Außenalster sein, aber nichts von dem, was sie sah, kam ihr bekannt vor. Vorhin waren sie mit dem Taxi gefahren, und Leni hatte kaum auf die Umgebung geachtet, weil sie so aufgeregt gewesen war und Vivien so viel geredet hatte.

Leni holte ihr Handy hervor, öffnete Google Maps, gab den Straßennamen ein und ließ sich den Weg zu ihrer Unterkunft anzeigen. Zwanzig Minuten sollte es dauern. Sie lief los, folgte den Anweisungen von Google und konzentrierte sich so sehr darauf, dass sie ihre Umgebung kaum noch wahrnahm.

Die Schritte hörte sie erst, als sie an einer Straßenkreuzung stoppte.

Leni fuhr herum.

Da war niemand.

Der Bürgersteig hinter ihr war leer, aber sie war sich sicher, Schritte gehört zu haben.

Du bist so dumm, Leni Landei, schalt sie sich in Gedanken.

Warum nur hatte sie sich kein Taxi genommen? Weil sie dafür kein Geld hatte, schon klar, aber was nützte ihr das, wenn sie womöglich angegriffen würde?

Leni nahm sich vor, das nächste Taxi anzuhalten. Bis dahin musste sie in Bewegung bleiben und versuchen, nicht in dunkle Straßen abzubiegen. Im Moment befand sie sich noch auf einer der Hauptverkehrsadern, und auch wenn nur wenige Autos unterwegs waren, glaubte sie nicht, dass ihr hier jemand etwas antun würde.

Bleib in Bewegung, sagte Leni sich, setzte den Fuß auf die Straße und ging beherzt los.

Sofort fiel ihr die letzte Strophe ihres Lieblingsgedichts von Robert Frost ein, und sie sagte es leise vor sich hin, wie sie es schon so oft getan hatte, wenn Angst und Einsamkeit sie übermannten.

«*The woods are lovely, dark and deep,*
but I have promises to keep,
and miles to go before I sleep,
and miles to go before I sleep.»

Wie immer half es, die Worte auszusprechen. Wie immer hielten sie die Angst in Schach, denn sie erinnerten Leni an ein Versprechen, das einzuhalten sie ihrer Mutter geschworen hatte.

Aber was waren Worte gegen Schritte in der Nacht, die einem folgten?

Nichts!

Sie verloren ihre Macht in dem Moment, in dem die Schritte sich näherten. Plötzlich hatte Leni das Gefühl, jemand würde nach ihr greifen.

Sie schrie auf und fuhr herum. Wieder war dort niemand, aber sie glaubte, einen Schemen in einem Hauseingang verschwinden zu sehen. Leni ging jetzt rückwärts, behielt den Eingang im Auge, übersah den Bordstein, stolperte und fiel hin, rappelte sich auf und rannte.

Rannte um ihr Leben, bis Atemnot und ein Stechen im Zwerchfell sie dazu zwangen, langsamer zu werden. Diesmal drehte sie sich nicht um, sondern warf nur einen Blick über die Schulter zurück – und sah ihn!

Den Mann, der ihr folgte.

Die Hände in den Taschen seiner Jacke, den Kopf gesenkt, das Gesicht unter einer Kapuze verborgen, folgte er ihr gemessenen Schrittes, so als habe er alle Zeit der Welt, weil sie ihm sowieso nicht entkommen konnte.

War das derselbe Typ, der sie schon beim Weggehen vor dem Club angestarrt hatte?

Leni rannte weiter. Schon längst wusste sie nicht mehr, ob sie noch auf der richtigen Strecke war. Warum war denn hier niemand? Warum kam kein Taxi?

Sie hatte den Gedanken kaum zu Ende gedacht, da schob sich direkt vor ihr ein Wagen aus einer Seitenstraße. Leni lief gegen den rechten Kotflügel, schlug auf die warme Motorhaube und fiel zurück auf den Asphalt.

3.

Die ersten Schritte fühlten sich wirklich gut an! Befreiend und irgendwie auch inspirierend. Erinnerungen an seine Jugend wurden wach, als er ein hervorragender Leichtathlet gewesen war und die fünf Kilometer in unter zwanzig Minuten geschafft hatte.

Nach zwei Minuten machte sein Körper ihm klar, wie lang das her war und welch Schindluder er seitdem mit ihm getrieben hatte.

Aber Jens Kerner war nicht bereit, die anfangs eingelegte Geschwindigkeit zu reduzieren. Von seiner Wohnung im Grindelviertel war er durch die Milchstraße hinunter an die Außenalster gelaufen und hatte seinen Rundkurs beim Café Cliff begonnen. Laut Internet betrug die beliebteste Laufstrecke Hamburgs rund um die Außenalster etwas mehr als sieben Kilometer – das sollte zu schaffen sein!

Immerhin war er im besten Mannesalter.

Nachdem Jens seinen Tag mal wieder mehr oder weniger am Schreibtisch verbracht hatte, hatte er sich spontan dafür entschieden, nach Feierabend mit dem Lauftraining zu beginnen, das er seit vier Jahreswechseln vor sich herschob.

Silvester versprochen, Neujahr gebrochen.

Aber jetzt gab es endlich einen guten Grund!

Er durfte es nicht noch einmal zu einer solchen Schmach kommen lassen wie in der letzten Nacht. Der Typ, der ihn bei der Scheibenreparaturwerkstatt niedergeschlagen hatte, war ihm zuvor ohne Probleme davongelaufen, und so etwas sollte keinem Polizisten passieren, egal in welchem Alter.

Ab heute würde er regelmäßig trainieren und nicht nachlassen, bis er die Runde unter vierzig Minuten schaffte.

Weil Jens geahnt hatte, dass er nicht gleich beim ersten Lauf eine gute Figur abgeben würde, hatte er ihn in die Dunkelheit verlegt. In den Stunden gleich nach Feierabend war es sowieso viel zu voll, da glich die Strecke einem Hindernislauf. Das hätte er vielleicht noch riskiert, doch bei einem Blick auf seine Laufkleidung war ihm klargeworden, wie viel Zeit seit seinem Schulsport vergangen war.

Er lief in Großvaters Turnhose und einer ausgeblichenen Jacke, die aus Bundeswehrbeständen stammte und um den Bauch herum recht straff saß. Lediglich die Schuhe waren neu, die hatte er auf dem Nachhauseweg im Sportgeschäft erstanden. Vielleicht sollte er in den Rest auch noch mal investieren! Sehen und gesehen werden gehörte hier ja irgendwie dazu. Die Jungs und Mädels, die hier tagsüber liefen, waren jedenfalls alle gut gestylt.

Fünf Minuten vom Café Cliff entfernt, lösten die ersten Schmerzen die anfängliche Euphorie ab. Ab dem Zeitpunkt gesellten sich mit jedem Schritt weitere hinzu. In den Knien, den Fußgelenken, den großen Zehen, der Hüfte und schließlich auch im Brustkorb, wo fiese Seitenstiche ihn letztlich zwangen, deutlich langsamer zu werden. Schon als er die Brücke über den Rondeelkanal überquerte, glich sein Laufstil dem eines Kriegsheimkehrers, der durch Tundra und Taiga aus Sibirien geflüchtet war – und so in etwa fühlte er sich auch.

Scheiße!

Das war nicht so einfach wie gedacht.

Jens legte eine Gehpause ein, es ging nicht anders. Dabei stützte er eine Hand dort in seine Seite, wo das Zwerchfell gegen die Rippen stieß. Wie gut, dass jetzt kaum noch jemand unterwegs war.

Die nächsten zwei, vielleicht drei Wochen waren die bösen Buben noch vor ihm sicher, so viel stand fest, aber danach würde er es ihnen zeigen! Wäre doch gelacht, wenn er nicht bald zu alter Form zurückfände.

Er ging die gesamte Strecke durch die Gellertstraße und begann erst wieder zu laufen, als er die Brücke über den Langen Zug erreichte. Geh es langsam an, sagte er sich und verfiel in moderates Tempo, doch das brachte keine wirkliche Verbesserung. Die Schmerzen meldeten sich sofort wieder zurück. Um sich davon abzulenken, begann Jens, über den aktuellen Fall nachzudenken.

Tagsüber hatte er mit den Kollegen aus Heidenheim telefoniert, die den Fall der vermissten Jana Heigl bearbeiteten. Nach deren Auskunft war sie nach einem Streit mir ihrem Freund Niklas Mangfeld allein zu einer Städtereise aufgebrochen, die sie eigentlich zusammen mit ihrem Freund hatte machen wollen. Da die Kollegen ihm nicht viel sagen konnten, hatte Jens später noch mit den Eltern und dem Freund telefoniert. Niklas Mangfeld beschrieb Jana Heigl als sehr selbständig und durchsetzungsstark, mitunter auch dickköpfig – es war nicht ihr erster Streit gewesen. Bisher hatten sie sich immer wieder vertragen, und das wäre nach seiner Meinung auch dieses Mal so gewesen. Aber Jana hatte sich seit vier Tagen nicht mehr gemeldet, auch nicht bei den Eltern, und das passte nicht zu ihr. Leider konnten weder die Eltern noch der Freund sagen, wo in Hamburg Jana untergekommen war. Freunde oder Bekannte hatte sie in der Stadt nicht. Während der Planungsphase der Reise hatten Niklas und sie günstige Hotels, Hostels, Jugendherbergen oder AirBnB-Zimmer ins Auge gefasst. Wenn Jana Heigl irgendwas davon übers Internet gebucht hatte, hatte sie es über ihr Handy getan – und das war mit ihr zusammen verschwunden. Eine Ortung war erfolglos verlaufen.

Zuletzt war es an einem Funkmast in Hamburg in der Nähe des Bahnhofes angemeldet gewesen und dann an vier weiteren während der Zugfahrt nach Berlin, bevor es verschwand. Allein das sprach dafür, dass Jana Heigl nicht mehr in der Stadt war und sie mit dem Zug verlassen hatte. Die Kollegen in Berlin waren informiert und suchten ebenfalls nach der jungen Frau.

Die Familie war in großer Sorge. Jens zweifelte nicht daran, dass dem Mädchen etwas passiert war. Nur musste das nicht zwangsläufig mit dem Fall des erschossenen Krankenpflegers zu tun haben, der ja aller Wahrscheinlichkeit nach ein Fahrzeug beobachtet hatte, in dem ein Entführungsopfer abtransportiert worden war.

Vielleicht, eventuell und möglicherweise …

Die Gedanken über den Fall halfen genau bis zum Feenteich über die Schmerzen hinweg, dann war Schluss, und Jens musste abermals abbrechen.

Zum Teufel noch mal! Wie konnten Seitenstiche derart weh tun? Oder litt er etwa unter einem unentdeckten Tumor im Brustraum, und der Typ am Schrottplatz war ihm nur deswegen entkommen?

Jens lehnte sich an das Brückengeländer vor dem Feenteich, tat so, als würde er seine Muskulatur dehnen, und betrachtete die beleuchteten Villen der Reichen. Die Lichter spiegelten sich in der ruhigen Wasseroberfläche.

Hör auf mit der Scheiße, aus dir wird sowieso kein Sportler mehr, sagte der innere Schweinehund, und für einen Moment war Jens gewillt, ihm zu glauben. In drei Monaten feierte er seinen zweiundfünfzigsten Geburtstag, er lebte allein, es war keine Frau in Aussicht, die es zu beeindrucken galt, was sollte das Ganze also?

Dann dachte er wieder an die Verfolgungsjagd und wie sehr sie sich von dem unterschieden hatte, was man in amerikanischen Krimis sah. Hätte man ihn gefilmt, wäre das an Peinlichkeit nicht zu überbieten gewesen.

Nein! Er musste durchhalten. Es ging darum, sich selbst zu beeindrucken.

Also schleppte er sich weiter, verfiel in eine Art Laufschritt und konzentrierte sich jetzt auf das Knirschen des feinen Schotters unter seinen Schuhen. Er musste nur einen Rhythmus finden, dann würde es schon gehen.

An der Brücke über den Mundsburger Damm war es dann doch vorbei. Ein fieses Stechen schoss durch seinen unteren Rücken und machte jeden weiteren Schritt zur Qual. An Laufen oder irgendwas Ähnliches war nicht mehr zu denken.

Diesmal tat Jens nicht nur so, als dehne er sich, er tat es wirklich, um die verhärteten und streikenden Lendenmuskeln zu entspannen. Dabei blickte er auf das schwarze Wasser des Kanals. Er wusste, es floss durch den Kuhmühlenteich bis in den Eilbekkanal und dann durch ganz Wandsbek, Tonndorf und Rahlstedt bis ins Naturschutzgebiet Stellmoorer Tunneltal.

Jens wusste das, weil dieser Teil des Hamburger Kanal- und

Fleetsystems einmal Teil einer Ermittlung gewesen war. Das Baggerschiff, das ein Stück weit im Mundsburger Kanal vertäut lag, erinnerte ihn an einen zwei Jahre zurückliegenden Fall, für den er allerdings nicht verantwortlich gewesen war.

Und plötzlich sah Jens eine Verbindung, die er vorher nicht gesehen hatte.

Kann das sein?, fragte er sich mit Blick auf das dunkle Wasser.

Sein Herz klopfte etwas schneller vor Aufregung, die Schmerzen traten in den Hintergrund. Er lief weiter, und je länger er über den alten Fall nachdachte, desto mehr Details fielen ihm ein.

Rosaria Leone.

Die Frau aus dem Kanal.

Gleich morgen früh würde er den Kollegen aufsuchen, der damals für den Fall zuständig gewesen war.

4.

Zwanzig Minuten später stieg Leni vor dem Haus Nummer 39b in der Eilenau aus dem Streifenwagen und bedankte sich bei den beiden Polizisten, die sie nach Hause gefahren hatten, nachdem sie ihnen vor die Motorhaube gelaufen war. Passiert war ihr dabei nichts, aber der Schrecken war bei ihr und den Polizisten gleichermaßen groß gewesen.

Leni sah dem davonfahrenden Wagen nach und konnte immer noch nicht fassen, wie peinlich sie sich aufgeführt hatte. Sie hatte herumgeschrien und behauptet, jemand trachte ihr nach dem Leben. Der Beamte war sogar nachschauen gegangen, während sich die Frau um Leni gekümmert hatte. Leni hatte eindrucksvoll bewiesen, was für ein Landei und wie wenig sie für das Großstadtleben geeignet war.

Während der Fahrt waren die Polizisten mitfühlend und freundlich gewesen, aber Leni war sich sicher, dass sie in diesem Moment über sie lachten.

Na ja, sei's drum, wäre ja nicht das erste Mal, und immerhin war sie sicher zu Hause angekommen.

Oder besser bei dem Haus, in dem sie vorübergehend eine Bleibe gefunden hatte.

Dunkel ragte die große Villa vor ihr auf. Hinter keinem der Fenster in der Vorderfront brannte Licht, und mit diesem schrecklichen schmiedeeisernen Zaun davor wirkte sie abweisend wie eine Trutzburg – irgendwie unheimlich. So als trügen sich dort drinnen Dinge zu, die Jenseits von Gut und Böse waren und alles Vorstellbare in den Schatten stellten.

«Nein, du wirst dich nicht wieder anstellen wir ein dummes Mädchen vom Lande», sagte Leni leise zu sich selbst. Mit Nachdruck stieg sie die vier Sandsteinstufen zum Eingang hinauf.

Die Außentür war wieder nicht abgeschlossen, sie konnte einfach eintreten.

Jeder konnte einfach eintreten!

War das so üblich hier? Oder lag es daran, dass die Zimmer alle über BedtoBed.com vermietet waren und nicht für alle Mieter ein Haustürschlüssel zur Verfügung stand? Na ja, wie auch immer, Leni fand diesen Zustand besorgniserregend. War sie die Einzige, der es so ging?

Im dunklen Hausflur suchte sie nach dem Lichtschalter, fand ihn neben dem Treppenaufgang und machte Licht.

Auf leisen Sohlen schlich sie die Stufen in die vierte Etage hinauf. Im Treppenhaus war es still wie in einem Grab, und hinter allen Wohnungstüren herrschte Ruhe. Die anderen Bewohner schliefen sicher längst, und auch für Leni war es höchste Zeit, ins Bett zu gehen. Um neun Uhr am Vormittag begann ihr Praktikum beim Verlag. Da musste sie ausgeschlafen und fit sein. Diese Idee mit dem Clubbesuch war von Anfang an dumm gewesen, und Leni war froh, früh genug die Kurve gekriegt zu haben. Sie hätte gar nicht erst mitgehen sollen. Alles in allem war der Abend für sie demütigend und überflüssig gewesen. Sie hatte ja schon vorher gewusst, dass sie nicht in diese Gesellschaft passte.

In keine Gesellschaft.

Auf den letzten Stufen zwischen der dritten und vierten Etage hörte Leni plötzlich doch ein Geräusch. Sie blieb stehen und lauschte. Es klang, als würde sich hinter der Wand etwas bewegen und dabei am Mauerwerk entlangschaben. Als Leni ihre Hand dagegenlegte, glaubte sie sogar, die Bewegung spüren zu können. Ein Schauer lief ihren Rücken hinab. Sie stellte sich übergroße Ratten vor, die sich durch geheime Gänge zwischen den Etagen bewegten, immer auf der Suche nach etwas Essbarem.

Leni hastete die restlichen Stufen hinauf und betrat die Wohnung, in der sich ihr Zimmer befand. Auch diese Tür war nicht abgeschlossen. Sie blieb auf der Schwelle stehen und lauschte abermals.

Stille.

Rasch zog sie ihre Straßenschuhe aus, nahm sie in die Hand und schlich auf Zehenspitzen über den Parkettboden. Auf keinen Fall wollte sie jemanden stören! Hinter der zweiten Tür auf der linken Seite schnarchte jemand laut auf, als sie daran vorbeiging. Irgendwie beruhigte sie das Geräusch, weil es so zutiefst menschlich war und bewies, dass sie nicht ganz allein war in dieser großen Wohnung.

Ihr Vater hatte geschnarcht wie ein Bär. Für ihre Mutter und sie war das stets ein beruhigendes Geräusch gewesen, denn wenn er schlief, drohte keine Gefahr.

Leni schloss ihre Zimmertür auf, huschte hinein, verriegelte sie sorgfältig und legte zusätzlich die Kette vor. Erst jetzt fühlte sie sich sicher. Sie sackte mit dem Rücken gegen das Türblatt, und die aufgestaute Furcht entlud sich in einem langen Seufzer. Diese Wirkung hatten Türen und Schlösser seit jeher auf sie. Das metallische Klacken, wenn ein Riegel einrastete und damit dem Bösen den Weg versperrte, löste bisweilen sämtliche Verspannungen in ihren Schultern, wie es keine Massage vermocht hätte.

Dabei war dies nicht einmal ihr Zuhause, aber in diesem Moment fühlte es sich so an, und Leni wurde bewusst, dass auch sie sich daran gewöhnen musste, ihr Zuhause im Inneren zu tragen, es mitzunehmen, ganz egal, wohin sie ging. Sandhausen durfte nicht für alle Zeiten der einzige Ort bleiben, an dem ihre Seele sich wohl fühlte. Veränderung war wichtig. Auch für sie.

Nach diesem warmen Tag war die Luft im Zimmer stickig. Leni trat ans Fenster und öffnete beide Flügel. Glatt und unbewegt lag einige Meter unter ihr das Wasser im Kanal. Eine Fließrichtung oder gar Strömung ließ sich nicht erkennen. In einem der Hausboote brannte noch Licht, und Leni sah jemanden hinter einem hellen, aber blickdichten Vorhang vorbeigehen. Ein Schemen, der sich langsam bewegte. Leni verharrte am Fenster und sah genauer hin. Sie fand es ganz erstaunlich, dass es Menschen gab, die sich in einer solchen Behausung si-

cher fühlten. Umgeben von Wasser, die Wände lediglich zenti-
meterdünn, wirkten die Hausboote trotz ihrer Größe auf Leni
wie bessere Zelte.

Nein, für sie wäre das definitiv nichts!

Plötzlich erlosch das Licht auf dem Hausboot. Einen Moment
später teilten sich die beiden Hälften des Vorhangs, und jemand
schaute hinaus.

Leni zuckte vom Fenster zurück. Hier oben in dem erleuchteten Zimmer stand sie wie auf dem Präsentierteller, und die Leute auf dem Hausboot hatten sie bestimmt gesehen, so wie schon
in der ersten Nacht. Was dachten sie jetzt von ihr? Hielten sie
sie für eine Spannerin?

Sie wusste, es sollte ihr egal sein, was Menschen, die sie nicht
kannte, von ihr dachten, war es aber nicht. Dieses innere Be-
dürfnis, nicht aufzufallen, alles richtig zu machen, Regeln einzuhalten und niemandem zu nahe zu treten, war genau der Ballast, der es ihr so schwermachte, einfach auf eine Tanzfläche zu
treten und die Sau rauszulassen. So wie Vivien.

Leni wusste, sie würde sich nie ändern. Wer so voller Kom-
plexe war, besaß keine innere Freiheit, und die war nun einmal
notwendig, um sich äußere Freiheit zu erkämpfen.

Diese Gedanken machten sie traurig. Sie zog sich aus und
ihre Schlafwäsche an. Dann wusch sie sich notdürftig über dem
kleinen Waschbecken auf ihrem Zimmer das Gesicht und putz-
te sich die Zähne. Zu mehr war sie jetzt nicht in der Lage, außerdem mochte sie nicht mehr hinausgehen, wo sie möglicherweise einem anderen Bewohner über den Weg lief. Sie stellte
ihren Wecker so, dass sie in der Frühe vor allen anderen duschen konnte. Bis dahin blieben ihr nur noch fünf Stunden
Schlaf. Viel zu wenig!

Mit dicken Socken an den Füßen hüpfte sie ins Bett, löschte

das Licht und zog die Daunendecke hoch bis ans Kinn. Hinter ihren Augen lauerte bleischwer die Müdigkeit. Sie schloss die Lider, rollte sich auf die Seite, zog die Beine an und wartete auf den Schlaf.

Doch jetzt, wo sie bereit war für ihn, kam er nicht.

Stattdessen hörte sie abermals ein Geräusch hinter der Wand, wie sie es schon im Treppenhaus gehört hatte – ein Kratzen und Schaben. Konnten Mäuse oder Ratten solche Geräusche verursachen? Leni rutschte von der Wand weg und betrachtete sie argwöhnisch. Sie glaubte, einmal gelesen zu haben, dass Ratten durchaus in der Lage waren, sich durch Wände zu nagen. Das Haus war alt, und der Kanal davor zog sicher alle Arten von Ungeziefer an …

Nach wenigen Sekunden war es vorbei, und die Stille kehrte zurück.

Leni rollte sich wieder zusammen und schloss die Augen, aber ihre Gedanken wollten noch keine Ruhe geben. Plötzlich meinte sie, die anderen Bewohner der Wohnung spüren zu können. Wie sie sich in den Betten wälzten, atmeten, träumten, im Schlaf redeten und schnarchten.

Sie schlief Wand an Wand mit unbekannten Menschen, teilte sich ein Bad mit ihnen. Wer waren sie? Was wünschten sie sich für ihr Leben? Wurden sie geliebt und liebten sie selbst? Wie fühlte es sich für sie an, in einer fremden Wohnung zusammen mit wildfremden Menschen zu leben? Hatten sie Angst, so wie sie selbst?

Über diese Gedanken schlief Leni schließlich doch ein.

Irgendwann schreckte sie hoch, weil sie glaubte, jemand sei in ihrem Zimmer, aber es war nur der Fensterflügel, den zu schließen sie vergessen hatte. Ein Windstoß hatte ihn gegen die Laibung gedrückt. Im Dunkeln huschte Leni aus dem Bett, schloss das Fenster und sah, dass auf dem Hausboot wieder Licht brannte.

Außerdem war das Wasser im Kanal aufgewühlt, so als sei gerade jemand darin geschwommen.

5.

Ganz langsam hob er den Kopf aus dem Wasser. Tropfen perlten von der Scheibe der Taucherbrille und verschleierten für einen Moment die Sicht. Was er sah, reichte ihm jedoch.

Er war allein, wie er es erwartet hatte.

Also schloss er das Gitter auf, schob sich hindurch und schloss es wieder ab. Mit den Neoprenhandschuhen war das nicht einfach, aber da er den kleinen Schlüssel mit Maurerschnur an seinem Handgelenk gesichert hatte, konnte er ihm nicht ins Wasser fallen.

Es gab einiges zu bedenken und erforderte größere Umstellungen, wenn er diesen Weg weiterhin nutzen wollte, aber die Vorteile lagen auf der Hand – vor allem nach dem Ärger im Industriegebiet. Er hatte schon früher darüber nachgedacht, statt der geteerten Straßen die Wasserwege zu nutzen, doch der Aufwand hatte ihn bisher abgeschreckt. So war es schon immer gewesen bei ihm, denn im Grunde seines Wesens war er träge und faul, und es brauchte äußeren Zwang, damit er handelte.

Zwang und Führung, wie ein Schaf in der Herde.

Die Erkenntnis gefiel ihm nicht, aber er konnte sich damit trösten, dass er immerhin etwas änderte. Er war nicht wie die anderen, die zeit ihres Lebens verharrten, nein, er nicht. Sein Wandel hatte vor zwei Jahren begonnen und war längst noch nicht abgeschlossen, aber er befand sich auf einem guten Weg. Das Ziel war definiert, und seine Ankunft dort würde ihn zu einem anderen, einem besseren Menschen machen. Ohne diese ganzen Ängste, die ihn bisweilen lähmten.

Doch manchmal wurde ihm alles zu viel.

So wie jetzt.

Es ging zu schnell, er hätte sich mehr Zeit gewünscht und gerne eine Pause eingelegt, und wenn es nur ein paar Tage gewesen wären. Doch das ging nicht. Es musste jetzt sein, sonst geriet alles ins Stocken.

Vom Tor aus schwamm er mit wenigen Zügen bis an die Kaimauer und benutzte die Betontreppe, um aus dem Wasser zu kommen.

Dort lag das Kanu.

Er überprüfte Riemen und Dichtigkeit und holte schließlich die schwarze Plane aus dem Versteck hoch oben in der brüchigen Mauer. Dafür musste er einen losen Stein herausziehen. Er war schwer und feucht und rutschte ihm aus der Hand, und nur ein schneller Sprung zurück verhinderte, dass er ihm auf den Fuß fiel.

Er verharrte, schloss die Augen, hielt den Atem an und lauschte. Aber wer sollte den Lärm gehört haben, hier unten und dazu noch mitten in der Nacht?

Nach angemessener Wartezeit zog er die Plane aus dem Versteck, legte den Stein zurück und die Plane ins Boot.

Hatte er an alles gedacht?

Er ging den Ablauf noch einmal durch, so wie sie es zuvor Dutzende Male besprochen hatten. Dabei spürte er, wie wenig motiviert er heute war.

Nur weil er die Enttäuschung in ihren Augen und die verbalen Messerstiche in seiner Seele fürchtete, schritt er schließlich zur Tat.

6.

Der Wecker klingelte um halb sechs und riss Leni aus unruhigem Schlaf. Seit sie aufgestanden war, um das Fenster zu schließen, hatte sie sich hin und her gewälzt, war eingedöst und immer wieder aufgewacht, hatte merkwürdige Geräusche gehört, auch Stimmen, und schließlich einen schrecklichen Albtraum durchlebt. Darin war ein Geist vorgekommen, der sich in der dunkeln Gasse in Rauch auflöste, um sich dann über dem schwarzen Wasser des Kanals zu manifestieren. Er hatte die Arme ausgebreitet und nach Leni gerufen.

Es gruselte sie jetzt noch, wenn sie daran dachte.

Leni blieb noch zwei Minuten liegen und ärgerte sich über sich selbst, weil sie sich von Vivien hatte überreden lassen, mit in den Club zu kommen. Jetzt war sie nicht so fit und wach, wie sie es für ihren ersten Praktikumstag hätte sein sollen. Und dann stand auch noch dieser Empfang an, bei dem sie servieren sollte.

Hoffentlich passierte ihr da kein Unglück!

Während ihrer Studienzeit hatte Leni versucht, sich in der Gastronomie etwas hinzuzuverdienen, war aber kläglich gescheitert. Sie war zu langsam oder dann wieder zu hektisch, und regelmäßig hatte sie Getränke verschüttet oder Besteck fallen lassen.

Ein wenig merkwürdig fand Leni die Bitte des Verlagschefs schon. Hoffentlich entwickelte sich das Praktikum nicht in eine völlig falsche Richtung, bei der sie am Ende mit einem Kaffeekocherdiplom dastünde.

Sie schlug die Decke zurück, stand auf, trat ans Fenster und spähte durch den Spalt zwischen den Vorhängen. Frühes, mildes Sonnenlicht fiel in den Kanal. Eine Entenfamilie zog vorbei, ihre zarten Wellen waren die einzige Bewegung im Wasser. Auf den Hausbooten war niemand zu sehen.

Leni schnappte sich ein Handtuch, um duschen zu gehen, verharrte aber vor der Zimmertür.

Ein Zettel lag davor.

Jemand musste ihn in der Nacht unter der Tür hindurchgeschoben haben.

Leni bückte sich, hob ihn auf und betrachtete das gefaltete DIN-A4-Blatt. Der Falz verlief schräg und nicht wirklich in der Mitte, so als sei der unbekannte Postbote in großer Eile gewesen. Leni klappte die klebrigen Blatthälften auseinander. In großer, krakeliger Schrift standen darin ein paar Zeilen, geschrieben mit dem blauen Kajal, den Vivien gestern aufgelegt hatte.

Hey, Leni Landei, tut mir wirklich, wirklich leid, sorry! Wir sehen uns heute Abend, ja? Du glaubst es nicht, ich hab den Bootsmann kennengelernt!!! Millionär!!!!

Mit gerunzelter Stirn betrachtete Leni die Botschaft.

Sie kannte Vivien noch nicht allzu lang, vermutete aber, dass dieser Brief wohl typisch war für sie. Flapsig, ungezwungen, wenig ernsthaft. Außerdem nannte sie sie wieder Landei, dabei hatte sie doch geschworen, das nicht mehr zu tun.

Ein Geräusch auf dem Flur riss Leni aus ihren Gedanken.

War da etwa schon jemand wach?

Herrje, sie musste ins Bad, bevor es wieder stundenlang blockiert war!

Leni legte die Nachricht von Vivien aufs Bett und schob die Kette an der Tür beiseite. Vorsichtig drückte sie die Klinke hinunter und warf einen Blick in den Flur. Es war niemand zu sehen. Sie huschte hinaus und eilte auf Zehenspitzen in Richtung Bad. Als sie um die Ecke bog, erschrak sie. Neben einer geöffneten Tür stand ein großer Rollwagen voller Putzutensilien. Davor stand eine dralle große Frau mit dunklem Lockenkopf, die sich gelbe Latexhandschuhe über die Hände streifte.

Ihre Blicke trafen sich, die Frau lächelte freundlich.

«Hab ich dich geweckt, Kindchen, das tut mir leid», sagte sie laut mit einer rauen Männerstimme.

Leni schüttelte den Kopf.

«Mein Wecker hat mich geweckt, ich muss früh raus.»

«Na, dann ist ja gut.»

Leni näherte sich dem Putzwagen.

«Was machen Sie da denn?»

«Wonach sieht es denn aus, Kindchen? Ich reinige das Zimmer. Wie immer, wenn jemand ausgezogen ist.»

«Aber Vivien wohnt doch noch dort?»

«Wer ist Vivien?»

«Sie hat das Zimmer gemietet. Bis Ende der Woche.»

Die Putzfrau schüttelte den Kopf und ließ den Handschuh um ihr Handgelenk schnappen.

«Davon weiß ich nichts. Ich habe den Auftrag bekommen, dieses Zimmer zu reinigen, weil es frei geworden ist.»

«Sind Sie sicher, dass es dieses Zimmer ist?»

Jetzt verschwand der freundliche Ausdruck im Gesicht der Frau.

«Was geht dich das überhaupt an?», fragte sie.

«Nichts … ich dachte nur … na ja … ich habe gestern noch mit Vivien geredet … sie sagte nichts davon, dass sie ausziehen würde.»

«Nicht mein Problem, ich mach hier nur sauber.»

Die Putzfrau schnappte sich eine weiße Sprühflasche und einen Lappen und verschwand in Viviens Zimmer.

Leni quetschte sich an dem Putzwagen vorbei und verdrückte sich ins Bad. Sie stellte die Dusche an, wartete, bis das Wasser warm genug war, und stellte sich darunter.

Sie war verwirrt. Wie passte Viviens Nachricht mit ihrem Auszug zusammen? War sie etwa zu diesem Millionär gezogen, den sie in der Nacht kennengelernt hatte? Das war selbst für einen spontanen und verrückten Menschen wie Vivien ungewöhnlich. Aber warum hatte sie geschrieben, sie würden sich am Abend sehen?

Während sie sich einseifte und abduschte, dachte Leni darüber nach und musste sich eingestehen, dass ein solches Verhalten wohl doch zu Vivien passte. Warum sollte sie sich um Leni kümmern, wenn sie sich in einer teuren Villa in seidenen Laken von Bediensteten das Frühstück servieren lassen konnte?

Vivien und sie lebten in vollkommen unterschiedlichen Welten, und es war Lenis Fehler, zu glauben, es gäbe dennoch Schnittmengen, die für eine gemeinsame Basis ausreichten. Gab es nicht. Leni bot keinen Raum für Schnittmengen, ihr Lebenskreis war einfach zu eng. Zumindest der in der Realität. In der Welt der Phantasie, der Bücher und Geschichten war er dagegen unermesslich groß und für Menschen wie Vivien nicht zu fassen.

Leni duschte zu Ende, trocknete sich ab und beschloss, Vivien zu vergessen. Sie würde heute Abend ohnehin nicht auftauchen, jetzt, wo sie ihren Millionär gefunden hatte.

Weil sie sich nicht traute, nur in ein Handtuch gewickelt über den Flur zu gehen, zog sie ihre Schlafkleidung wieder an und huschte zurück in ihr Zimmer. Die Putzfrau rumorte in Viviens Zimmer und bemerkte sie nicht.

Als sie eine Stunde später die Wohnung verließ, war die Putzfrau verschwunden.

7.

«Warum gehst du so steif? Rücken kaputt?»

«Überpotent», versetzte Jens Kerner und ignorierte den Stinkefinger, den ihm der Kollege zeigte.

An diesem Morgen spürte Jens Muskeln an Stellen, an denen er bislang keine gehabt hatte. Sie quittierten jede Bewegung mit fiesen Schmerzen, besonders schlimm war es in den Waden und in den Hinterbacken. Die Stufen von seiner Wohnung zum Hauseingang waren eine Tortur gewesen, die er beinahe nicht überlebt hatte. Er hatte sich am Geländer festgeklammert wie ein alter Mann – was er ja auch war.

Zum Glück gab es hier im Präsidium einen Fahrstuhl. Vor den Augen der Kollegen durfte er keine Schwäche zeigen. Wie er eben wieder gemerkt hatte, beobachteten die alles. Polizisten eben!

Bis in Rebeccas Büro schaffte Jens es einigermaßen würdevoll, wenn auch, wie der Kollege treffend bemerkt hatte, ein wenig steif in der Hüfte.

Rebecca war schon da und strahlte ihn gutgelaunt an.

«Guten Mor… wie siehst du denn aus?»

«Danke, du mich auch.»

«Im Ernst, was ist passiert? Hattest du einen Unfall?»

Jens bemerkte, wie sie ihr Lachen unterdrückte.

«Das kannst du sowieso nicht verstehen.»

«Warum nicht?»

«Weil du rollst, statt zu gehen.»

«Und was hat das mit meinem Verständnis zu tun?»

«Ich bin gejoggt», gab Jens zu, weil Rebecca ohne eine zufriedenstellende Antwort ohnehin nicht nachlassen würde. Er wusste ja, wie hartnäckig sie sein konnte.

«Seit langer Zeit mal wieder», schob er erklärend nach.

Jetzt brach sie doch in Lachen aus und hielt sich die Hand vor den Mund, damit es nicht zu laut wurde.

«Wehe, du sagst es jemandem!», drohte Jens.

«Wann ist der erste Marathon geplant?», fragte Rebecca, nachdem sie sich beruhigt hatte.

Jens zeigte mit dem Finger auf sie. «Du wirst dich noch wundern.»

«Ja, da bin ich sicher. Ich verspreche dir hiermit hoch und heilig: Wenn es so weit ist, mache ich deinen Streckenpartner und reiche dir Getränke und Energieriegel.»

«Darauf komme ich zurück, verlass dich darauf.»

Sie warf ihm eine Kusshand zu, und Jens verschwand in seinem Büro. Er warf den PC an und suchte aus dem Intranet der Polizeibehörden den Fall heraus, an den er sich in der Nacht bei seinem Lauftraining erinnert hatte. Das Datum kannte er nicht, aber über die Eingabe der Stichwörter wie Hamburg, Kuhmühlenteich, Leiche fand das System für ihn den richtigen Fall.

Er lag zwei Jahre zurück und war noch nicht abgeschlossen. Den leitenden Ermittler kannte Jens. Er hätte sich die Fakten anlesen können, zog aber ein gutes altmodisches Gespräch vor. Also griff er zum Telefon und verabredete sich mit seinem Kollegen.

Eine Stunde später trafen sie sich in der Dienststelle von Walter Knüfken in dessen Büro.

Sie hatten vor ein paar Jahren gemeinsam in einer Sonderkommission ermittelt und sich gut verstanden. Knüffi, wie ihn alle nannten, war ein umgänglicher Typ, der selten irgendwo aneckte. Jens hatte ihn aber auch wütend erlebt. Es musste schon einiges passieren, um Knüffi in diesen Zustand zu versetzen, aber wenn es so weit war, ließ er den Major der Reserve raushängen.

Knüffi war eine Sportskanone und sah entsprechend aus. Sein Gesicht war meistens braun gebrannt, auch im Winter, weil er seine komplette Freizeit draußen verbrachte. Außerdem war er hager, an seinem Körper fand sich kein Gramm Fett zu viel, und an seinen Unterarmen spielten sehnige Muskeln. Er trug einen gepflegten Dreitagebart, der grau geworden war, seit sie sich das letzte Mal gesehen hatten.

Jens erinnerte sich, dass sie sich so gut verstanden hatten, weil sie beide abends nicht zu einer Frau oder Familie zurückmussten. Nach dem offiziellen Dienstende hatten sie damals das eine oder andere Bierchen getrunken und dabei über den Fall debattiert. Die entscheidende Ermittlungsrichtung, die zum Erfolg geführt hatte, war von ihnen beiden gekommen.

Knüffi goss Kaffee in zwei Becher. «Lange nicht gesehen. Wie geht's dir?», fragte er dabei.

Jens zuckte die Schultern.

«Wie immer.»

«Du siehst abgekämpft aus.»

«Tja, viel zu tun», wich Jens aus.

In dieser Dienststelle gab es keinen Fahrstuhl, und er hatte unter extremen Schmerzen in den Waden zwei Etagen hochsteigen müssen. Das würde er der Sportskanone vor sich aber auf keinen Fall auf die Nase binden.

Knüffi verschloss die Thermoskanne, ließ sich in seinen Schreibtischstuhl fallen und sah Jens interessiert an.

«Klebt dir die Dirty-Harry-Sache immer noch am Hacken?»

«Wie Hundescheiße. So was vergessen die Leute nicht.»

«Na ja, kommt ja auch nicht alle Tage vor, dass ein Ermittler drei Tatverdächtige erschießt.»

«Die waren nicht verdächtig, sondern der schweren Körperverletzung überführt. Und einer ist durch einen Querschläger gestorben, wenn ich dich erinnern darf.»

Knüffi hob abwehrend die Hände.

«Ich mache dir bestimmt keinen Vorwurf. Das Drecksgesindel hat es ja nicht anders gewollt. Und ich hab noch niemanden getroffen, der die vermisst.»

Auch wenn er sie nie kennengelernt hatte, ging Jens davon aus, dass die Eltern ihre Söhne sehr wohl vermissten, ganz gleich, wie sie auch gewesen sein mochten oder was sie angestellt hatten. Wenn man mit Messern angegriffen wurde, war es gar nicht so schwer, andere Leben auszulöschen, um sein eigenes zu retten. Man reagierte und handelte, ohne darüber nachzudenken. Schwierig wurde es erst danach: wenn die Bilder, Geräusche und Gerüche zurückkehrten und einen nächtelang wach hielten. Darüber hatte Jens mit niemandem gesprochen. Warum auch? Niemand konnte ihm helfen, damit klarzukommen, das war allein seine Aufgabe. Darüber hinaus interessierte es auch keine Sau. Allein die Schlagzeile damals, dass ein Bulle drei knapp zwanzigjährige Straftäter erschoss, war interessant gewesen. Zumindest für ein paar Wochen, bevor eine andere Meldung in den Gazetten nach oben gerückt war.

«Ich frag mich bis heute, wie du das so schnell weggesteckt hast», sagte Knüffi, als könne er Jens' Gedanken lesen.

«Weggesteckt?», wiederholte Jens und lachte trocken auf. «Ja, so kann man es nennen. Ich hab es weggesteckt …», er tippte sich vielsagend an die Stirn, «… und da bleibt es bis ans Ende meiner Tage.»

Knüffi nickte, als wüsste er, wovon Jens sprach. Tat er aber nicht, weil er noch nie seine Dienstwaffe auf einen Menschen gerichtet und abgedrückt hatte.

«Du sagtest am Telefon, es geht um den Leone-Fall», brachte Knüffi das Gespräch auf das eigentliche Thema zurück, was Jens nur recht war.

«Richtig. Erzähl mal ein bisschen was darüber.»

«Was willst du wissen?»

«Eine kurze Zusammenfassung wäre gut.»

Knüffi seufzte und lehnte sich zurück. Man sah ihm an, wie schwer es ihm fiel, über diesen bis heute ungelösten Fall zu sprechen. Jeder Ermittler hatte mindestens einen solchen Fall, der immer wieder an die Gedächtnistür klopfte, um nicht in Vergessenheit zu geraten.

«Rosaria Leone aus Rom. Fünfundzwanzig, hübsch, selbstbewusst, gebildet. War zu einem Kurzurlaub allein in der Stadt. Verschwand spurlos vom 12. auf den 13. Mai 2016. Die Suche nach ihr verlief erfolglos.

Am 23. September holte ein Bagger bei routinemäßigen Pflegearbeiten im Kuhmühlenteich eine Leiche aus dem Wasser. Sie war in diesen Kaninchendraht gewickelt, mit dem man Käfige baut. Als zusätzliches Gewicht waren Steine mit eingewickelt. Ohne diese Baggerarbeiten wäre die Leiche wahrscheinlich nie an die Oberfläche gekommen – oder allenfalls in kleinen Stücken, die sich nach und nach vom Körper gelöst hätten. Aber die wären dann von den Fischen gefressen worden.»

«Und bei der Leiche handelte es sich zweifelsfrei um Rosaria Leone?»

«Ja. Gentests und zahnmedizinische Abgleiche haben das bewiesen.»

«Wie ist sie ums Leben gekommen?»

«Das war nach der langen Zeit im Wasser nicht mehr feststellbar. Aufgrund fehlender anderer Verletzungen tippte der Rechtsmediziner auf Tod durch Strangulation.»

«Und der Täter?»

Knüffi seufzte abermals.

«Nichts, bis heute. Alle Spuren sind ausermittelt. Wahrscheinlich ist sie ihrem Mörder zufällig über den Weg gelaufen.»

«Wo hat sie denn während ihres Urlaubs gewohnt? In einem Hotel?»

«Nee, das machen die jungen Leute heute nicht mehr. Ihren Eltern in Italien hat sie die Adresse einer AirBnB-Wohnung genannt, aber da hat sie nie gewohnt. Am Tag ihrer Ankunft in Hamburg rief sie zu Hause in Rom an und sagte, das Zimmer sei verdreckt und der Vermieter unfreundlich. Sie wollte sich auf die Suche nach einem anderen Zimmer machen und hat dann am Abend eine neue Adresse durchgegeben. Aber dabei muss irgendwas schiefgelaufen sein. Laut Eltern bezog sie ein Zimmer in der Corsastraße. Aber die gibt es nicht in Hamburg.»

«Ein Übermittlungsfehler?»

«Liegt nahe, da die Eltern kein Wort Deutsch sprechen. Es gibt aber auch keine Korsarenstraße in Hamburg, nur einen Husarenhof, den wir natürlich überprüft haben. Genauso wie zum Beispiel die Koreastraße in der HafenCity, weil das auch so ähnlich klingt. Aber da gibt es nicht eine einzige AirBnB-Wohnung und auch keine von anderen Internetplattformen dieser Art.»

«Hm …», machte Jens und rieb sich das Kinn. «Aber es ist sicher, dass sie ihre Unterkunft über solche Anbieter gesucht hat?»

«Für die erste Wohnung, die sie nicht bezogen hat, ja. Danach wissen wir es nicht, da ihr Handy nie gefunden wurde. Wir hatten aber Hinweise, dass sie nach Berlin weitergereist ist.»

«Nach Berlin?» Jens war alarmiert. «Was für Hinweise?»

«SMS an die Eltern und Einträge bei Facebook.»

«Fotos?»

«Ja. Ein Selfie im Zug. Hätte aber jeder Zug sein können. Leone hatte online eine Karte nach Berlin gekauft, im betreffenden Zug wurde die vom Personal aber nicht geprüft. Vielleicht haben sie sie übersehen, oder sie war doch nicht an Bord, wir wissen es nicht. Ihr Handy war zuletzt in Bahnhofsnähe eingeschaltet.»

Weil Jens eine Denkpause einlegte, stellte Knüffi die Frage, die ihm wahrscheinlich schon die ganze Zeit auf den Nägeln brannte.

«Warum fragst du eigentlich?»

«Ich habe den Fall einer seit kurzem vermissten jungen Deutschen auf dem Schreibtisch, die möglicherweise über BedtoBed. com ein Zimmer in der Stadt gebucht hat, und gestern Nacht fiel mir ein, dass ihr wegen der Leiche im Kuhmühlenteich damals nach solchen Privatzimmervermittlungen via Internet gesucht habt.»

«Na ja, das muss nicht zwangsläufig eine Verbindung sein. Jede Menge Leute verreisen heute so. Hotels sind voll out.»

«Mag schon sein, aber gerade hast du mir von einer weiteren Verbindung zwischen den beiden Fällen erzählt, die alle meine Alarmsirenen gleichzeitig losgehen lässt.»

«Echt? Welche?!»

«Das Selfie von Rosaria Leone im Zug nach Berlin. Von meiner Vermissten gibt es auch ein Selfie auf Facebook, das sie am Bahnhof zeigt, auf dem Weg nach Berlin.»

«Ist ja interessant. Ist sie in Berlin angekommen?»

«Die Daten ihres Handys sagen, dass sie mit dem Zug gefahren ist; ob sie dort angekommen ist, wissen wir nicht.»

«Okay, das ist wirklich eine Verbindung», gab Knüffi zu. «Das ist bestimmt kein Zufall. Aber du weißt schon, was das bedeutet?»

Jens nickte. «Wenn es die Masche des Täters ist, die Weiterfahrt nach Berlin in den sozialen Medien vorzutäuschen, haben wir es mit einem Mehrfachtäter zu tun.»

«Bevor wir das herausposaunen, sollten wir uns aber sehr sicher sein. Du weißt ja, wie die Politik auf solche Fälle reagiert.»

«Da ich sowieso schon der Elefant im Porzellanladen bin, kann mir das egal sein», sagte Jens.

«Dirty Harry darf das, was?»

«Zu irgendwas muss der Titel ja gut sein.»

«Aber wenn deine Vermisste in Berlin vermutet wird, wieso kümmerst du dich um die Sache?», wollte Knüffi wissen.

Jens berichtete ihm von dem Fall des erschossenen Krankenpflegers. Davon hatte Knüffi schon gehört, kannte die Details aber nicht.

«Du glaubst, da hat jemand ein Opfer, nämlich deine Vermisste, abtransportiert, und der Krankenpfleger hat etwas gesehen?», schlussfolgerte Knüffi.

«Genau. Ich weiß nicht, was, aber irgendwas muss er beobachtet haben. Aus Jux und Tollerei wurde er nicht erschossen, und dass er kurz vor seinem Tod ein Foto von dem Lieferwagen gemacht hat, sagt ja eigentlich alles.»

«Und da war wirklich ein blutiger Handabdruck auf der Heckscheibe?»

Jens nickte. «Wir sind uns ziemlich sicher. Und der einzige Vermisstenfall, der aktuell anliegt, ist der von Jana Heigl aus Heidenheim.»

8.

Freddy sah Alf auf sich zukommen.

Der Mann schwankte wie ein alter Kahn und sah im Tageslicht betrachtet aus wie eine Gestalt aus «Herr der Ringe». Irgendwie schien er nicht in diese Zeit zu passen mit seinen grauen Klamotten, den langen verfilzten Haaren und dem ungepflegten Bart.

Schon von weitem hielt Alf den Daumen hoch als Zeichen seines Erfolges.

Freddy seufzte. Noch auffälliger ging es nicht. Dabei hatte er ihm doch klargemacht, dass es nicht ungefährlich war, was sie vorhatten.

Nach ihrer gemeinsamen Nacht unter der Brücke waren sie frühstücken gegangen. Freddy hatte bezahlt. Elf Euro neunzig. Früher waren solche Beträge nichts gewesen für ihn, jetzt dezimierten sie seine Bargeldreserven dramatisch. Bald würden seine Taschen leer sein, und dann käme etwas auf ihn zu, vor dem er sich noch mehr fürchtete als vor einer Nacht unter der Brücke.

Betteln.

Daran wollte er heute aber nicht denken, denn er musste sich um diesen Typen kümmern, der den Mann im Corsa erschossen hatte und ihm auf den Fersen war. Wenn der ihn erwischte, waren seine Geldsorgen sowieso vorbei – und alle anderen auch.

Noch am frühen Morgen, als er unter der Brücke aufgewacht war, einen schnarchenden alten Mann neben sich, hatte Freddy sich gefragt, warum er es seinen Verfolger nicht zu Ende bringen ließ. Während über ihm der Berufsverkehr einsetzte und all die wertvollen Mitglieder der Gesellschaft sich auf den Weg machten, ihren Beitrag zu leisten, war Freddy die Vorstellung, zu sterben, ausgesprochen erstrebenswert erschienen. Auf seinen Sohn musste er keine Rücksicht mehr nehmen – Leon würde ihn nicht vermissen.

Niemand würde ihn vermissen, weil er ganz einfach nicht mehr dazugehörte.

Jetzt, aufgewärmt, ein Frühstück im Magen und einen Plan im Kopf, sah alles schon wieder anders aus. Seine alte Energie war zurück, und er schämte sich dafür, so feige gedacht zu haben.

Sein Plan sah vor, dass Alf ihm mit seinen Insiderkenntnissen dabei half, dem Mann auf die Spur zu kommen, der ihn verfolgte. Alf hatte sofort eingewilligt. Ob wegen der zehn Euro, die Freddy ihm zahlte, oder weil er sich freute, gebraucht zu werden, wusste Freddy nicht. Wahrscheinlich war es eine Mischung aus beidem.

Nach dem Frühstück waren sie direkt zum Bahnhof gegangen. Alf sollte mit Leuten aus der Szene reden, während Freddy wartete.

Er schien erfolgreich gewesen zu sein, denn er strahlte übers ganze Gesicht, als er sich zu Freddy auf die Bank setzte.

«Und?», fragte Freddy. «Hast du etwas erfahren?»

«Eins kannst du dir schon mal merken, Anfänger. Wenn jemand weiß, was auf den Straßen der Stadt abläuft, dann wir Penner. Über den Mann, der dich sucht, reden schon so einige. Ist halt auffällig, wenn einer in dieser Szene Fragen stellt.»

«Hat ihn jemand beschreiben können?»

Alf lachte auf und holte einen Flachmann aus seiner Jackentasche. Wahrscheinlich hatte er ihn sich von den zehn Euro gekauft, die Freddy ihm beim Frühstück gegeben hatte.

«Nicht wirklich. Der eine sagt so, der andere so. Die sind ja immer alle besoffen oder dement. Aber Ritchie, der ist noch jünger, dreißig oder so, der ist dem Mann nachgegangen.»

Alf setzte die Flasche an die Lippen und nahm einen kräftigen Schluck.

«Und? Wohin ist er gegangen?», drängte Freddy.

Alf verzog das Gesicht, so als füge der Wodka ihm Schmerzen zu, dann rülpste er und schüttelte den Kopf.

«Ritchie ist 'n Arsch, der klaut dir den letzten Knopf von der Jacke, wenn er die Chance hat. Er will auch zehn Euro für die Info.»

Seufzend dachte Freddy an die restlichen gut siebzig Euro in seiner Tasche. Sollte er so viel davon aufs Spiel setzen?

«Okay, soll er haben», entschied Freddy aus dem Bauch heraus. «Aber erst wenn er mir gezeigt hat, wo der Kerl hingegangen ist.»

Alf nickte. «Ich hab Ritchie gesagt, du bist ein Guter, und wenn er dich übers Ohr haut, kriegt er's mit mir zu tun.»

Das wird ihn sicher ungeheuer beeindruckt haben, dachte Freddy und stand von der Bank auf.

«Wo ist er?»

«Ritchie? Vorn beim Meckes. Is sein Stammplatz.»

«Okay, lass uns gehen.»

«Moment, ein alter Mann ist kein D-Zug.»

Nachdem er noch einen Schluck genommen hatte, verstaute Alf den Flachmann umständlich in seiner Jackentasche und folgte Freddy.

Vor dem McDonald's saß ein dürrer Kerl auf einer ausgebreiteten, fadenscheinigen Wolldecke auf dem Boden, rechts neben sich ein Schild, auf dem er um eine Spende bat, weil er unverschuldet in große Not geraten sei, links neben sich ein Mischlingshund, der gesünder wirkte als sein Herrchen.

Alf machte sie miteinander bekannt. Ritchie hatte einen unangenehmen Blick. Er zwinkerte nervös und konnte Freddy nicht in die Augen sehen. Er wirkte linkisch und verschlagen, die Knöchel seiner Hände waren mit Knasttattoos verunstaltet, von seinem rechten Ohr fehlte die Hälfte.

Der Typ hat Kerben im Ohr, dachte Freddy und war sich bewusst, dass er sehr vorsichtig sein musste.

«Ist eine Viertelstunde zu Fuß dahin, wo ich den Kerl zuletzt gesehen habe», sagte Ritchie. «Hin und zurück eine halbe Stunde. Das kostet mich mindestens zehn Euro Einnahmeverlust, wenn ich hier weggehe. Damit sind wir bei zwanzig. Auf die Kralle.»

Er streckte besagte Kralle aus, grinste und hielt sich wohl für einen genialen Geschäftsmann.

«Dann bleib doch hier und sag's mir einfach. Ist gar nicht nötig, dass du mitkommst», hielt Freddy dagegen.

Ritchie schüttelte den Kopf. «Schwer zu erklären, würdest du nicht finden.»

«Ich geb dir aber keine zwanzig Euro.»

«Dann verpiss dich. Wenn ihr hier herumsteht, mach ich kein Geschäft.»

Freddy machte auf dem Absatz kehrt und wollte davongehen, doch da stand Ritchie plötzlich auf.

«Warte. Ich wollte sowieso gerade Pause machen. Aber unter zehn mach ich's nicht.»

Freddy sah den Kerl an. Alles in ihm sträubte sich dagegen, ihm auch nur einen einzigen Cent zu geben.

«Wenn wir da sind», sagte er.

Ritchie ließ sein Zeug einfach liegen und ging voran. Freddy, Alf und der Mischlingshund folgten ihm. Sie gingen so zügig, dass der hinkende Alf bald nicht mehr mithalten konnte. Freddy drosselte das Tempo. Weil er Ritchie nicht über den Weg traute, wollte Freddy den Alten unbedingt dabeihaben, schließlich hatte er den Deal ausgehandelt.

Nachdem sie zehn Minuten durch ein Labyrinth von Straßen gegangen waren, in denen Freddy nie zuvor zu Fuß unterwegs gewesen war, erreichten sie eine Brachfläche zwischen zwei hohen Bürogebäuden. Autos parkten darauf. Die hintere Grundstücksgrenze lag an einem breiten Kanal. Schwarzes Wasser floss zwischen rotbraunen Spundwänden aus Metall. Eine Betontreppe ohne Geländer führte zum Wasser hinunter.

«Da», sagte Ritchie und zeigte hinunter.

«Was soll das heißen?»

«Da is er runtergegangen und in ein Boot gestiegen. So ein Kanu oder Kajak oder wie das heißt.»

«Er ist mit einem Ruderboot weggefahren?»

«Wenn ich's doch sage. Und jetzt gib mir meine zehn Euro.»

Ritchie streckte abermals seine Hand aus.

Freddy machte einen schnellen Schritt auf ihn zu und drückte die Hand beiseite.

«Ich glaube dir nicht.»

«Ey, Mann, was soll die Scheiße. Der Typ ist hier in ein Boot gestiegen. Ich will meine Kohle.»

«Wie sah das Boot aus?»

«Was weiß ich! Grün. Oder gelb, ja genau, es war gelb und aus so … wie nennt man das … Kohlefaser? Schnittig und gelb.»

«In welche Richtung ist er damit gefahren.»

«Da runter.»

Ritchie zeigte nach links, wo der Kanal einen leichten Bogen einschlug und zwischen den hohen Gebäuden verschwand.

«Ich will genau wissen, wie der Mann aussieht.»

«Wie alle anderen. Groß, dünn, dunkles Haar. Mehr hab ich mir nicht gemerkt.»

«Ich dachte, du hast mit ihm gesprochen?»

«Ja, aber nur kurz, und ich hab nicht genau hingesehen. Erste Regel auf der Straße: Schau den Leuten nicht in die Augen.»

Freddy starrte Ritchie an. Wut keimte in ihm auf, und er war drauf und dran, dem Kerl eine zu verpassen. Selbst wenn es stimmte, was Ritchie behauptete, konnte Freddy mit dieser Information überhaupt nichts anfangen. Er hatte gehofft, zu einer bestimmten Adresse geführt zu werden.

Alf zupfte von hinten an seinem Ärmel.

«Du musst ihm aber schon das Geld geben», sagte er. «Versprochen ist versprochen.»

Freddy stand zwischen den beiden Pennern und kam sich überrumpelt vor. Einfach so fortzugehen brachte er auch nicht fertig, weil er Alf gegenüber dann wie ein Betrüger dastand. Immerhin hatte der alte Mann sich für ihn verbürgt.

«Also gut», sagte er, holte zwei Fünf-Euro-Scheine hervor und gab Ritchie einen.

«Ey! Wir hatten zehn vereinbart.»

«Für diese lächerliche Info bekommst du aber nicht mehr von mir.»

Ritchies Augen verengten sich zu Schlitzen.

«Geschäft ist Geschäft», stieß er aus. «Entweder du gibst mir den Rest freiwillig, oder ...»

«Oder was?»

Freddy richtete sich zu voller Größe auf, drückte die Brust durch und reckte das Kinn. Er war jetzt in der richtigen Stimmung, dem Kerl eine Lektion zu erteilen.

Der Tritt kam jedoch von hinten und traf ihn in der rechten Kniekehle. Freddy schrie auf und knickte ein. Im nächsten Moment versetzte Ritchie ihm einen Schwinger gegen das Kinn und schickte ihn auf den Boden. Er lag besiegt auf dem Schotter des Parkplatzes, trotzdem trat Alf ihm noch kräftig in die Nieren und schrie dabei selbst auf vor Schmerzen.

Ritchie ließ sich mit dem Knie voran auf seinen Bauch fallen und drückte ihm die Luft aus dem Körper.

«Oder ich nehm es mir einfach», sagte er grinsend und durchsuchte Freddys Taschen. Er fand den Zwanziger, aber nicht den Fünfziger, nahm ihn sich und wedelte damit vor Freddys Augen herum.

«Erschwerniszulage. Dafür bekommst du sogar noch einen kostenlosen Rat von mir. Lass dich hier nie wieder blicken.»

Ritchie verpasste ihm eine Ohrfeige und stand auf, sodass Freddy wieder atmen konnte.

Gierig sog er die Luft ein.

«Ja, genau, lass dich hier nie wieder blicken, du Anfänger», fügte Alf an.

Die beiden gingen davon, und Freddy sah, wie Ritchie dem Alten die beiden Fünfer gab.

9.

Lasterzeit.

Die SMS, bestehend aus diesem einen Wort, hatte Jens Kerner an Rebecca geschickt, nachdem er sich von seinem Kollegen Walter Knüfken verabschiedet hatte.

Sie hatte ihm zurückgeschrieben, dass sie eine interessante Neuigkeit habe und sich auf die Lasterzeit freue.

Als Jens das Präsidium erreichte, wartete Rebecca bereits auf dem Parkplatz. Obwohl er sie nicht anders kannte, tat es ihm jedes Mal ein bisschen weh, sie im Rollstuhl zu sehen. Sie war gerade achtunddreißig Jahre alt geworden und sprühte vor Lebenslust und Energie, aber der Rollstuhl schien sie irgendwie auszubremsen. Zumindest empfand Jens das so. Rebecca selbst wahrscheinlich nicht. Er hatte sie nicht ein einziges Mal klagen hören und wusste, dass sie Rudersport betrieb. Sie trainierte im Verein für Wettkämpfe, befuhr zum Spaß und zur Entspannung aber auch die Kanäle und Fleete Hamburgs.

Er schob sie in ihrem Rollstuhl zur Beifahrertür. Auch das mochte er an Rebecca: Sie reagierte nicht abweisend, wenn er sie schieben wollte. Im ersten Jahr hatte er sie einmal darauf angesprochen, und da hatte sie geantwortet, für sie sei das, als helfe ihr ein Mann in den Mantel.

«Und ich dachte schon, du betrügst mich mit einer anderen», sagte sie ihm.

«Du weißt doch, für mich gibt es nur meine Red Lady und dich. Wie kommst du darauf, ich würde dich betrügen?»

«Weil die letzte Lasterzeit so verdammt lange her ist.»

Rebecca fuhr selbst Auto, einen speziell für sie umgebauten Toyota, in den sie allein ein- und aussteigen konnte, aber der Farmtruck war dafür zu hoch.

Jens bückte sich, legte den rechten Arm in ihre Kniekehlen, den linken unter ihre Achseln und hob sie aus dem Rollstuhl. Rebecca hielt sich an seinem Nacken fest. Ruck, zuck thronte sie auf dem Beifahrersitz und strahlte vor Freude. Jens schlug die Tür zu, faltete den Rollstuhl zusammen und lud ihn auf die Ladefläche. Dabei sah er durch die Heckscheibe, wie Rebecca über die Armaturen des Wagens streichelte.

Sie liebte den Wagen fast genauso wie er selbst und genoss es, darin mit ihm durch die Stadt zu cruisen. Als vor Jahren ihr eigener Wagen einmal den Dienst verweigert hatte, hatte Jens Rebecca nach Feierabend mitgenommen. Sie war sofort Feuer und Flamme gewesen für seine Red Lady. Damals hatten sie sich während der Fahrt über einen aktuellen Fall unterhalten und waren so tief darin abgetaucht, dass die Fahrt mehr als eine Stunde gedauert hatte, obwohl nur zehn Minuten nötig gewesen wären. Daraus hatte sich eine Art Gewohnheit entwickelt. Immer wenn Jens nicht weiterkam, lud er Rebecca zu einer «Lasterzeit» ein, wie sie es nannte. Nicht nur weil der Farmtruck streng genommen ein Lkw war, sondern auch weil er ihr beider Laster war.

Eigentlich war er am liebsten allein unterwegs, nichts entspannte ihn mehr, als mit diesem urigen Wagen durch die Straßen der Stadt zu cruisen und dabei nachzudenken oder, wenn es nichts zu denken gab, Countrymusic zu hören und laut mitzusingen. Aber es gab Zeiten, da reichten seine Gedanken allein nicht aus, und wie sich herausgestellt hatte, verfügte Rebecca über einen messerscharfen Verstand. Sie war zwar nur als Sekretärin und Assistentin angestellt, doch Jens interessierte ihre

Meinung mehr als die seiner ausgebildeten Kollegen und Kolleginnen.

Er stieg ein und zog die Tür zu.

«Ich hab dich so lange nicht mitgenommen, weil die letzten Fälle so einfach zu klären waren», reagierte Jens auf ihren Vorwurf.

«Und dieser nicht?»

«Nein, dieser nicht. Schnall dich bitte an.»

Das tat sie, und Jens fuhr los.

Wer den Schallpegel moderner, gedämmter Autos gewohnt war, konnte bei dem dröhnenden, polternden Sound der Red Lady leicht erschrecken. Nicht so Rebecca.

«Yeah!», rief sie und klatschte in die Hände.

Jens kurbelte das Seitenfenster herunter und zündete sich eine Zigarette an. Die erste reichte er Rebecca, die zweite war für ihn selbst. Sie hockten auf der durchgehenden Sitzbank einträchtig nebeneinander und ließen eine Zigarettenlänge schweigend verstreichen.

Erst dann fragte Jens, was sie für ihn hatte.

«Die Kollegin Frohberg aus Berlin hat sich fünf Minuten vor deiner SMS bei mir gemeldet», sagte sie.

«Haben sie Jana Heigl gefunden?»

Rebecca schüttelte den Kopf und zog an der Zigarette, bevor sie antwortete.

«Nein, aber ihr Handy.»

«Wo?»

«Ein Reinigungstrupp fand es in der Gepäckablage des Zuges von Hamburg nach Berlin. Zum Glück war es ein ehrlicher Finder, der es abgegeben hat. Der Akku war leer. Sie haben ihn aufgeladen und dann festgestellt, wem es gehört.»

«Hm», machte Jens. «Irgendwie passt das ins Gesamtbild.»

«Warum?»

«Weil ich den Verdacht habe, dass uns jemand glauben machen möchte, Jana Heigl sei nach Berlin gefahren.»

Jens erzählte Rebecca von seinem Gespräch mit Knüffi. Sie verstand seine Gedankengänge sofort.

«Du meinst also, sie war gar nicht in dem Zug und hat ihr Handy nicht darin liegenlassen? Wer auch immer ihr etwas angetan hat, hat dieses Facebook-Foto gefakt und das Handy anschließend im Zug deponiert?»

«Findest du das zu weit hergeholt?»

«Im Lichte dessen betrachtet, was Knüffi berichtet hat, nicht.»

«Geht mir ebenso.»

«Aber du zweifelst.»

Jens nickte. «Ich weiß nicht, ob das alles wirklich zusammenpasst. Ich weiß ja nicht einmal, ob der Krankenpfleger getötet wurde, weil er etwas gesehen hat, was er nicht sehen sollte. Vieles spricht dafür, aber bewiesen ist nichts. Und ob Jana Heigl in dem weißen Kastenwagen war, den er fotografiert hat, steht auch nicht fest. Ich reime mir hier Dinge und Abläufe zusammen, die vielleicht gar keinen vernünftigen Vers ergeben.»

«Lass uns doch einfach davon ausgehen, dass es so ist, wie du denkst. Wo musst du nach Beweisen suchen?»

«Wenn ich herausfinden könnte, wo Jana Heigl während ihres Aufenthaltes in Hamburg gewohnt hat, hätte ich einen Anhaltspunkt, von dem aus ich beginnen kann. Wie sieht es denn mit ihrem Handy aus? Sind Fotos drauf?»

«Jede Menge. Die Kollegen in Berlin sichten sie zurzeit.»

«Ruf sie doch bitte gleich morgen als Erstes an und sag ihnen, wonach wir suchen.»

«Geht klar. Wie bist du eigentlich darauf gekommen, eine Verbindung zu dem Fall Rosaria Leone herzustellen?»

«Als ich gestern mein Lauftraining absolviert habe … lach nicht, es ist mir ernst damit!»

«Ich lach doch gar nicht!»

«Tust du doch, aber egal. Am Brückengeländer über einem Kanal musste ich eine Pause einlegen, und da fiel mir der alte Fall ein, weil die Leiche damals in einem Kanal gefunden wurde, und ich erinnerte mich daran, dass Knüffi nach diesen alternativen Unterkünften suchte. AirBnB, BedtoBed.com und wie sie alle heißen. Der Markt ist ja mittlerweile unüberschaubar.»

Rebecca nickte.

«Ich kann mich auch noch sehr gut erinnern. Damals beschlich mich jedes Mal ein ungutes Gefühl, wenn ich mit dem Kajak unterwegs war.»

«Warum?»

«Wegen der Leiche im Wasser. Ich dachte immer, ich würde die nächste finden. Ich war einen ganzen Monat nicht auf dem Wasser, hab sogar das Training ausfallen lassen.»

«Aber du bist wieder dabei!»

«Ja, sicher, man gewöhnt sich an alles. Muss man heutzutage ja auch, sonst kann man ja gar nicht mehr vor die Haustür gehen. Allerdings fahre ich nicht mehr allein nachts raus.»

«Das hast du vorher gemacht? Du bist nachts allein mit dem Boot unterwegs gewesen?»

«Nicht mit dem Boot, mit dem Kajak. Und ich vermisse das richtig. Ist eine ganz einzigartige Stimmung. Du siehst die Häuser, die Lichter, kommst dir aber einsam und allein vor. Ist wie Balsam für die Seele. Solltest du auch mal versuchen. Paddeln statt Laufen, ist auch besser für deine Gelenke, solange du ein paar Kilo zu viel mit dir herumschleppst.»

«Hey, was soll das denn heißen! Ich bin gut in Form!»

«Ich hätte sogar ein Packraft für dich, das geht allerdings nur bis hundertfünfzig Kilo Körpergewicht.»

Sie grinste ihn an.

«Noch so ein Satz und ich setze dich hier aus. Was ist ein Packraft?»

«Ein aufblasbares Kajak für unterwegs. Kannst du unterm Arm tragen.»

«Ein Gummiboot also.»

«Nee, da gibt es schon einen Unterschied, du Banause. Herrgott, wir konntest du nur Kommissar werden!»

«Mit Intuition und Intelligenz.»

«Ich finde, du hättest beides nicht wieder abgeben dürfen nach der Ausbildung.»

«Und ich finde, ein gelähmtes Mundwerk stünde dir besser als gelähmte Beine.»

«Dafür melde ich dich beim Behindertenbeauftragten der Stadt, und du bekommst einen Verweis.»

«Vielen Dank. Wie du weißt, sammle ich die.»

«Was an deinem charmanten Wesen liegen muss.»

Sie lachten beide und schwiegen dann eine Weile.

«Ich hab mir damals vorgestellt, dass der Täter Rosaria Leone lebend in diesen Metalldraht gewickelt und im Wasser versenkt hat», sagte Rebecca schließlich und klang traurig dabei. «Das arme Mädchen. Kommt aus Italien hierher, um sich unsere schöne Stadt anzuschauen, und läuft einem Wahnsinnigen in die Arme …», sie schüttelte den Kopf. «Was, wenn Jana Heigl auch am Grund eines Kanals liegt?» Rebecca sah ihn aus großen Augen an.

«Ist nicht auszuschließen», sagte Jens.

«Du denkst also an einen Mehrfachtäter?»

Jens presste die Lippen zusammen und blickte durch die große Windschutzscheibe. Vor ihm lag die Stadt. 1,8 Millionen Menschen, die auf engem Raum zusammenlebten. 1,8 Millionen Schicksale, Träume, Wünsche und Ziele. Jeder Einzelne kam als Täter oder Opfer in Frage. Statistisch gesehen waren nur wenige darunter, die zu einem Mord fähig waren, und noch weniger, die als Serientäter in Frage kamen. Ihre Anzahl war verschwindend gering.

Aber einer reichte, um Angst und Schrecken zu verbreiten.

Einer reichte, um Träume, Wünsche und Ziele zu zerstören.

«Könnte schon sein, aber das bleibt vorläufig unter uns.»

«Ich darf es nicht der Baumgärtner erzählen?!»

«Untersteh dich! Du weißt doch, wie sie auf das Wort Serientäter reagiert.»

«Was bietest du mir, damit ich schweige?»

«Ein Dutzend Mozartkugeln.»

«Abgemacht.»

Bis zur nächsten roten Ampel schweigen sie. Als Jens den Gang rausnahm und der Motor zufrieden im Leerlauf tuckerte, sah Rebecca ihn von der Seite her an.

«Irgendwie spüre ich, dass du noch etwas für mich hast», sagte sie.

«Hab ich. Ein Rätsel.»

«Echt? Super! Ich lausche gespannt.»

«Kurz bevor Rosaria Leone verschwand, wechselte sie die Unterkunft, weil ihr das Zimmer, das sie eigentlich via AirBnB gebucht hatte, nicht gefiel. Knüffi weiß bis heute nicht, wo sie ein anderes Zimmer fand, obwohl sie die Adresse an ihre Eltern nach Italien übermittelte.»

«Hä? Verstehe ich nicht.»

«Pass auf, jetzt kommt's. Am Telefon sagte sie zu ihren Eltern, sie wohne jetzt in der Corsastraße. Aber es gibt keine Straße in Hamburg, die so heißt.»

«Und das ist das Rätsel?»

«Das ist das Rätsel. Knüffi hat es bis heute nicht gelöst.»

«Hm», machte Rebecca. «Fuhr nicht der Krankenpfleger einen Corsa?»

«Schon, aber was hat das hiermit zu tun?»

«Keine Ahnung … ich hab nur laut nachgedacht.»

«Denk besser erst mal leise. Und wenn du das Rätsel löst, lege ich noch mal ein Dutzend Mozartkugeln drauf.»

10.

«Und? Wie findest du meinen Vater?»

Leni krallte sich an den Sicherheitsgurt und stemmte die Füße gegen das Bodenblech des kleinen Lieferwagens.

Christian Seekamp, einziger Sohn des Verlagsgründers Horst Seekamp, lenkte den Wagen waghalsig und viel zu schnell durch den dichten Stadtverkehr. Dauernd wechselte er die Fahrspur, beschleunigte, bremste, beschleunigte wieder, sodass Leni bereits nach fünf Minuten Fahrt übel wurde. Aber sie traute sich nicht, Christian auf seinen unmöglichen Fahrstil anzusprechen.

«Sehr nett», antwortete sie.

Christian warf ihr einen Blick zu. Er lächelte spöttisch.

«Musst du ja sagen, nicht wahr?»

«Nein … wieso, ich finde ihn wirklich nett. Und wenn es nicht so wäre, würdest du mich mit der Frage in eine unangenehme Situation bringen.»

«Das liegt mir fern, aber ich kenne meinen Vater. Als nett hätte ich ihn nicht beschrieben.»

Darauf erwiderte Leni nichts, sie war zu sehr damit beschäftigt, das Heck eines Autos anzustarren, in das sie gleich hineinkrachen würden.

In letzter Sekunde riss Christian das Lenkrad herum, wechselte auf die mittlere der drei Fahrspuren und gab Gas.

Leni war sich weder bei ihm noch bei seinem Vater sicher, wie sie sie einschätzen sollte. Der Verlagschef war geistreich und ein guter Gesprächspartner, aber diese ständige Grabbelei … na ja, vielleicht interpretierte sie da zu viel hinein. Vielleicht war es normal für ihn, Menschen anzufassen. Leni wusste ja, dass sie in dieser Hinsicht überempfindlich war. Berührungsängste gingen mit der Angst vor Unbekanntem und der Unzufriedenheit mit dem eigenen Körper einher, und beides hatte sie im Übermaß.

«Lass dir bloß nichts von ihm gefallen», sagte Christian Seekamp, ohne sie anzusehen. Der Unterton in seiner Stimme signalisierte Leni, dass er von dem Benehmen seines Vaters wusste.

Christian studierte Philosophie, angeblich, aber da er deutlich älter war als Leni, vermutete sie in ihm den typischen ewigen Studenten, der auf Papas Kosten lebte.

Elke Althoff hatte Leni zu einer Besorgungsfahrt mit ihm eingeteilt. Sie sollten all das abholen, was noch für den Empfang gebraucht wurde: Tischdecken, Servietten, Geschirr, Stehtische, Kaffeekanne, Tabletts.

«Willst du auch ins Verlagswesen?», fragte Leni, um das Thema zu wechseln. Es war ihr unangenehm, mit dem Sohn ihres Chefs über dessen Benehmen zu sprechen.

Christian lachte laut auf.

«Nee, ganz sicher nicht. Hat doch keine Zukunft. In zehn Jahren liest kein Mensch mehr Bücher, verlass dich drauf. Dinosaurier wie mein Vater wollen das nur nicht wahrhaben und klammern sich an ein Medium, das bereits tot ist.»

Und das dein Studium finanziert, dachte Leni, sprach es aber nicht aus.

«Glaub ich nicht», sagte sie stattdessen.

«Sonst wärst du nicht hier. Aber denk doch mal nach. Schon heute nehmen die Menschen immer mehr Informationen in immer kürzerer Zeit auf, verstehen davon immer weniger, merken sich immer weniger, die Konzentrationsfähigkeit sinkt in dem Maße, wie die Sucht nach neuen Informationen steigt. Wir werden eine Fastfood-Informationsgesellschaft, niemand wird mehr die Zeit haben, sich mit einem Buch zu beschäftigen … und irgendwann haben wir auch nicht mehr die intellektuellen Voraussetzungen dafür.»

«Tja, jedem seine Meinung.»

Mehr fiel Leni dazu nicht ein. Sie hatte auch keine Lust auf eine solche Diskussion.

«Mehr hast du dazu nicht zu sagen?»

«Nein, und mir wäre es auch lieber, du würdest dich auf den Verkeeeeeehr …»

Leni schlug die Hände vor die Augen, als von rechts ein Lkw über die Kreuzung schoss, der wohl noch bei Rot gefahren war, während Christian nicht auf Grün gewartet hatte.

Er lachte laut.

«Keine Panik. Mit meinem Porsche bin ich noch schneller unterwegs, und mir ist noch nie etwas passiert.»

Zwei Stunden später erreichten sie lebend den Verlag. Christian half genau zwei Minuten beim Ausladen der Besorgungen, dann verschwand er und überließ diese niedere Tätigkeit Leni.

Weil Leni durch die Schlepperei ins Schwitzen gekommen war, schickte Elke Althoff sie um zwei Uhr zum Duschen und Umziehen nach Hause. In einer Stunde sollte sie zurück sein und möglichst einen schlichten schwarzen Rock und eine weiße Bluse tragen. Weil sie keinen Rock eingepackt hatte, kaufte sie auf die Schnelle einen in einem Einkaufszentrum. Er saß nicht perfekt, das taten die billigen Dinger bei ihrer Figur nie, sah aber immerhin festlich aus.

Vor der Dusche und danach klopfte Leni an Viviens Zimmertür, erhielt aber keine Reaktion. Sie traute sich nicht, die Tür einfach zu öffnen, um nachzusehen, ob das Zimmer noch leer war. Leider gab es keine weitere Nachricht von ihrer Freundin, doch Leni war viel zu gestresst, um sich wirklich Sorgen zu machen.

Als sie um Punkt fünfzehn Uhr im Veranstaltungsort erschien, überreichte Elke Althoff Leni eine Schürze und half ihr, sie umzubinden. Links unten war der Firmenname eingestickt: Newmedia-Verlag. Die Schürze war groß genug, um den neuen Rock zu bedecken, sodass es von weitem aussah, als trüge sie nichts darunter.

Leni fragte sich, ob das Absicht war.

Praktisch war die Schürze aber schon, denn gleich im Anschluss musste sie erneut dabei helfen, aus einem Lieferwagen staubige Weinkartons nach drinnen zu tragen. Der Inhaber des Weingeschäfts, den Leni schon kennengelernt hatte, schleppte selbst mit.

Da sie die Weine später servieren sollte, erzählte er ihr etwas über die drei verschiedenen Sorten und kam dabei richtig ins Schwärmen. Leni mochte den Mann, weil er ein schüchterner Typ war und seine Leidenschaft für Weine ihrer Freude an Büchern glich.

Den Verlagschef Horst Seekamp bekam sie an diesem Tag erst zu sehen, als er gegen sechzehn Uhr eintraf. Er trug den blauen Anzug von gestern, war bestens gelaunt und scherzte mit seinen Mitarbeiterinnen. Außer dem Hausmeister gab es keine männlichen Angestellten.

Herr Seekamp begrüßte Leni, bedankte sich noch einmal für ihre Hilfe und versicherte, es bleibe bei diesem einmaligen Anlass.

In dem Raum, in dem die Cateringfirma das Buffet vorbereitete, übte Leni das Servieren. Sie belud ein Tablett mit Kaffeetassen, trug es umher, setzte es ab, nahm es wieder auf, füllte die Tassen schließlich randvoll mit Wasser und wiederholte die Vorgänge. Binnen weniger Minuten verwandelte sich das Tablett in eine Pfütze.

Schließlich gab sie auf und hoffte einfach auf das Beste. Sie setzte sich in eine Ecke, um einen Moment zu verschnaufen, bevor die Gäste eintrafen. Ihre Gedanken kehrten zu Vivien zurück.

Was, wenn ihr etwas zugestoßen war?

Aber hätte sie dann die Nachricht unter ihrer Tür hindurchgeschoben? Nein, das passte nicht zusammen. Leni bereute es, sich in der Nacht im Club nicht von Vivien verabschiedet zu haben. Aus Viviens Sicht wirkte das sicher undankbar, schließlich hätte sie Leni nicht dorthin mitnehmen müssen. Sie hatte es getan, um Lenis Leben spannender zu machen, um ihr die Gelegenheit zu geben, Fotos für Instagram zu machen. Nicht ein einziges Foto hatte Leni in dem Club gemacht. Wovon auch? Davon, wie sie sich mit einem Glas Cola in der Hand und unpassender Kleidung am Körper unbeachtet in irgendeiner Ecke langweilte?

Leni dachte an Viviens Account bei Instagram. Das müsste

doch eine Möglichkeit sein, herauszufinden, was Vivien gerade trieb und wo sie sich aufhielt. Aber dafür müsste Leni erst einmal Instagram auf dem Handy installieren. An diesem Nachmittag hatte sie keine Zeit, das zu tun.

Gegen halb fünf trafen die ersten Gäste ein, der Trubel begann, und Vivien rückte in den Hintergrund.

Auf den Tabletts standen zunächst keine Kaffeetassen, sondern Weingläser, und die waren ungleich schwieriger zu servieren. Bei der kleinsten falschen Bewegung kippten sie. Besonders kritisch war es, wenn die Leute die Gläser nur von einer Seite des Tabletts nahmen und so ein Ungleichgewicht entstand, das nur schwer auszubalancieren war. Leni hielt ihren Rücken, als habe man ihr einen Balken hineingenagelt. Sie schwitzte, stand Höllenängste aus und wünschte sich zurück in ihren Heimatort nach Sandhausen, wo die Menschen tagein, tagaus die gleiche Kleidung trugen und niemand an einem Wochentag oder nachmittags Wein trank.

Um sie herum wimmelte es von gut angezogenen, gutaussehenden, gut duftenden Männern und Frauen, die intelligente Gespräche führten über die Tagespolitik, den Klimawandel, Donald Trump oder die anhaltende Krise in der Buchbranche. Von alldem bekam Leni nur Fetzen mit, an keinem Gespräch konnte sie sich beteiligen, und es fragte sie auch niemand etwas, da sie ja offensichtlich eine Bedienung war.

Christian Seekamp scharwenzelte ebenfalls herum, braun gebrannt, leger gekleidet in Jeans und weißem Hemd und mit einer Goldkette am Handgelenk. Zweimal nahm er ein Weinglas von Lenis Tablett und lächelte ihr dabei aufmunternd zu.

Irgendwann gelangte sie mit ihrem Tablett zu Herrn Seekamp, der eine kleine Gruppe männlicher Gäste um sich geschart hatte. Gerade hatte wohl jemand einen Witz gerissen, denn alle lachten lauthals.

«Ah!», machte Herr Seekamp großspurig. «Darf ich Ihnen unser Fräulein Fontane vorstellen? Seit heute Praktikantin im Verlag. Weder verwandt noch verschwägert mit dem großen Fontane, aber sehr fleißig und bereit, sich mit Feuereifer in die Verlagsbranche zu stürzen.»

Er nahm ein Glas Wein von Lenis Tablett und fuhr fort.

«Wo wir gerade bei Abstammung sind: Ein Junge fragt seine Mama, ob er Bungee-Jumping machen darf. Daraufhin die Mutter: Nein, mein Sohn, dein Leben begann schon mit einem gerissenen Gummi, es soll nicht auch noch damit enden.»

Während Leni noch einen klitzekleinen Moment auf die Pointe wartete, brüllten die im Kreis stehenden Männer schon vor Lachen auf – bis auf einen, der sein Missfallen durch ein kaum merkliches Kopfschütteln und zu Boden gerichteten Blick kundtat. Als er wieder aufsah, trafen sich ihre Blicke, und er schenkte Leni ein Lächeln. Zum ersten Mal an diesem Tag fühlte sie sich wahrgenommen.

Herr Seekamp legte Leni einen Arm um die Schulter, seine Hand geriet dabei unter ihre Achsel, und seine Finger berührten sie am seitlichen Brustansatz.

Leni drehte sich weg und flüchtete mit ihrem Tablett in Richtung Bar. Zwar standen noch einige gefüllte Gläser darauf, aber sie brauchte jetzt eine kleine Verschnaufpause. Seekamp benahm sich schrecklich. Sie konnte nicht glauben, dass er als angesehener Verlagschef vor einem solchen Publikum sexistische Witze riss. Und dann diese Berührungen! Geschah das zufällig oder absichtlich?

Leni wollte zurück in ihr Zimmer, sich einschließen und über alles nachdenken. War sie vielleicht doch beim falschen

Verlag gelandet? Das Praktikum war freiwillig, sie konnte es ohne weiteres sofort abbrechen und nach Hause fahren, in dieses verschlafene Nest, an dem die Zukunft wie ein ICE vorbeirauschte, ohne jemals haltzumachen.

Man konnte aus Sandhausen kommen, aber man durfte nicht dorthin zurückkehren.

Halt durch, sagte Leni sich. Auch das geht vorbei, und es wird sicher der einzige Empfang in den drei Wochen deines Praktikums sein.

Während sie darauf wartete, dass ihr Tablett gefüllt wurde, trat jemand neben sie.

«Ich habe ihm gesagt, er benimmt sich wie ein Blödmann.»

Die Stimme klang angenehm warm und einfühlsam. Leni wandte sich dem Sprecher zu. Es war der Mann, der nicht über Seekamps Witz gelacht hatte.

«Seekamp hat zu viel getrunken und ist nervös, aber das darf keine Entschuldigung für unpassendes Verhalten sein», sagte der Mann und hielt Leni seine Hand hin.

«Hendrik ten Damme», stellte er sich vor.

Leni zögerte einen Moment und ergriff dann seine Hand. Sie war weich und gleichzeitig kräftig.

«Sie haben einen sehr klangvollen Namen», sagte er.

«Danke. Sie aber auch. Sind Sie aus Holland?»

«Dort geboren und bis zum siebten Lebensjahr aufgewachsen, seitdem Weltbürger. Ich zähle schon lange nicht mehr mit, wie oft ich den Wohnort gewechselt habe.»

«Herr Seekamp sagte, Ihnen gehört das Haus, in dem ich für die Dauer meines Praktikums wohne.»

«Herr Seekamp hat auch da ein bisschen übertrieben. Mir gehört die Etage, aber nicht das ganze Haus. Jede Etage hat einen anderen Besitzer.»

«Aber sie selbst wohnen nicht dort?»

Er zwinkerte ihr zu und lächelte entschuldigend. Leni fand ihn sehr gutaussehend, er hatte ein Schauspielergesicht, in dem einfach alles stimmte. Und dann diese einfühlsamen braunen Augen! Seinen Blick spürte sie bis tief in den Bauch.

«Ich weiß, das ist bei BedtoBed.com eigentlich nicht erlaubt, aber ich wohne ja in Sichtweite … wenn ich denn im Lande bin.»

«In Sichtweite?»

«Das Hausboot im Kanal. Vor dem Haus.»

«Oh», machte Leni und erinnerte sich daran, wie sie hinübergestarrt hatte und erwischt worden war. Das Blut schoss ihr heiß in Gesicht und Ohren, und sie schämte sich.

«Das … muss schön sein», stotterte sie.

«Wenn man Wasser mag, ist es das.»

Leni mochte ten Damme kaum in die Augen schauen, fühlte sich gleichzeitig aber auch von ihnen angezogen, und ihr Blick huschte immer zu ihnen hinauf – er war einen Kopf größer als sie.

«Seekamp lässt Sie eine Schürze tragen und Getränke servieren, obwohl Sie studiert haben und für ein Praktikum im Verlag sind?», fragte er.

«Na ja, ich … er hat mich um Hilfe gebeten für diesen Empfang.»

Hendrik ten Damme schüttelte den Kopf. «Nein, er nutzt ihre Abhängigkeitssituation aus. Ich rede mal mit ihm.»

«Ach nein, bitte, das ist nicht nötig», wiegelte Leni ab. Sie befürchtete, Seekamp könnte es ihr übelnehmen.

«Und ob es das ist.»

Ten Damme wollte noch etwas sagen, doch in diesem Moment wurde seine und die Aufmerksamkeit der meisten anderen Gäste von einer Frau angezogen.

Sie war eine strahlende Schönheit, die ganz allein einen großen Saal wie diesen für sich einnehmen konnte. Sie bewegte sich elegant, aber auch ein klein wenig lasziv, und das rote Kleid mit dem tiefen Rückenausschnitt war der Hingucker des Abends.

Hendrik ten Damme wies mit einem Kopfnicken in ihre Richtung.

«Falls das eine Wiedergutmachung ist für Sie: Auf Seekamps Partys lernt man auch richtige Stars kennen.»

«Ach ja?», machte Leni und sah noch einmal zu der Schönheit hinüber, die gerade in der Menge verschwand.

«Sie kennen Ellen Lion nicht?»

«Ähm … sollte ich?»

Er lachte und schüttelte den Kopf.

«Leni Fontane, Sie gefallen mir. Ellen Lion ist ein Fernsehstar, jedenfalls in der Seifenopernszene, und die hat ja offenbar Hochkonjunktur. Außer bei Ihnen, wie ich vermute.»

«Ich, äh … na ja, ich lese viel.»

«Da haben wir etwas gemeinsam. Übrigens habe ich einige ausgewählte Stücke der Weltliteratur auf meinem Boot. Wenn Sie Lust haben, schauen Sie doch mal vorbei.»

Leni errötete und wusste nicht, was sie sagen sollte. Sein Blick ging viel zu tief, und für sein Angebot kannten sie sich zu kurz. Er wartete ihre Antwort nicht ab, sondern begann, über Tolstois «Krieg und Frieden» zu sprechen, sein absolutes Lieblingsbuch, wie er betonte.

Nach einigen Minuten trat die Schauspielerin in dem atemberaubenden roten Kleid auf Hendrik ten Damme zu und legte ihm eine Hand auf die Schulter. Aus der Nähe fielen auch Leni ihr makelloser Teint und ihr glänzendes, dichtes Haar auf.

«Hendrik!», sagte sie gespielt vorwurfsvoll. «Statt mich zu

begrüßen, stehst du hier an der Bar und unterhältst dich mit der Bedienung. Wie unhöflich von dir.»

Der Blick der Frau streifte Leni nur kurz.

«Die junge Frau ist keine Bedienung, sondern eine studierte Verlagspraktikantin. Darf ich vorstellen: Frau Fontane.»

«Ellen Lion», stellte sich die Frau ihrerseits vor und reichte Leni die Hand.

Ihr Interesse erlosch jedoch im selben Moment, und sie wandte sich wieder ten Damme zu.

«Ich hab mich den ganzen Tag gefreut, dich heute zu sehen!»

«Was sagt dein Mann dazu?»

Die Schauspielerin machte eine abwertende Handbewegung.

«Ach, der schwadroniert schon wieder über Wein. Du wirst mich doch nicht im Stich lassen unter all diesen langweiligen Bücherwürmern, nicht wahr?»

Sie hakte sich bei ihm ein und zog ihn fort.

Ten Damme warf Leni ein entschuldigendes Lächeln zu und verschwand in der Menge.

In der folgenden halben Stunde drehte Leni ohne größere Katastrophen mit ihrem Tablett ihre Runden, sah Hendrik ten Damme aber nicht wieder. Irgendwann trat Elke Althoff auf sie zu und sagte, ihre Aufgabe sei für heute erledigt. Sie sollten alle die Schürzen ablegen und sich für die Rede des Verlagschefs unter die Gäste mischen.

Seekamp erklomm das Podium an der Stirnseite des Saales und schnippte mit dem Finger gegen das Standmikrophon. Die Gäste wandten sich ihm zu, die Gespräche verstummten, das Dauergemurmel ebbte ab.

Seekamp nahm die Gäste mit auf eine kurze Reise durch die fünfjährige Geschichte des Verlags, und Leni musste zugeben, er war ein guter Redner. Unterhaltsam und humorig und ohne noch einmal billige Witze zu reißen. Am Ende bedankte er sich bei einigen Gästen, auch bei seinen Mitarbeiterinnen und rief schließlich Hendrik ten Damme nach vorn, nach Seekamps Äußerung der großzügigste Förderer des Newmedia-Verlags.

Leni schob sich nach rechts, um die Bühne besser sehen zu können.

Ten Damme schien sein Auftritt ein wenig unangenehm zu sein. Zögerlich trat er neben Seekamp, der ihm überschwänglich die Hand schüttelte und sich sogar zu einer Umarmung hinreißen ließ.

Schließlich trat Hendrik ten Damme vor das Mikrophon. Er verschränkte die Arme hinter dem Rücken und räusperte sich.

«Als Horst Seekamp mich fragte, ob ich mir ein Engagement in der Verlagsbranche vorstellen könne, da sagte ich wortwörtlich: Für ein gutes Buch würde ich meinen kleinen Finger geben. Und jetzt sehen Sie sich an, was für ein Geschäftspartner Horst Seekamp ist.»

Hendrik ten Damme hielt dem Publikum seine nach oben ausgestreckte linke Hand hin.

Die ersten beiden Glieder des kleinen Fingers fehlten.

Das Publikum lachte auf.

Leni nicht.

Vor Schreck verschluckte sie sich an ihrem Orangensaft und musste husten.

11.

Die Mauernische bot zwar Schutz vor Wind und Blicken, und das hohe Unkraut schirmte sie zum Kanal hin ab, aber der Platz auf der Spundwand war eng, umdrehen durfte Freddy sich nicht, sonst würde er ins Wasser fallen. In den vergangenen Stunden war er immer wieder eingeschlafen und aufgeschreckt, weil er träumte, über die Kante zu stürzen und zu ertrinken. Er fühlte sich unwohl so dicht am Wasser, hatte aber nicht die Kraft, woanders hinzugehen.

Nachdem ihn die beiden Penner zusammengeschlagen und ihm sein Geld gestohlen hatten, war er von dem Parkplatz bis zu dieser Stelle über dem Kanal gekrochen, um seine Wunden zu lecken. Die Seite schmerzte noch immer von dem Tritt, und Freddy befürchtete, dass eine Rippe gebrochen war. Wenn er bewusst tief einatmete, fühlte es sich so an, als stäche ein spitzer Knochen das Zwerchfell.

Viel schlechter ging es seiner Seele, denn jetzt war er offiziell am absoluten Tiefpunkt angekommen. Okay, das hatte er in den vergangenen drei Monaten, seit er auf der Straße lebte, schon häufiger gedacht, und doch war es immer wieder weiter bergab gegangen, bis hierher. Von Pennern verarscht, verprügelt und ausgeraubt, von einem Mörder verfolgt, von seiner Exfrau als nicht zumutbar für den eigenen Sohn eingestuft. Er hatte unter einer Brücke geschlafen und würde bald betteln müssen, die letzten Bastionen waren damit gefallen.

Er war am Ende, so sah es aus.

Nichts und niemand würde ihm auf die Beine helfen. Für Gestrauchelte wie ihn gab es keinen Neuanfang.

Still jammernd und sich selbst bemitleidend, ließ Freddy die Zeit verstreichen, sah die Sonne untergehen, den Himmel dunkel werden, die Lichter aufleuchten, dämmerte immer mal wieder weg, nur um wieder aufzuschrecken und festzustellen, dass er immer noch in diesem Albtraum feststeckte, der jetzt sein Leben war.

Nach und nach leerte sich der Parkplatz, das konnte er zwar nicht sehen, aber er hörte die Motoren starten und die Autos wegfahren. Bald war er allein, die Geräusche wurden matter, schienen sich zu entfernen, wurden eingesperrt hinter Wände, Fenster und Türen, in Häuser und Wohnungen von Menschen, die ein Zuhause ihr Eigen nannten.

Freddy sehnte sich nach Sicherheit, Geborgenheit und Wärme. Er sehnte sich nach einer Tür, die er hinter sich zuziehen konnte.

Seine Tränen waren heiß und sinnlos, weil keiner sie sah. Sie halfen nicht im Geringsten, ganz im Gegenteil. Nachdem sie versiegt waren, fühlte sich seine Seele an wie ein verhärteter Schwamm, nie wieder würde sie Gefühle aufnehmen können, da war er sich sicher.

In vollkommener Leere gefangen, hörte Freddy irgendwann ein Plätschern. Es war leise, kam aber rasch näher. Freddy zog den Schlafsack bis unter die Augen, duckte sich tief an den Boden und spähte durch das Unkraut hinweg zum Kanal. Von links kam ein schlankes Boot, ein Kajak, mit einer Person darin, die ein Doppelpaddel schwang. Die Bewegungen wirkten routiniert und effizient, und mit spielerischer Leichtigkeit legte das Kajak an der Spundwand an, nur wenige Meter von Freddy entfernt. Der Paddler stieg aus, verstaute sein Paddel im Kajak und ging die Betontreppe hoch, wo er ein dünnes Seil an einem Schäkel festmachte.

Dann richtete er sich auf und sah sich um.

Eine schlanke, hochaufgeschossene Gestalt in dunkler Kleidung mit einer Kapuze über dem Kopf. Von dem Gesicht war nichts zu sehen.

Das ist er, dachte Freddy. Der Mann, der den Fahrer des Corsa erschossen hatte. Größe und Gestalt passten, aber viel wichtiger war die Ausstrahlung des Paddlers, die Freddy bis in seine Mauernische spürte. Sie war kalt und böse.

Freddy verharrte atemlos. Der Mann stand einfach nur da, sah mal hierhin, mal dorthin. Bestimmt zwei Minuten ging das so, bis er sich in Bewegung setzte und über den Parkplatz in Richtung Straße fortging.

Freddy schälte sich aus dem Schlafsack und spürte sofort die schmerzende Stelle an den Rippen. Auf allen vieren krabbelte er vor und lugte vorsichtig um die Gebäudeecke.

Der Paddler war verschwunden.

Kurz dachte Freddy daran, ihn zu verfolgen, da er ihn aber wahrscheinlich sowieso nicht einholen würde, beschloss er, auf seine Rückkehr zu warten, um dann herauszufinden, wohin er mit seinem Kajak fuhr.

Nach einer angemessenen Wartezeit verließ Freddy sein Versteck auf dem schmalen Sims der Spundwand. Von der Dunkelheit geschützt, schlich er über den Parkplatz. Vorn an der Straße sah er nach, ob der Paddler auch wirklich fortgegangen war.

Das war er. Freddy kehrte zum Kanal zurück und stieg die Betontreppe hinab zu dem vertäuten Kajak. Er warf einen Blick in die Luke, fand aber nichts, was Aufschluss über die Identität des Mannes gegeben hätte. Das Kajak wirkte neu und teuer.

Freddy holte seinen Schlafsack und seine Tasche und machte sich auf die Suche nach einem anderen Versteck. Die Gefahr, dass der Paddler ihn beim Ablegen auf der Spundwand entdeckte, war ihm zu groß. Auf dem leeren Parkplatz konnte er sich nirgends verstecken, doch auf der gegenüberliegenden Straßenseite bot der tief im Schatten liegende Eingangsbereich eines Bürogebäudes ausreichend Möglichkeiten. Freddy drückte sich in die hinterste Ecke, setzte sich auf den zusammengerollten Schlafsack und wartete.

Wach genug war er, da er fast den ganzen Nachmittag verschlafen hatte, zudem hatte er Angst. Er dachte daran, die Sache auf sich beruhen zu lassen und abzuhauen, vielleicht doch in eine andere Stadt, wo der Mann ihn nicht suchen würde. Doch er wollte nicht vor einem Mörder fliehen. Wenn er herausfinden könnte, wo der Mann lebte, hätte er eine realistische Chance, ihn loszuwerden. Dazu müsste er dann zwar die Polizei einschalten, aber das ging ja auch anonym.

Mehr als eine Stunde musste Freddy warten, dann kam der Mann zurück. Vollkommen geräuschlos tauchte er plötzlich vor dem Gebäude auf. Mit dem Rücken zu Freddy blieb er an der Hausecke stehen und betrachtete eine Weile den Parkplatz. Schließlich setzte er sich wieder in Bewegung, stieg aber nicht sofort zu dem Kajak hinunter, sondern pinkelte in die Ecke, in der Freddy vorhin noch gelegen hatte. Freddy beglückwünschte sich dazu, den Platz gewechselt zu haben.

Als der Mann die Betontreppe hinunterstieg, wartete Freddy noch zwei Minuten, dann schob er sich an der Hauswand entlang auf den Kanal zu. Erst als er leises Plätschern hörte, lief er zur Spundwand vor und sah den Paddler in zwanzig Meter Entfernung nach links verschwinden. Das Zwielicht reflektierte auf dem nassen Paddel.

Freddy lief. Zwar spürte er bei jedem Schritt die verletzte Stelle an der Seite, kam aber dennoch einigermaßen gut voran. Bei der ersten Brücke über den Kanal stellte er fest, dass es schwierig werden würde, dem Kajak zu folgen, denn er musste sich an Straßen und Wege halten, die ihn immer wieder vom Kanal wegführten. Aufgeben kam aber nicht in Frage.

Obwohl der Mann in der Dunkelheit ohnehin kaum zu erkennen war, suchte er zusätzlichen Schutz im Uferbereich. Wo immer es ging, fuhr er unter den tiefhängenden Ästen der Bäume entlang, und einige Male befürchtete Freddy, ihn verloren zu haben, fand ihn aber immer wieder.

Nach zehn Minuten Verfolgung bog der Paddler in die Außenalster ein. Damit wurde es noch schwieriger, ihm zu folgen, denn der Weg außen herum war weit.

Freddy blieb am Ufer stehen und sah dem Kajak nach, bis es in der Dunkelheit verschwand. Er kniff die Augen zusammen, strengte sich an und glaubte erkennen zu können, dass der Paddler sich dicht am linken Ufer hielt.

So schnell es seine Verfassung zuließ, setzte er die Verfolgung fort.

12.

Es war beinahe zweiundzwanzig Uhr, als Leni in der Eilenau Nummer 39b ankam. Sie trug ihre Schuhe in der Hand und spürte dennoch bei jedem Schritt Schmerzen in den Füßen. Seit sie am frühen Morgen aufgebrochen war, hatte sie kaum einmal gesessen, und die Redewendung, sich die Beine in den Bauch zu stehen, bekam eine ganz neue Bedeutung für sie. Tatsächlich meinte sie, die Hüftknochen in ihren Gedärmen zu spüren.

Sie war vollkommen fertig, physisch wie psychisch, und

obwohl ihr Verstand sich weigerte, den Betrieb aufrechtzuerhalten, musste Leni immer wieder an Vivien denken. An dem Abend im Club, als sie sie in der Loungeecke auf dem Schoß eines Mannes gesehen hatte, dessen Hände an ihrem Rücken entlanggefahren waren.

An der linken Hand hatte der kleine Finger gefehlt, da war sich Leni sicher. Sie hatten einen Blick und ein sehr gutes Gedächtnis für solche Details.

Hendrik ten Damme fehlte ebenfalls der kleine Finger an der linken Hand.

Ich hab den Bootsmann kennengelernt.

Als Leni während des Empfanges die Anomalie an ten Dammes Hand aufgefallen war, hatte sie Viviens Worte auf dem Zettel, den sie unter der Tür hindurchgeschoben hatte, plötzlich verstanden.

Jetzt, zurück in der Eilenau, ging ihr Blick sofort zu den Hausbooten hinüber. Auf allen brannte Licht, Menschen waren aber nicht zu sehen.

War Hendrik ten Damme der Bootsmann, den Vivien kennengelernt hatte? Und hielt sie sich gerade jetzt auf dessen Hausboot auf?

Obwohl sie es gern gewusst hätte, traute Leni sich nicht, hinüberzugehen und zu fragen. Sie wusste ja auch gar nicht, welches von den Booten genau ten Damme gehörte. Stattdessen stieg sie die Stufen zur Eingangstür hinauf, die natürlich wieder nicht abgeschlossen war, und betrat den Hausflur. Mit letzter Kraft schleppte sie sich mühsam die Treppe hinauf.

Der Empfang hatte einfach kein Ende nehmen wollen. Zwar waren viele der Gäste nach Seekamps Ansprache verschwunden, aber ein harter Kern war geblieben, trinkfreudige Männer und deren Frauen, und Leni hatte noch einmal rangemusst, um Getränke zu servieren. Ten Damme hatte sie nicht wiedergesehen, auch er schien nach der Ansprache gegangen zu sein.

Auch die Tür zur Wohnung war wie gewohnt nicht abgeschlossen. Auf dem Flur brannte Licht, und hinter der ersten Tür unterhielten sich die Bewohner ausgelassen und fröhlich auf Spanisch. Leni schlich leise an der Tür vorbei bis zu dem Zimmer, in dem Vivien gewohnt hatte.

Daran klebte ein Zettel mit einem Namen darauf.

J. Davis.

Leni erinnerte sich, dass am Tag ihrer Ankunft auch so ein Zettel an ihrer Tür geklebt hatte.

Sie presste ihr Ohr an das Türblatt. Keine Geräusche.

Sollte sie klopfen?

Die Hand schon erhoben, überlegte Leni es sich anders und folgte dem Gang bis zu ihrem Zimmer. Vielleicht hatte Vivien ja noch eine Nachricht unter der Tür hindurchgeschoben. Schließlich hatte sie angekündigt, dass sie sich am Abend sehen würden.

Leni schloss die Tür auf. Keine Nachricht.

Sie streifte die Schuhe ab und ließ sich aufs Bett fallen. Was für ein Genuss, endlich die Beine hochlegen zu können.

Wäre da nicht ihre Sorge um Vivien gewesen, sie wäre sofort eingeschlafen. Vivien mochte ein verrücktes Huhn sein, und sicher war sie auch spontan und risikobereit, aber würde sie wirklich einfach so verschwinden, ohne sich richtig zu verabschieden? Und was war das für ein merkwürdiger Zufall, dass dem Mann aus dem Séparée und ten Damme jeweils ein Fingerglied fehlte?

Leni holte ihr Handy hervor. Noch auf dem Empfang hatte sie sich von einer neuen Verlagskollegin, die sich damit auskannte, Instagram hochladen und ein eigenes Konto erstellen lassen. Das Foto dafür hatte Sabrina Schmidt, so hieß sie, direkt vor Ort geschossen: Es zeigte Leni mit einem Glas Sekt in der Hand, wie sie der Kamera zuprostete. In diesem Moment schaute sie es sich zum ersten Mal in Ruhe an und fand, dass es nicht zu ihr passte. Sie wirkte gezwungen fröhlich, gleichzeitig aber auch abgekämpft und wie gewohnt scheu. Leni hasste Kameras. In der heutigen Zeit, in der Selfies das neue Selbstbewusstsein waren, eine schlechte Eigenschaft.

Leni machte sich auf Instagram auf die Suche nach Vivilove und fand sie schließlich auch.

Dutzende Fotos füllten ihren Account.

Das Letzte zeigte Vivien am Bahnhof.

Die Bildunterschrift lautete:

Hamburg ade. Amsterdam, ich komme.

Amsterdam?

Vivien hatte nicht ein einziges Mal erwähnt, dass sie nach ihrem Aufenthalt hier in die niederländische Stadt weiterreisen wollte.

Leni stand vom Bett auf, löschte das Licht und ging ans Fenster. Auf dem Hausboot, das direkt gegenüber der Villa lag, brannte immer noch Licht, und hinter dem Vorhang bewegte sich jemand. War das das Boot von ten Damme?

Und war Vivien bei ihm auf dem Boot? Egal, wo ihr Millionär wohnte – warum postete sie bei Instagram, sie sei unterwegs nach Amsterdam? Ten Damme war gebürtiger Niederländer, bestimmt hatte er gute Kontakte in sein Heimatland und war oft dort. Hatte er Vivien eingeladen, ihn dorthin zu begleiten? Aber dieser Post war von gestern, und ten Damme hatte den Abend ja in Hamburg verbracht.

Außerdem: Wenn Vivien wirklich nach Amsterdam weitergereist war, musste sie längst angekommen sein. Warum gab es davon kein Bild, wo doch Vivien ihre Follower an fast allem teilhaben ließ?

Hier stimmte etwas nicht, da war Leni sich sicher.

13.

Jens Kerner traf den Streifenpolizisten Rolf Hagenah an einer mobilen Pommesbude in der Nähe des Mundsburger Einkaufszentrums.

Hagenah wartete bereits an einem der weißen Bistrotische, die vor der Bude aufgestellt waren. Vor sich hatte er eine große Portion Pommes rot-weiß mit einer Currywurst, deren Ausmaß an einen Hengstpenis erinnerte.

Sie begrüßten sich mit Handschlag. Jens kannte Hagenah schon seit mehr als zwanzig Jahren. Ein zuverlässiger, ruhiger Mann, der mit jedem Spitzbuben Hamburgs per du war und ein imposantes Netzwerk an Informanten aufgebaut hatte. Er war ein Kumpeltyp, der mit jedem auskam, alle gleich behandelte und auch mal fünfe gerade sein ließ. Nur blöd durfte man ihm nicht kommen, dann konnte Hagenah sauer werden.

«Jede Menge Fette und Kohlenhydrate, und das am späten Abend!», sagte Jens und deutete auf die Megaportion.

Hagenah sah ihn fragend an.

«Seit wann achtest du auf so was?»

«Wir werden alle nicht jünger … und leichter auch nicht.»

Von seinem Lauftraining taten Jens die Knochen und Gelenke immer noch weh, und er hatte eingesehen, dass die Schmer-

zen erst abklingen mussten, bevor er eine zweite Einheit absol-
vieren durfte. Also in drei oder vier Tagen. Frühestens.

«Bist du in der Midlife-Crisis?», fragte Hagenah und stopfte
sich Pommes in den Mund.

Jens' Magen zog sich zusammen. Der Geruch des Fastfoods
setzte seiner Absicht, spätabends nichts mehr zu essen, schwer
zu.

«Ich versuche, ein bisschen abzunehmen.»

«Viel Spaß dabei.»

«Was hast du denn für mich?», fragte Jens und vermied den
Blick aufs Essen. Hagenahs Anruf hatte ihn vor einer Stunde
erreicht. Der Polizist gehörte zu Jens' Team und war mit dem
Auftrag unterwegs, sich auf der Straße umzuhören, ob jemand
etwas von dem Mord an Oliver Kienat mitbekommen hatte.

Der musste aber erst den Mund leer essen, bevor er antworten konnte.

«Darf ich einen?», fragte Jens und zog sich einen besonders
langen Pommes heraus, ohne die Erlaubnis abzuwarten.

Hagenah nickte großzügig, und als er wieder sprechen konnte, sagte er:

«Es geht das Gerücht, jemand habe den Mord an Kienat beobachtet.»

«Echt? Wer?»

Der Polizist zuckte mit den Schultern.

«Ein Obdachloser, der sich Freddy nennt. Keiner kennt ihn so
richtig, scheint neu auf der Straße zu sein.»

Jens stahl sich eine weitere Pommes und dann gleich noch
eine, natürlich nur die langen Exemplare.

«Hast du mit ihm gesprochen?»

«Nee, der Typ ist nicht auffindbar. An den üblichen Plätzen
ist er nicht. Aber als ich heute davon hörte, ist mir etwas ein-

gefallen. Am Tag nach dem Mord habe ich nicht weit vom Tatort entfernt einen Obdachlosen kontrolliert, der hinter einem Bürogebäude schlief. Sonst ist da eigentlich keiner, und ich hab ihn auch nur gefunden, weil die Mieter sich beschwert hatten.»

Während Hagenah berichtete, nickte Jens und stopfte sich weiterhin Pommes in den Mund. Die Currywurststücke waren leider in Soße getaucht, und er hatte keine Gabel, sodass er sich daran nicht bedienen konnte.

«Hey, du wolltest doch abnehmen!», rief Hagenah und riss den Plastikteller aus Jens' Reichweite. «Hol dir eine eigene Portion.»

«Nee, reicht schon.» Jens leckte sich das Salz von den Fingern. «Red weiter!»

«Also, dieser Typ, den ich da überprüft habe, der hieß Frederic Förster.»

Hagenah legte eine Kunstpause ein und sah Jens mit hochgezogenen Augenbrauen an.

«Aha», machte Jens.

«Frederic … Freddy», half Hagenah ihm auf die Sprünge. «Dämmert's?»

Jens musste zugeben, dass der Heißhunger auf Pommes seinen Verstand vernebelte. Vielleicht war es doch keine gute Idee, sich derart zu kasteien, wenn es schädlich für seinen Beruf war.

«Hast du die Adresse von diesem Typen?»

«Der Mann ist obdachlos», erinnerte ihn Hagenah.

«Richtig, sagtest du ja. Aber wenn er sich nicht an den üblichen Plätzen herumtreibt, wie sollen wir ihn dann finden?»

Hagenah tippte sich an die Stirn. «Fotografisches Gedächtnis», sagte er großspurig. «Ich hab den Ausweis des Mannes kontrolliert und mir die Adresse gemerkt, unter der er zuletzt gemeldet war. Vielleicht weiß dort jemand, wo er zu finden ist. Familie, Freunde, Bekannte. Irgendjemand weiß ja immer was.»

«Wie ernst nimmst du das Gerücht, dass dieser Freddy den Mord beobachtet hat?»

«So ernst wie jedes andere Gerücht. Kann stimmen, muss aber nicht.»

«Warum hat er sich nicht bei der Polizei gemeldet?»

«Kann tausend Gründe haben. Vielleicht hat er Dreck am Stecken oder versteckt sich vor jemandem. Er lebt ja erst seit ein paar Monaten auf der Straße.»

«Und wer hat dir das Gerücht gesteckt?»

Hagenah wischte sich Currysoße vom Kinn.

«Hier wird's interessant. Ein alter Knacker namens Alf posaunt herum, dieser Freddy habe ihm Geld dafür geboten, ihm auf der Suche nach einem Mörder zu helfen.»

«Wie bitte?»

«Hast schon richtig gehört. Ich hab mir Alf vorgeknöpft, und er bestätigt das. Offenbar fühlt unser Freund Freddy sich von dem Mörder verfolgt. Laut Alf sogar zu Recht. Angeblich treibt sich jemand in der Szene herum, der gezielt nach einem Penner fragt, der einen langen schwarzen Mantel und eine Armeetasche mit sich herumträgt. Passt beides zu dem Mann, den ich kontrolliert habe. Zu Frederic Förster.»

Mit zwickendem Magen sah Jens dabei zu, wie Hagenah sich die letzten Pommes in den Mund schob.

«Moment. Verstehe ich das richtig? Ein Obdachloser namens Freddy beobachtet den Mord an Oliver Kienat, wird dabei vom Täter bemerkt und fortan verfolgt. Freddy versucht daraufhin, das Spiel zu drehen und den Killer selbst ausfindig zu machen, und das mit Hilfe eines alten Knackers namens Alf?»

«Gut aufgepasst», lobte Hagenah und wischte sich den Mund mit einer Serviette ab.

«Klingt irgendwie abenteuerlich.»

«Kommt aber noch besser. Angeblich ist der Killer mit einem Kanu auf den Kanälen der Stadt unterwegs.»

«Was! Jetzt hör aber auf. Behauptet das auch dieser Alf?»

«Ja.»

«Alf und Freddy. Ich glaub es nicht.»

Jens bedankte sich bei Hagenah und verabschiedete sich mit dem Auftrag, er solle mit Nachdruck nach diesem ominösen Freddy suchen. Dann stieg Jens in seinen Farmtruck, fuhr einmal um den Block und kehrte schließlich zu dem Imbisswagen zurück. Er kaufte sich die gleiche Portion, die Hagenah gehabt hatte, aber zum Mitnehmen. Dann fuhr er an die Außenalster, parkte mit Blick aufs Wasser, stopfte das Essen gierig in sich hinein und redete sich ein, erst jetzt wirklich nachdenken zu können.

Er glaubte die Geschichte von Alf und Freddy und dem Paddler.

Schließlich hatte jemand auch Rosaria Leone am Grunde eines Kanals versteckt.

14.

Es war still auf dem Flur.

Auch aus den anderen sechs Zimmern der weitläufigen Wohnung waren keine Geräusche zu hören.

Leni stand an ihrer Zimmertür, die sie einen Spaltbreit geöffnet hatte, und lauschte. Erst nach einigen Minuten traute sie sich raus. Auf Socken schlich sie über die Dielen, die so neu waren, dass nicht eine davon knarzte. Vor dem Zimmer, in dem Vivien gewohnt hatte und an dessen Tür jetzt der Notizzettel mit dem Namen J. Davis klebte, blieb Leni stehen. Die Hände vor dem Bauch verschränkt, schaute sie nach rechts und links und wartete geradezu darauf, dass irgendein Bewohner auf den Flur treten und sie von ihrem Vorhaben abbringen würde.

Was sie vorhatte, war ein Einbruch, und sie hatte Angst davor. Gegen Gesetze zu verstoßen lag Leni nicht, aber sie wusste sich nicht anders zu helfen.

Ein schneller Schritt nach vorn, und schon lag ihre Hand auf der Türklinke. Wenn die Tür verschlossen wäre, würde Leni von ihrer Schnapsidee ablassen und sich um ihre eigenen Sachen kümmern. Schon einmal hatte sie sich blamiert, als sie sich in Viviens Angelegenheiten eingemischt hatte, daher sollte sie es eigentlich besser wissen. Aber die Vorstellung, dass ihrer neuen Freundin etwas zugestoßen war, ließ Leni keine Ruhe.

Sie drückte die Klinke nieder. Die Tür ließ sich öffnen.

Ihr Magen zog sich beinahe schmerzhaft zusammen, dennoch nahm Leni all ihren Mut zusammen, öffnete die Tür, huschte in den Raum und schloss sie wieder hinter sich. Die Sekunden in der Dunkelheit, bevor sie den Lichtschalter betätigte, waren angsteinflößend. Sie hatte das Gefühl, jemand befinde sich in dem Raum, eine bösartige Existenz, die nur darauf wartete, ihre Klauen in Lenis Fleisch zu schlagen. Diese Angst ging so weit, dass Leni schweres Atmen zu hören und sogar den dazugehörigen fauligen Ausstoß zu riechen meinte. Dann flammte der Kronleuchter unter der Decke auf, und das Licht vertrieb alle bösen Geister.

Verwundert sah Leni sich um.

Das Zimmer war identisch mit ihrem. Größe, Ausstattung, Mobiliar, alles war gleich. Nur ging das Fenster nicht nach vorn zum Kanal hinaus, sondern nach hinten in den kleinen Garten.

Das Bett war frisch bezogen. Auf den ersten Blick gab es nirgends eine Spur von Vivien. Leni ließ sich auf die Knie nieder, um unters Bett zu schauen. Der Spalt zwischen Bett und Boden war nicht besonders groß, jedenfalls zu schmal, als dass sich jemand darunter hätte verbergen können. Nicht dass sie erwartet hätte, Vivien dort zu finden, aber vielleicht irgendetwas, was Rückschlüsse auf ihren Verbleib zuließ.

Fehlanzeige.

Sie hob Decke und Kopfkissen an und danach die Matratze.

Nichts.

Wäre ja auch ein Wunder gewesen, nachdem die Putzfrau hinter Vivien sauber gemacht hatte.

Sie richtete sich auf und ließ den Blick durchs Zimmer schweifen, da hörte sie vor dem Haus einen Wagen anhalten, einen Moment später schlug eine Autotür zu, und der Wagen fuhr davon.

Leni trat vor den großen Wandschrank und öffnete die beiden Türhälften. So wie auch bei ihrem Schrank schaltete sich eine kleine Möbelleuchte ein, die den vorderen Bereich erhellte, die Tiefen des Schrankes aber im Dunkeln ließ. Er war in eine Nische gebaut und wohl deshalb so übertrieben groß.

Darin lagen vier frische, weiße Handtücher, mehr nicht.

Leni wollte gerade die Türen schließen, da hörte sie die Wohnungstür zufallen. Schritte näherten sich auf dem Dielenboden des Flures. Sie erinnerte sich an das Zuschlagen der Autotür vor zwei Minuten, und siedend heiß wurde Leni klar, was der Grund dafür war.

J. Davis!

Sie musste hier raus, aber dafür war es zu spät. Aus Angst, bei ihrem Einbruch erwischt zu werden, geriet Leni in Panik und flüchtete sich in den großen Einbauschrank.

In dem Augenblick, in dem sie die Schranktür hinter sich zuzog, öffnete sich die Zimmertür. Leni hörte, wie jemand einen schweren Gegenstand zu Boden fallen ließ, wahrscheinlich ein Koffer.

«Wow! Amazing!», sagte eine weibliche Stimme.

Auf ihrem Hintern schob Leni sich in die hinterste Ecke des tiefen Schrankes und machte sich ganz klein. Sie wusste, hierher fiel kein Licht, und wenn die neue Bewohnerin nicht zu genau hinsah, würde sie sie vielleicht nicht entdecken.

Zunächst öffnete J. Davis aber das Fenster.

«Hello, Hamburg, I love you», rief sie.

Das klang sympathisch. Leni überlegte, ob sie sich nicht einfach zu erkennen geben sollte. Doch dafür fehlte ihr der Mut.

Schritte im Raum, der Wasserhahn rauschte kurz, ein Klopfen auf der Matratze, dann öffnete J. Davis die beiden Flügeltüren des Schrankes. Licht fiel herein. Leni wandte ihr Gesicht ab und starrte zu Boden. In dem Spalt zwischen Holzdielen und Wand blitzte etwas silbern auf.

Nach einigen Sekunden fielen die Schranktüren wieder zu, die Dunkelheit übernahm die Regie.

Leni verharrte in ihrer kauernden Position und lauschte. Den Geräuschen nach zu urteilen, packte J. Davis ihren Koffer oder ihre Reisetasche aus. Allerdings kehrte sie nicht zum Schrank zurück.

Leni streckte die Hand nach der Stelle aus, an der es aufgeblitzt hatte, und ertastete in dem schmalen Spalt einen kleinen, länglichen Gegenstand. Nur mit Mühe und weil sie so zierliche Finger hatte, gelang es ihr, ihn hervorzuholen. Er war wie ein

Tropfen geformt, fühlte sich kühl und glatt an und hatte auf der Vorder- und Rückseite einige Rillen.

Obwohl sie nichts sehen konnte, ahnte Leni, was sie da in der Hand hielt.

Im Zimmer begann J. Davis plötzlich laut zu sprechen. Zuerst dachte Leni, es sei noch jemand anwesend, dann verstand sie aber, dass die Frau telefonierte. Sie sprach mit jemandem, der Shawn hieß, schwärmte von Hamburg, sagte aber, dass die Villa, in der sie ihr Zimmer gebucht hatte, viel zu weit von der City entfernt lag und ob es möglich wäre, bei ihm zu schlafen. Ihrer Freude nach zu urteilen, war das möglich, und sie verabredete sich mit Shawn in einer Stunde am Rathaus. Schließlich ließ sie ihn noch wissen, dass sie jetzt die Dusche ausprobieren wolle, und beendete das Gespräch. Zwei Minuten danach klappte die Zimmertür zu, und es wurde still.

Leni blieb noch einen Moment im Schrank hocken. Vielleicht hatte J. Davis etwas vergessen und kehrte noch einmal zurück. Während Leni wartete, hörte sie hinter sich in der Wand ein Kratzen und Schaben, wie sie es auch schon in ihrem Zimmer gehört hatte.

Wahrscheinlich war das Gebäude wirklich rattenverseucht. Es lief ihr kalt den Rücken herunter, wenn sie sich vorstellte, wie die Viecher an den Wänden entlangliefen, nur wenige Zentimeter entfernt von dem Bett, in dem sie schlief.

Nach quälenden zwei Minuten war Leni sich sicher, dass J. Davis unter der Dusche stand. Sie öffnete die Flügeltüren einen Spalt, lugte heraus, fand das Zimmer wie erwartet leer vor und krabbelte aus dem Schrank.

Auf dem großen Doppelbett stand eine riesige Reisetasche. Der obere Reißverschluss war geöffnet, Kleidung quoll heraus und lag auf dem Bett verstreut.

Leni schlich zur Tür, spähte auf den Flur hinaus, fand auch den menschenleer vor und huschte aus dem Zimmer.

Erst als sie ihre eigene Tür hinter sich schloss, fiel die Anspannung von ihr ab. Mit dem Rücken gegen die Tür gelehnt, sank sie zu Boden. Ihre zitternden Beine trugen sie nicht länger.

Sie öffnete ihre Hand und betrachtete den kleinen Gegenstand, den sie im Schrank gefunden hatte.

Es war genau das, was sie erwartet hatte.

Einer von Viviens Indianerfederohrringen aus Silber.

15.

«Verflixt und zugenäht, das gibt's doch nicht!»

Rebeccas Faust donnerte in ihrem kombinierten Wohn-Esszimmer auf die Holzplatte des Tisches, und die Teetasse klapperte auf dem Unterteller.

Die Tischplatte war bedeckt mit bekritzelten DIN-A4-Blättern, die sie aus einem Block gerissen hatte. Ein Dutzend Papierbälle kullerte herum, manche auf dem Boden, andere auf dem Tisch. Der rote Edding, mit dem sie fehlgeleitete Gedankengänge durchstrich, war fast aufgebraucht. Genauso wie ihre geistige Energie.

Corsastraße!

Das war kein Rätsel, sondern ein Fehler in der Kommunikation, es musste einfach so sein, denn es gab keine solche Straße in Hamburg und auch keine, die so ähnlich klang, dass man sie in einem Telefongespräch hätte verwechseln können. Aber ähnlich einem Rätsel lag einem Fehler immer eine Auflösung beziehungsweise eine Wahrheit zugrunde, und diese zu finden war sozusagen des Rätsels Lösung.

Rebecca war gut darin, Sudokus zu lösen, deshalb hatte Jens ihr diese Aufgabe übertragen. Er wusste von ihrer Leidenschaft für Zahlenrätsel und zog sie ständig damit auf. Sie hatte ihn einmal so weit gehabt, dass er es selbst ausprobierte. Er war kläglich gescheitert. Jens war der Typ Ermittler, der etwas tun musste, um vorwärtszukommen. Am Schreibtisch sitzen und abstrakt oder analytisch zu denken, war nicht sein Ding. Wenn er in Bewegung war, war es sein Gehirn auch und erbrachte Höchstleistung.

Rebecca dagegen konnte stundenlang sitzen und nachdenken, das brachte ein Leben ohne funktionstüchtige Beine wohl mit sich, aber irgendwann war auch ihre Schmerzgrenze erreicht – besonders, wenn sie zu keinem Ergebnis kam.

Luft! Sie brauchte frische Luft!

Mit einem kräftigen Ruck beförderte sie den Rollstuhl die kleine Rampe hinauf, die in den Wintergarten hinausführte. Eigentlich handelte es sich dabei um eine umgebaute Terrasse. Zwei der Glaselemente ließen sich beiseiteschieben, sodass die Front nach vorn hin offen war. Es war ihr Lieblingsplatz, nur hier saß sie noch häufiger als vor dem Fernseher. Leider wurde langsam der Platz knapp, weil immer mehr Grünpflanzen hinzukamen. Die, die sie bereits einige Jahre besaß, wucherten wie verrückt.

Ihre eigene grüne Lunge inmitten der Stadt.

Rebecca atmete tief ein und aus und blickte zur Straße hinüber, die zwanzig Meter vor dem Haus verlief. Die Laternen leuchteten noch, aber sonst war alles dunkel, Menschen waren um diese Zeit nicht mehr unterwegs in dieser ruhigen Wohngegend.

Corsastraße, schoss es Rebecca erneut durch den Kopf, obwohl sie sich vorgenommen hatte abzuschalten. Sie wusste ja, wenn sie zu angestrengt über etwas nachdachte, entfernte sie sich immer weiter von der Lösung.

Was könnte Rosaria Leone stattdessen gesagt haben?

Am liebsten wäre sie jetzt eine Runde gepaddelt, um sich zu entspannen, aber dafür war es viel zu spät.

Vielleicht sollte sie sich einen Film anschauen. Sie war ein Serienfreak und steckte gerade mitten in Big Little Lies, äußerst spannend und gut gemacht.

Sie rollte in die Wohnung zurück, schloss die Tür und wollte gerade hinüber zum Fernseher fahren, als ihr Handy vibrierte. Es steckte in der kleinen Ledertasche direkt am Rollstuhl. Rebecca zog es hervor.

«Je später der Anrufer, desto lästiger», begrüßte sie Jens.

«Der Spruch geht aber anders.»

«Schon, aber das mit den schönen Gästen trifft auf dich ja auch nicht zu.»

«Ich kenne Frauen, die sehen das anders.»

«Welche? Deine Exehefrauen?»

Eine kleine Pause am anderen Ende verriet Rebecca, dass diese Stichelei vielleicht doch ein bisschen zu weit gegangen war. Sie mochte die Neckereien, die Jens und sie ständig austauschten, und da sie das seit einigen Jahren taten, verschoben sich die Grenzen immer weiter. Bislang war er nie beleidigt oder verletzt gewesen, und sie selbst auch nicht. Wer austeilte, musste auch einstecken können.

«Die fuhren nicht auf mein Aussehen, sondern auf mein Auto ab», antwortete Jens, und seine Stimme klang ein wenig angespannt. «So wie du.»

«Richtig! Solltest du die Red Lady je verkaufen, rede ich kein

Wort mehr mit dir. Gibt es einen Grund, warum du so spät noch anrufst?»

«Hab ich dich geweckt?»

«Nein, ich löse Rätsel.»

«Schon weitergekommen?»

«Rufst du an, um mich das zu fragen?»

«Ich rufe an, weil ich deinen Blickwinkel brauche.»

«Meinen Blickwinkel? Du meinst, den von ganz unten?»

«Nein, ich meine von der Wasseroberfläche aus.»

«Aha», machte Rebecca. «Erkläre dich.»

«Kann ich vorbeikommen?»

«Wie lange brauchst du?»

«Vom Auto zur Tür zwei Minuten.»

Rebecca drehte den Rollstuhl herum, rollte wieder auf die Terrasse hinaus, sah sich um und entdeckte die Red Lady im Parkverbot vor einer Feuerwehrzufahrt am Straßenrand. Jens winkte ihr durch das geöffnete Seitenfenster zu.

«Da darfst du nicht parken.»

«Ich bin Dirty Harry, ich darf das.»

«Ich brauche drei Minuten, dann lasse ich dich rein», sagte Rebecca und beendete das Gespräch.

Scheiße! Wie sah sie aus!

Jogginghose, Schlabbershirt, das Haar zu einem lieblosen Zopf geflochten.

Sie rollte ins Bad und warf einen Blick in den Spiegel. Haar und Hose mussten so bleiben, dafür hatte sie keine Zeit mehr, aber auf dem Shirt klebten Flecke von der Schokolade, die sie beim Rätseln genascht hatte. Rasch rollte sie ins Schlafzimmer hinüber, zog das Shirt aus, warf es in den Wäschekorb, legte einen BH an und streifte eine marinefarbene Bluse über. Als sie sie zuknöpfte, klopfte es bereits an der Wohnungstür. Hektisch fuhr Rebecca noch einmal ins Bad, um dort ihre durch den Kleiderwechsel vollkommen ruinierte Frisur zu richten.

Als sie Jens die Tür öffnete, war sie gestresst, bemühte sich aber um Coolness.

Er lehnte an der Wand gegenüber, die Hände hinter dem Rücken.

«Was hat denn so lange gedauert?», fragte er.

«Ich hatte einen Platten. Komm rein, später Gast.»

Sie rollte vor ihm in ihre Wohnung, und als sie sich umdrehte, hielt er ihr ein Päckchen Mozartkugeln entgegen.

«Ich hab mir gedacht, du bekommst jetzt schon welche, damit das mit dem Nachdenken besser klappt.»

Rebecca nahm sie ihm ab. «Du bist zu liebenswürdig.»

Sie gab ihrer Stimme einen leicht ironischen Klang, fühlte aber in ihrem Inneren diese Wärme aufsteigen, die sie häufig spürte, wenn sie Jens privat sah. Und jetzt, da er zum ersten Mal in ihrer Wohnung war, hatte diese Wärme eine ganz andere Intensität.

«Möchtest du etwas trinken? Ich habe guten Rotwein da.»

«Billiger würde für mich auch reichen, ich schmecke den Unterschied ohnehin nicht. Aber ich nehme gern ein Glas.»

«Banause», sagte Rebecca, rollte in die Küche hinüber und zog eine Flasche Primitivo aus dem Holzständer unter dem Tisch.

«Kannst du entkorken?»

Sie hielt Jens die Flasche hin.

«Natürlich!» Er nahm sie ihr ab, und sie reichte ihm den Korkenzieher. «Hübsche Kombination übrigens», sagte Jens und deutete mit einem Nicken auf ihre Kleidung.

«Ist der Überraschung deines Besuchs geschuldet.»

Jens entkorkte den Wein und drehte den Korken vom Korkenzieher. Er fiel ihm aus der Hand und rollte unter den Tisch.

«Nimm die hier», sagte Rebecca, bevor Jens unter den Tisch kriechen konnte, nahm die Greifhilfe vom Haken an der Tür und reichte sie ihm.

«Was ist das?», fragte er.

«Sechzig Zentimeter Glückseligkeit. Erleichtert das Leben ungemein, wenn man eine Beinlänge zu kurz ist.»

Jens probierte die Greifhilfe aus und fischte dann den Korken unter dem Tisch hervor.

«Cooles Teil.»

«Ich hab eine in jedem Raum.»

«Schenkst du mir die? Das Bücken fällt mir immer schwerer.»

«Nee. Gerade wenn es weh tut, solltest du dich bücken. Nimmst du bitte die Flasche mit?»

Rebecca transportierte in ihrem Schoß zwei Weingläser hinaus in den Wintergarten und stellte sie auf den Tisch.

«Was für ein Urwald», sagte Jens. «Soll ich mal mit einer Heckenschere vorbeikommen?»

«Untersteh dich. Das sind allesamt seltene Pflanzen von ganz weit her.»

«Echt? Die da sieht aber aus wie eine Yuccapalme von Ikea.»

«Mich darfst du beleidigen, aber nicht meine Pflanzen. Die sind nachtragend.»

Jens goss den Wein in die Gläser.

«Man kann dich von der Straße aus sehen, wenn du hier sitzt», bemerkte er.

«Du hast mich beobachtet?»

«Unabsichtlich, als ich nach einem freien Parkplatz suchte. Du sahst nachdenklich aus.»

«Wegen deines Rätsels. Ich komme einfach nicht drauf, was Rosaria mit Corsastraße gemeint haben könnte.»

«Oder was sie gesagt hat, das ihre Eltern als Corsastraße verstanden haben.»

Jens setzte sich ihr gegenüber.

«Wie man es auch dreht, ich komme trotzdem nicht drauf.»

«Vielleicht kannst du mir auf eine andere Art helfen.»

«Mit meinem Blickwinkel von der Wasseroberfläche aus?»

«Genau.»

Jens reichte ihr ein Glas, und sie stießen an. Obwohl er ihrem Blick sonst meistens auswich, hielt er diesmal eine Weile stand, und es war Rebecca, die zuerst ihr Glas hob und in die rubinrote Flüssigkeit blickte.

Nach kurzem Schweigen erzählte Jens ihr, was er von Rolf Hagenah erfahren hatte.

Rebecca hörte aufmerksam zu und dachte anschließend laut nach.

«Rosaria Leone wurde in einem Kanal gefunden. Der Mann, der den Krankenpfleger tötete, nutzt die Kanäle zur Fortbewegung. Wenn man diesem Gerücht Glauben schenken will, haben wir hier eine Verbindung, die vielleicht auf einen Mehrfachtäter hinweist?»

«Das ist die Hunderttausenddollarfrage, nicht wahr! Sind wir jemandem auf der Spur, der schon häufiger getötet hat? Lässt er seine Opfer in den Kanälen verschwinden? Und wenn ja, wie viele liegen da unten? Rosarias Leiche wäre ohne den Bagger nie entdeckt worden. Du kennst dich doch aus auf den Wasserwegen der Stadt. Kann man sich darauf unerkannt fortbewegen und Leichen verschwinden lassen?»

Rebecca dachte einen Moment nach und nickte dann.

«Gerade im Dunkeln geht das schon. Die Ufer sind teilweise dicht bewachsen, man kann von Kanal zu Kanal wechseln, außerdem wundert sich niemand, dort nachts ein Kanu zu sehen.»

«Sogar du bist nachts unterwegs.»

«Und ich bin nicht die Einzige.»

«Also ist es möglich?»

«Sicher. Aber ich finde es umständlich, auf einem engen Boot eine Leiche zu transportieren. Das geht doch viel besser in einem Auto.»

«Vielleicht hat er die Leiche von Jana Heigl ja mit dem Wagen abtransportiert und wurde dabei von Oliver Kienat beobachtet», sagte Jens.

«Eine Leiche macht keine blutigen Handabdrücke an Glasscheiben», wandte Rebecca ein.

«Okay. Also lebte sie zu dem Zeitpunkt noch. Und lebt vielleicht immer noch. Bei Rosaria Leone lagen zwischen ihrem Verschwinden und dem Auffinden ihrer Leiche zwei Monate. Die Gerichtsmediziner gingen davon aus, dass sie zu dem Zeitpunkt bereits circa einen Monat tot war. Er hat sie also gefangen gehalten. Wenn er derjenige ist, tut er das womöglich auch mit Jana Heigl.»

Rebecca nickte.

«Wir müssen uns also fragen, wo jemand, der sich mit den Kanälen auskennt, sein Versteck haben könnte.»

16.

Den silbernen Ohrring in Form einer Indianerfeder in ihrer Faust verborgen, trat Leni in die Nacht hinaus.

Es war zehn nach elf.

Vivien hatte den Schmuck an jenem Abend im Club getragen, als Leni sie auf dem Schoß des Mannes mit dem fehlenden kleinen Finger an der linken Hand gesehen hatte. Selbst wenn sie ihn bei ihrem überstürzten Auszug verloren hatte, erklärte das noch nicht, wie er nach ganz hinten in das dunkle Reich des Kleiderschranks gelangt war.

Und es erklärte ebenfalls nicht, weshalb Vivien nicht verzweifelt danach suchte – millionenschwerer Bootsmann hin oder her. Sie hatte Leni erzählt, wie sehr sie an dem Schmuck hing, und selbst wenn sie danach gesucht, ihn aber nicht gefunden hatte, hätte sie das doch in der kleinen Notiz erwähnt, die sie unter Lenis Tür durchgeschoben hatte.

Das alles passte hinten und vorne nicht und bereitete Leni Kopfzerbrechen. Sie hatte lange mit sich gerungen, ob sie es noch heute tun oder lieber bis morgen warten sollte. Aber wenn Vivien in Gefahr war, könnte es morgen zu spät sein.

Dieser Gedanke war es, der sie letztlich noch einmal aus dem Haus trieb. Die bleierne Müdigkeit, die sie nach dem Verlagsempfang gespürt hatte, war verflogen. Seit sie sich in dem Wandschrank versteckt hatte, war sie hellwach und würde sowieso nicht schlafen können.

Zum letzten Mal hatte sie sich mit vierzehn so gefühlt, als sie zusammen mit ihrer Mutter vor ihrem Vater geflohen war. Sie hatten Todesangst gehabt und nicht gewusst, wohin sie sich wenden sollten, aber wenigstens hatten sie einander gehabt. Zwei Menschen, die sich aufeinander verlassen konnten, schafften alles. Angst schrumpfte, wenn man über sie sprach. Auch jetzt hätte Leni gern jemanden an ihrer Seite gehabt, aber da war niemand. Sie war allein. Der einzige Mensch, dem sie in dieser Stadt vertraute, war Vivien. Ein weiterer Grund, alles daranzusetzen, sie zu finden.

Leni hoffte, dass sich ihre Befürchtungen in den nächsten

Minuten in Luft auflösen würden. Während sie über die Straße auf das Hausboot zuging, malte sie sich aus, wie Vivien ihr die Tür oder die Luke, oder wie auch immer man das auf einem Boot nannte, öffnete; in knappen Dessous, das Haar zerzaust, ein seliges Lächeln im Gesicht, weil sie endlich ihren Millionär gefunden hatte. Und dann würde sie Leni um den Hals fallen, wenn sie ihr den Ohrschmuck zeigte.

Nur wegen der kleinen silbernen Indianerfeder traute sie sich überhaupt zu dem Hausboot hinüber. Sie konnte nicht einfach hingehen und sagen, ich suche meine Freundin, was haben Sie mit ihr gemacht. Aber sie konnte hingehen, weil sie den Schmuck gefunden hatte und ihn Vivien wiedergeben wollte. Klar, wenn sie nicht auf dem Hausboot war, würde es peinlich werden. Aber Hendrik ten Damme hatte sie auf dem Verlagsempfang eingeladen, ihn einmal auf seinem Boot zu besuchen, um seine Klassiker der Weltliteratur zu bestaunen. Wenn es wirklich sein Boot und er zu Hause war, dürfte er also eigentlich nicht abweisend reagieren.

Lenis Herz schlug wie verrückt, als sie vor dem schmalen Steg stand, der zu dem Hausboot hinüberführte. Drüben war alles dunkel. Unter dem Steg lag glatt, schwarz und undurchdringlich das Wasser. Das Licht der Straßenlaternen brach sich darin, und es glänzte wie Öl. Der Steg bestand aus Metallgittern, durch die man die Wasseroberfläche sehen konnte, wenn man hinüberging.

Leni schluckte trocken.

Sie hasste Wasser und hatte nie schwimmen gelernt. Es hatte diverse Versuche gegeben in ihrer Kindheit, auch von der rabiaten Art, wenn ihr Vater dabei gewesen war, letztendlich waren sie aber alle gescheitert. Woher diese Angst kam, wusste sie nicht. Sie war niemals beinahe ertrunken, niemand hatte sie je unter Wasser gedrückt, es schien einfach so, als reagierte ihr Verstand allergisch auf das nasse Element. Leni hatte das nie als Problem empfunden, es war ihr nicht wichtig, ins Freibad oder an den Strand zu gehen.

In diesem Moment, da sie ihren Fuß auf das Metallgitter setzte, wurde es aber doch zu einem Problem. Die Konstruktion würde halten, rechts und links verliefen in Brusthöhe Geländer, sodass nicht die Gefahr bestand, auszurutschen und in den Kanal zu fallen, und doch legte sich eine Panikklammer um ihren Brustkorb.

Trau dich, sagte Leni zu sich selbst. Genau diese Schritte gehören zu einem eigenständigen Leben.

Sie ging langsam, hielt sich an den Geländern fest und fixierte den Aufbau. Bloß nicht ins Wasser schauen, in diese schwarze Suppe, unter deren Oberfläche alles Mögliche lauern konnte.

Schritt für Schritt kämpfte sie sich vorwärts und atmete erleichtert aus, als sie drüben ankam. Bevor sie einen Fuß auf die polierten Planken des Hausbootes setzte, hielt Leni noch einmal inne.

Ihr war bewusst, dass sie in diesem Moment fremdes Eigentum betrat, quasi einen Einbruch beging. Den zweiten an diesem Abend. Das passte überhaupt nicht zu ihr.

Wo der Steg am Boot befestigt war, gab es keine Tür oder Pforte, man konnte einfach so an Bord gehen. Leni betrat die Planken. Sie hatte erwartet, dass der Kahn unter ihrem Gewicht schaukeln würde, doch er fühlte sich an wie fester Boden.

Vor ihr ragte eine Panoramascheibe auf, hinter der die Vorhänge zugezogen waren. Eine Tür sah Leni nicht. Wie machte man sich auf so einem Boot bemerkbar? Gab es irgendwo eine Klingel wie an einer normalen Haustür?

Leni ging an dem zweigeschossigen Aufbau entlang zum

Bug, um dort nach einem Eingang zu suchen. Der Platz war eng bemessen, und es gab hier keine Reling. Ein falscher Schritt würde direkt ins Wasser führen. Mit einer Hand stützte Leni sich an dem glatten Holz der Wand ab, mit der anderen hielt sie die Balance.

Am Bug war reichlich Platz. Dort befand sich so etwas wie eine Terrasse. Zwischen Stühlen, Liegen und einem Tisch stand sogar eine Palme, und endlich fand Leni auch eine Tür. Von einer normalen Haustür unterschied sie sich lediglich durch das Bullauge in Gesichtshöhe.

Eine Klingel gab es jedoch nicht.

Leni war unschlüssig. Sollte sie klopfen? Mitten in der Nacht?

Der Federschmuck in ihrer Hand verlieh ihr Mut. Sie hob die Hand und klopfte gegen die hölzerne Tür. Zuerst zaghaft, dann nachdrücklicher, eine Reaktion bekam sie jedoch nicht.

Plötzlich kam sie sich lächerlich vor.

Vielleicht war Hendrik ten Damme gar nicht der Bootsmann? Sicher gab es in dieser Stadt viele Menschen, denen ein Finger fehlte. Vivien konnte überall sein. Es gab mehr als genug Gründe, diesen Unfug abzubrechen, aber Leni wollte nicht vorschnell aufgeben. Sie könnte ja wenigstens noch einmal um den Hausaufbau herumgehen und nachschauen, ob es einen Hinweis auf Vivien gab.

Als sie um die Ecke trat, prallte sie mit einer hochaufgeschossenen, schwarzen Gestalt zusammen. Zwei kräftige Arme stießen sie vor die Brust, sie taumelte zurück und fiel rücklings über Bord in den Kanal.

Bevor sie schreien konnte, schloss sich das Wasser über ihr und drang in ihren Mund ein.

KAPITEL 4

1.

Eine Leiche zu entsorgen war nicht einfach.

Wenn man es ordentlich machen wollte, war es sogar eine richtig schwierige Aufgabe, und niemand zollte einem dafür den Respekt, den man verdiente.

Die Sache mit dem Kaninchendraht hatte er sich ausgedacht, und auch wenn es ein wenig albern klang und sicher alles andere als sexy war, erfüllte es doch in vollem Umfang seinen Zweck. Kaninchendraht war äußerst reißfest und dazu sehr engmaschig, zumindest die Sorte, die man auch zur Wühlmausabwehr nutzen konnte. Wenn eine Leiche sich unter Wasser langsam zersetzte – und das taten sie alle –, bestand dank der engen Maschen nicht die Gefahr, dass sich größere Stücke lösten und an die Oberfläche trieben. Die kleinen Fetzen, die es doch durch den Draht hindurchschafften, wurden von den Fischen gefressen oder fielen gar nicht weiter auf.

Zudem ließ sich mit dem Draht ein kompaktes Paket schnüren, das man mit Gewichten beschweren konnte, damit die Leiche auf dem Grund des Kanals blieb.

Ohne die Baggerarbeiten vor zwei Jahren hätten sie die Leiche nie gefunden. Die anderen beiden waren bis heute unentdeckt geblieben, denn aus diesem Fehler hatte er gelernt: Er versteckte sie nur noch in den kleinen Kanälen, in denen nicht so häufig oder gar nicht gebaggert wurde. Die Fleete fielen leider

211

weg, da sie tidenabhängig waren und bei extremem Niedrigwasser komplett trockenfielen.

All das musste man bedenken und zudem die nötige Kraft und das Geschick aufbringen, ein solches Paket in ein wackeliges Kanu zu verladen und auch wieder über Bord zu wuchten, ohne zu kentern.

Vier Rollen vernickelten Kaninchendraht von der besonders engmaschigen Sorte hatte er schon vor einigen Wochen gekauft. In verschiedenen Baumärkten außerhalb der Stadt auf dem Lande, denn dort war das ein häufig verkaufter Artikel. Seit die Leiche der Italienerin bei Baggerarbeiten entdeckt worden war, musste er auch deshalb aufpassen. Polizisten waren nicht dumm. Wahrscheinlich hatten sie die Baumärkte in der Stadt darauf hingewiesen, auf einen Käufer zu achten, der größere Mengen dieses Drahtgeflechts kaufte.

Zwei Rollen reichten für eine Leiche, die beiden weiteren hätten zum Aufbau eines Vorrats dienen sollen, waren jetzt aber auch schon wieder verplant.

Diesmal wickelte er keine Pflastersteine mit ein, sondern runde Stahlplatten, von denen jede ein Gewicht von fünf Kilo hatte. Die hatte er im Internet bestellt, in drei verschiedenen Shops für Fitnessbedarf. Eigentlich waren sie dazu gedacht, auf Lang- oder Kurzhanteln gesteckt zu werden. Die dazu notwendigen Stangen hatte er gleich mitbestellt, obwohl er sie nicht brauchte, da er in einem Studio trainierte, aber so fiel es weniger auf. Man stelle sich nur einmal vor, diese Leiche gelangte durch irgendeinen blöden Zufall ans Tageslicht und die Bullen ermittelten ihn, weil er fünfzig Kilo Hantelscheiben à fünf Kilo die Scheibe ohne die notwendigen Stangen bestellt hatte.

Nein, so ein dummer Fehler durfte ihm nicht passieren.

Das Einwickeln der nackten Leiche war keine schöne Aufga-

be. Ihre Haut war so merkwürdig teigig und hatte keine Spann-
kraft. Beinahe fühlte es sich an, als würde er altes, feucht ge-
wordenes Brot anfassen. Das war widerlich. Er musste sich dazu
zwingen, an etwas Schöneres zu denken.

An Rosaria zum Beispiel.

Weil sie die Erste – und weil sie seiner Frau so ähnlich gewesen war. Das gleiche einnehmende Wesen, die Klugheit,
die Schönheit, das kleine Quäntchen überschüssiges Selbstbewusstsein. Ob sie auch so bestimmend und herrschsüchtig war,
wusste er nicht, denn im Verlies war sie schnell zusammenge-
brochen und hatte sich gefügt.

Sie hatte ganz besondere Augen gehabt. Sehr ausdrucks-
stark. Während ihrer Gefangenschaft hatte er es nicht einmal
geschafft, ihr in die Augen zu sehen, und nur wegen der Drogen hatte er es über sich gebracht, seine Hände um ihren Hals
zu legen und zuzudrücken. Die Tabletten waren ein Hilfsmittel
gewesen, das er heute nicht mehr brauchte. Nicht, dass es ihm
jetzt leichtfiel, aber es ging zumindest besser als noch vor zwei
Jahren.

Seine Entwicklung schritt erfolgreich fort. Darum war es ja
so wichtig, in dieser Phase keine Unterbrechung zuzulassen. Er
verstand das.

Mit Rosaria hatte sein Wandel begonnen. Abgeschlossen war
er noch lange nicht. Und deshalb musste er weitermachen, auch
wenn es abstoßend und anstrengend war, sich mit den Leichen
abzumühen.

Er legte ihr noch eine Gewichtsscheibe auf den Bauch und
wickelte eine weitere Lage Kaninchendraht um sie. Inklusive
Körpergewicht wog das Paket am Ende neunzig Kilo.

Viel zu viel, um es allein zu bewegen.

Er brauchte Hilfe.

2.

Freddy pumpte wie verrückt auf dem Brustkorb der Frau herum und versuchte, ihr dabei keine Rippen zu brechen. Trotz seiner völlig durchnässten Kleidung, die wie eine zweite Haut an seinem Körper klebte, fror er nicht. Zum einen, weil die Wiederbelebung anstrengend war, zum anderen, weil er furchtbare Angst hatte, sie getötet zu haben.

In der Dunkelheit hatte er sie nicht sofort als Frau erkannt und sich angegriffen gefühlt, als sie plötzlich um die Ecke kam. Aus einem Reflex heraus hatte er die Hände hochgerissen und sie von sich gestoßen. In Anbetracht der Lage war ihm doch gar nichts anderes übriggeblieben, als sich zu verteidigen! Aber niemanden würde das interessieren, wenn sie starb. Wer glaubte schon einem Penner?

Verzweiflung und Angst ließen Freddy immer stärker pumpen, verhalfen ihm zu ungeahnter Kraft und Durchhaltevermögen.

Plötzlich schoss eine Wasserfontäne aus dem Mund der Frau, und Freddy heulte auf vor Freude. Sofort drehte er sie auf die Seite und schlug ihr kräftig auf den Rücken. Hustend und spuckend erbrach sie jede Menge Wasser. Er war noch nie so froh gewesen, jemanden kotzen zu sehen.

«Ja, komm schon, lass es raus!», rief er und lachte lauthals. Er konnte nicht anders, die Erleichterung war zu groß. Scheiße, er hatte sich schon im Gefängnis gesehen!

Die Frau hörte auf zu spucken, keuchte aber angestrengt und wurde von Krämpfen geschüttelt. Sie zitterte am ganzen Körper.

Als Freddy sich über sie beugte, zuckte sie vor ihm zurück und schrie auf.

«Keine Angst, keine Angst, ich tue dir nichts. Ich hab dich aus dem Wasser gezogen!»

Verwirrt blickte sie ihn aus großen Augen an. Offenbar hatte sie Probleme, sich an das Geschehene zu erinnern.

«Wo ist Vivien?», fragte sie.

«Wer? Ich kenne keine Vivien, und hier ist sonst auch niemand.»

«Der Mann … er hat mich ins Wasser gestoßen …», stammelte sie und blickte um sich.

Einen Moment dachte Freddy darüber nach, so zu tun, als sei nicht er das gewesen, entschied sich dann aber für die Wahrheit. Er hatte in seinem Leben schon viel zu viel gelogen.

«Tut mir leid, das war ich, aber es war ein Unfall, ich wollte das nicht, das musst du mir glauben.»

Sie starrte ihn an, und Freddy war sich nicht sicher, ob sie überhaupt begriff, was er sagte. Erstaunlich, wie laut ihre Zähne klapperten!

«Ein Unfall?», fragte sie.

Ihre Lippen waren blau vor Kälte, in ihre Wangen kehrte jedoch Farbe zurück.

«Ja, ein Unfall, ich schwöre. Wir müssen dich irgendwie warm kriegen. Wohnst du auf dem Hausboot?»

Freddy war ihr ohne lange zu überlegen hinterhergesprungen und hatte sie ein Stück weit von dem Hausboot entfernt an einer flachen Stelle an Land gezogen. Sie lag auf einem mit Gras bewachsenen Uferstück neben einem riesigen, mit einem Metalltor abgesperrten Entwässerungsrohr, das unter die Straße führte.

«Ich … nein, ich suche Vivien.»

«Okay, okay … wo wohnst du? Du musst sofort unter eine heiße Dusche und trockene Kleidung anziehen.»

Nicht nur du, dachte Freddy, der die Kälte jetzt auch deutlich spürte.

Sie hustete noch einmal und spuckte aus.

Freddy half ihr, sich aufzusetzen.

«Wer sind Sie?»

«Mein Name ist Frederic. Ich war zufällig auf dem Hausboot, und du bist in mich hineingerannt. Es war ein Unfall.»

In der Dunkelheit konnte er ihre Augen kaum sehen und wusste nicht, ob sie ihm glaubte. Sie schien aber keine Angst mehr vor ihm zu haben.

«Wohnst du in der Nähe?», versuchte er es noch einmal.

«Da vorn, in der Villa … vorübergehend.»

«Okay, das ist gut. Komm, ich helfe dir hoch.»

Mühsam kam sie mit seiner Hilfe auf die Beine. Er wollte ihr einen Arm unter die Achseln legen, doch sie wich erschrocken zurück.

«Es … es geht schon.»

Nach zwei torkeligen Schritten ging es dann aber doch nicht mehr. Sie wäre gestürzt, hätte Freddy sie nicht gehalten.

«Lass dir doch helfen. Ich tue dir schon nichts.»

Sie war zu schwach, um auf seine Hilfe zu verzichten, und gab ihre Gegenwehr auf. Schwer wie der sprichwörtliche nasse Sack hing sie an ihm. Zusammen überquerten sie die menschenleere Straße, und für einen Moment fragte Freddy sich, was wohl eine zufällig vorbeikommende Polizeistreife bei ihrem Anblick denken würde.

«Da drüben», sagte die Frau und zeigte auf eine prachtvolle, mit Stuck verzierte Villa.

«Ist jemand zu Hause, der sich um dich kümmern kann?»

«Nein, ich … ich wohne allein dort. Kurz … fri … fris … mir ist so kalt …»

Tatsächlich fühlte sie sich an wie ein Sack voll Eis. Freddys Sorge wuchs. Sollte er besser einen Rettungswagen rufen? Immerhin war die Frau für ein oder zwei Minuten weggetreten. Ob sie nur bewusstlos oder tatsächlich schon auf der anderen Seite gewesen war, wusste Freddy nicht.

Er verwarf den Gedanken, um nicht erklären zu müssen, was er als Obdachloser auf dem Hausboot gewollt hatte. Lieber beeilte er sich, sie ins Haus zu schaffen. Eine heiße Dusche würde sicher Wunder bewirken.

Zum Glück war die Haustür nicht abgeschlossen.

«Wo müssen wir hin?», fragte er drinnen.

«Vierter Stock … bei Egbert …»

«Wo ist der Fahrstuhl?»

«Es gibt keinen.»

«Okay, gut, dann muss es auch so gehen. Ich helfe dir. Zusammen schaffen wir das schon.»

Als sie den vierten Stock erreichten, war Freddy vollkommen erschöpft, fror aber wenigstens nicht mehr. Im Großen und Ganzen hatte er die Frau die Stufen hinaufgetragen, und sie war nicht gerade leicht.

«Hast du einen Schlüssel?»

«Ist auf.»

Merkwürdig, dachte Freddy. Es ist mitten in der Nacht, und doch sind weder Haus- noch Wohnungstür verschlossen.

Er drückte die Tür auf und fand sich in einem unmöblierten, schmalen und verwinkelten Flur wieder, von dem einige Türen abgingen. Kleine Wandlampen spendeten dämmriges Licht.

«Da entlang, mein Zimmer ist ganz hinten», sagte die Frau.

Plötzlich ging mitten auf dem langen Gang eine Tür auf. Ein Mann mit tiefbrauner Haut, nur in Unterhose gekleidet, wankte auf eine andere Tür zu und verschwand dahinter, ohne sie zu bemerken. Dabei kratzte er sich am Arsch.

«Was ist das hier?», fragte Freddy. «Eine WG?»

«BedtoBed-Zimmer ... die ganze Wohnung.»

«Ach so!»

Die Zimmertür am Ende des Ganges war abgeschlossen, und es dauerte eine ganze Weile, bis die Frau den Schlüssel aus der vorderen Tasche ihrer Jeans geklaubt hatte. Natürlich konnte Freddy ihr dabei nicht helfen.

Schließlich schwang die Tür auf, und er bugsierte sie in ein großes, feudal eingerichtetes Zimmer.

«Wo ist die Dusche?»

«Auf dem Gang. Wo der Mann reingegangen ist.»

Freddy entdeckte ein Handtuch über einem Heizkörper, schnappte es sich und schob die Frau wieder auf den Flur hinaus. Just in dem Moment kam der Gebräunte aus dem Bad und taumelte schlaftrunken zurück in sein Zimmer. Wieder bemerkte er sie nicht.

Freddy begleitete die Frau bis ins Badezimmer. Es war groß, stilvoll eingerichtet und bot sowohl eine Badewanne wie auch eine Dusche hinter einer Glaswand.

«Badewasser einzulassen dauert zu lange. Na los, zieh dich aus», drängte er sie und regulierte den Einhandmischer der Dusche, bis warmes Wasser kam.

Sie stand hinter ihm und nestelte an den kleinen Knöpfen der weißen Bluse herum, bekam sie mit ihren klammen Fingern aber nicht auf. Verzweifelt sah sie ihn an.

«Lass dir helfen, ich verspreche, ich schaue nicht hin.»

Sie schlotterte und schniefte, während Freddy sich mit den

Knöpfen abmühte. Auch er hatte seine Probleme damit, denn seine Finger wurden zunehmend kalt und taub.

«Sie … Sie müssen auch …», sagte die Frau.

«Ja, nach dir. Ich hole Kleidung aus dem Zimmer und warte vor der Tür.»

Sie rührte sich nicht.

«Na los, mach schon!», fuhr er sie an und verließ das Bad.

In ihrem Zimmer drehte er den Wasserhahn über dem kleinen Waschbecken auf und ließ sich warmes Wasser über die Finger laufen, bis sie zu schmerzen begannen. Dann machte er sich auf die Suche nach Kleidung. Er fand welche, sauber und ordentlich einsortiert in einem übergroßen Wandschrank.

Natürlich nur Frauenkleidung, und dazu noch viel zu klein, dachte Freddy wehmütig mit Blick auf seine eigenen nassen Sachen.

Er besaß nur, was er am Körper trug.

3.

Lautlos öffnete sich die schwere Holztür. Die schwarzen Eisenbeschläge waren teilweise verrostet, und auch die Scharniere zersetzten sich in der dauerhaft feuchten Luft, aber sie waren gut geschmiert.

«Er kommt!», zischte Nummer sieben. «Denk daran, was ich dir gesagt habe!»

Vivien nickte. Sie war ohnehin stumm und starr vor Angst und hätte nicht sprechen können, selbst wenn sie es gewollt hätte.

Er kommt, er kommt, hämmerte es in ihrem Kopf.

Der Mann, der sie entführt und in dieses Verlies gebracht hatte. Der Mann, vor dem Vivien sich unsagbar fürchtete. Nummer sieben hatte von ihm erzählt und Ängste geschürt, die Vivien bisher nicht für möglich gehalten hatte. Sie erwartete ein Monster, unsagbar böse und zu allem fähig.

Denk daran, was ich dir gesagt habe!

Vivien dachte an nichts anderes als die Regeln, die Nummer sieben ihr erklärt hatte. Vivien würde sich daran halten, ausnahmslos, denn sie wollte nicht sterben.

«Du bist Nummer acht. Ich bin Nummer sieben. Das sind unsere Namen, andere dürfen wir nicht verwenden. Du musst alles tun, was er von dir verlangt, hörst du! Alles! Sonst werden wir sterben.»

Während sie die Regeln erklärte, hatte Vivien ihren Blick nicht von der Frau wenden können, die in der gegenüberliegenden Zelle am Gitter stand. Sie war nackt und hatte blaue Flecke am ganzen Körper sowie am Rücken blutige Striemen.

Sie war schwer misshandelt worden, daran gab es keinen Zweifel, und Vivien war voller Mitleid für sie. Nicht zuletzt deswegen hielt sie sich bisher konsequent an Regel Nummer eins: schweigen!

Wer schweigt, überlebt, stand auf dem Schild an der steinernen Stütze, die die Gewölbedecke trug.

Schweig, schweig, schweig, hatte Nummer sieben gesagt, oder deine Worte werden uns töten. Zuerst mich, dann dich.

Und nun kam er!

Der Herr des Hauses.

Er trat durch eine schwere Eichentür, die Vivien bisher noch nicht einmal entdeckt hatte, weil sie versteckt im Dunkeln lag.

Als er ins Licht trat, stieß Vivien trotz aller Warnungen ein undefinierbares Geräusch aus, mehr tierisch als menschlich. Es war dem Schreck geschuldet, den sein Anblick bei ihr auslöste.

Zuerst dachte Vivien, er sei missgestaltet, ein wahres Monstrum, doch dann begriff sie, dass er einen schwarzen Neoprenanzug trug. Sein Gesicht war davon eingerahmt, und die verbliebene freie, ovale Fläche von einer großen Tauchmaske verdeckt. Nur der Mund blieb frei.

«Vom Gitter zurücktreten», befahl er.

Sofort entfernte sich Nummer sieben von den Metallstreben. Vivien befand sich ohnehin im hinteren Bereich ihrer Zelle, wo sie sich sicherer fühlte.

Der Mann hielt einen kleinen Gegenstand in der Hand, den er jetzt nach vorn ausstreckte. Die Zellentüren fuhren auf Schienen beiseite.

Dann warf er ein schmales Paket in jede Zelle.

«Anziehen, aber schnell.»

Noch bevor Vivien überhaupt reagieren konnte, trat Nummer sieben vor, zog einen von diesen dünnen weißen Schutzanzügen aus dem Päckchen, wie sie Maler oder Spurentechniker der Polizei trugen, und streifte ihn über ihren nackten Körper.

«Mach schon!», fuhr der Taucher Vivien an.

Sie zog den Anzug ebenfalls über. Er fühlte sich kalt an.

«Und jetzt kommt raus, es gibt etwas zu tun für euch.»

Der Taucher ging voran. Nummer sieben folgte ihm willfährig. Sie warf Vivien im Vorbeigehen einen kurzen Blick zu, von unten herauf, aus einer demütigen Haltung, und dieser Blick sollte wohl heißen, dass sie ihr folgen sollte. Also folgte sie ihr.

Zum ersten Mal, seit sie in diesem Verlies erwacht war, durfte sie die Zelle verlassen. Vivien wusste nicht, wie viel Zeit vergangen war, vielleicht ein, zwei Tage. Aber sie konnte sich auch täuschen, denn die Angst verzerrte die Wahrnehmung.

Nummer sieben trat durch die geöffnete Eichentür, wandte sich nach rechts und verschwand aus Viviens Blickfeld. Für einen Moment war sie ganz allein in dem Verlies, und der Gedanke an Flucht schoss ihr durch den Kopf. Aber wohin hätte sie fliehen sollen? Es gab keinen Ausgang. Besser, sie tat erst einmal, was der Taucher von ihr verlangte, und wartete auf ihre Chance.

Hinter der Eichentür erwartete sie eine Überraschung.

Vivien trat in ein halbrundes, aus dunklem Stein gemauertes Gewölbe, an dessen Decke sich Lichtreflexe brachen. In einem vielleicht zwei Meter schmalen Kanal in der Mitte des Gewölbes, der rechts und links von gepflasterten Flächen gesäumt war, floss Wasser. Verrostete Metallpoller wuchsen wie Pilzköpfe aus dem Pflaster empor. An einem der vier Poller lag ein Boot vertäut, ein Kanu aus dunklem Holz, in dem zwei Paddel lagen. Das Wasser darunter war tintenschwarz.

Der Kanal führte vielleicht zehn Meter weit auf ein metallenes Gittertor zu, das bis ins Wasser hineinreichte. Was dahinterlag, konnte Vivien nicht erkennen, da es zu dunkel war, aber sie glaubte, einen weiteren, größeren Fluss zu sehen.

Sie dachte an den Kanal vor der Villa, in der sie ein Zimmer gemietet hatte.

Und sie dachte an Leni Fontane. Ging es ihr gut? Suchte sie nach ihr? Hatte sie vielleicht sogar die Polizei informiert, weil sie sich sorgte? Leni war Viviens große Hoffnung, denn sie war die Einzige, die wusste, dass sie verschwunden war.

«Das Paket muss ins Kanu», sagte der Taucher und wies auf etwas am Boden, das Vivien bislang nur am Rande wahrgenommen hatte.

«Ihr beide geht ins Kanu und nehmt die eine Seite, ich die andere», wies der Taucher sie an.

Nummer sieben reagierte sofort und stieg behände in das wankende Boot, so als habe sie das schon Dutzende Male getan. Als Vivien ihr folgen wollte, musste sie nah an dem Gegenstand vorbei. Sie erkannte, um was es sich dabei handelte, schrie auf und wich zurück.

Da lag ein Mensch!

Eine schlanke, nackte Frau, eingewickelt in dünnes, silbernes Drahtgeflecht, so straff um den Körper gewickelt, dass es die leichenblasse Haut am Rücken in sechseckige Segmente unterteilte.

Wimmernd wich Vivien zurück, bis sie die kalte Steinwand des Gewölbes in ihrem Rücken spürte.

Der Taucher trat vor sie, schrie sie an, zeigte mit dem Finger zuerst auf die Leiche und dann auf das Boot, aus dem heraus Nummer sieben etwas sagte, aber Vivien hörte ihre und seine Worte nicht und war auch nicht in der Lage, sich zu bewegen.

Der Mann schlug ihr mit der flachen Hand ins Gesicht, und ihr Kopf flog herum. Dann packte er sie im Nacken, riss sie von der Wand weg und stieß sie dort zu Boden, wo die verpackte Leiche lag.

« … anpacken …»

Nur dieses eine Wort drang zu Vivien durch. Sie wusste, was sie zu tun hatte, konnte es aber nicht. So viele Leichen hatte sie in ihrem Job als Rettungsassistentin gesehen, so viele blutende Wunden, Verstümmelungen, Verheerungen, so oft hatte sie deswegen Tränen vergossen und in der Anfangszeit auch schlaflose Nächte gehabt, aber kein Anblick hatte sie jemals so sehr erschüttert wie dieser.

« … was ich dir sage, oder du endest genauso …»

Nummer sieben stieg aus dem Boot und krabbelte auf allen vieren zu Vivien. Sie nahm sie in den Arm, strich ihr über den Rücken, ihre Papieranzüge knisterten dabei.

«Du musst mir helfen, ich schaffe das nicht allein, und dann bestraft er mich wieder … bitte, lass das nicht zu …»

Ihre Berührungen und Worte beruhigten Vivien ein wenig, und der Wahnsinn zog sich in die Schatten zurück, wo er darauf lauerte, erneut zuzuschlagen.

Schließlich schaffte sie es mit der Hilfe von Nummer sieben, in das Boot zu steigen.

Die Füße der Frau schauten aus dem Drahtgeflecht heraus. Nummer sieben nahm einen, Vivien den anderen. Gemeinsam zogen sie daran, während der Taucher von oben schob. Der Draht kratzte über den Steinboden. Stück für Stück rutschte die Leiche über die Kante in das Boot, und als die untere Seite Übergewicht bekam, kippte sie hinein. Das Boot wackelte, Vivien fiel auf den Hintern. Die Leiche kam quer über dem Boot auf dem Rücken zu liegen.

Vivien erkannte, warum sie so schwer war. Mehrere Hantelscheiben waren unter dem Draht am Körper verteilt. Auf der Brust, dem Bauch, dem Becken. Das Gesicht jedoch war frei, und die Panik griff erneut nach Vivien, als sie erkannte, wer da vor ihr lag.

Das war Jana!

Sie war in dem Zimmer gewesen, das jetzt Leni Fontane bewohnte.

«Sie muss in die Mitte», sagte der Taucher. «So geht das nicht.»

«Fass mit an», verlangte Nummer sieben.

Doch dafür war Vivien viel zu geschockt.

Sie drückte sich so weit wie möglich von der Leiche weg, bis sie die Bootsplanken in ihrem Rücken spürte. Sie hörte sich selbst immer wieder «nein, nein, nein» sagen, ohne dass sie es hätte abstellen können.

«Du sollst mithelfen!», drängte der Taucher von oben.

«Nein, nein, nein!»

Eine flache Hand klatschte Vivien ins Gesicht, brennender Schmerz breitete sich auf ihrer linken Wange aus.

Nummer sieben kam ganz nah heran und schaute sie an.

«Was ist los?», fragte der Taucher.

«Ich glaube, die dreht gerade durch.»

Nummer sieben legte Vivien die Hand unters Kinn, hob ihren Kopf und sah ihr in die Augen.

«Bist du noch da?», fragte sie.

Vivien bekam alles mit, aber für sie spielte es sich in großer Entfernung ab und so eigenartig gedämpft, als ginge es sie nichts an.

«Klapp jetzt bloß nicht zusammen, wir brauchen dich noch.»

«Kannst du nicht …», begann der Taucher, wurde aber rüde unterbrochen.

«Halt doch mal die Klappe!», fuhr Nummer sieben ihn an. «Oder glaubst du, du kriegst das besser hin.»

Sie schlug Vivien ins Gesicht.

«Und du reiß dich mal zusammen, sonst verpacken wir dich auch in Kaninchendraht.»

4.

Leni war allein mit einem fremden Mann auf ihrem Zimmer. Noch dazu mit einem Mann, der sie zuerst in den Kanal gestoßen und danach gerettet hatte – zumindest behauptete er das. Leni musste ihm wohl oder übel glauben – ihre letzte Erinnerung war, wie sie rücklings ins Wasser gestürzt und die Oberfläche über ihr zusammengeschlagen war. In diesem Moment hatte sie mit ihrem Leben abgeschlossen.

Ihr Lebensretter, der sich ihr als Frederic Förster vorgestellt hatte, hockte mit dem Rücken an den Heizkörper gelehnt am Boden. Er war in die zweite Bettdecke gehüllt, seine Kleidung hing über dem Heizkörper. Leider gab der wegen der warmen Außentemperatur nur wenig Wärme ab.

Vor ein paar Minuten war er aus der Dusche zurückgekehrt, frierend und zitternd, während sich in Lenis Kokon unter der dicken Daunendecke bereits Wärme gesammelt hatte. Natürlich konnte sie ihn nicht einfach so wegschicken, solange seine Kleidung nicht getrocknet war. Das verstand sich von selbst.

Er hatte sie aus dem Wasser gezogen.

Ohne ihn wäre sie jetzt tot.

«Was wollten Sie eigentlich auf dem Hausboot?», fragte sie in den Raum hinein. Sie konnte Frederic nicht sehen, dafür war ihre Decke zu dick aufgebauscht.

Seine Antwort ließ einen Moment auf sich warten. Er schien überlegen zu müssen, ob er ihr die Wahrheit sagen konnte.

«Ich suche jemanden», sagte er schließlich.

«Wirklich? Ich auch!»

«Vivien?»

«Ja! Sie kennen sie?» Lenis Herz begann vor Aufregung zu rasen.

«Nein. Aber du hast sie vorhin erwähnt.»

«Ach so.» Leni war enttäuscht. «Und wen suchen Sie?»

«Ich weiß nicht, ob ich dir das sagen sollte.»

«Müssen Sie ja nicht.»

«Versteh mich nicht falsch, es ist nur … na ja … ungewöhnlich und beängstigend.»

Leni drehte sich in eine seitliche Lage und drückte die Decke beiseite, um Frederic sehen zu können.

«Beängstigender, als zu ertrinken?», fragte sie.

Er lächelte matt.

«In gewisser Weise schon. Ich fürchte, ich suche einen Mörder.»

Und dann erzählte er ihr die nahezu unglaubliche Geschichte, wie er nachts auf einer Straße den Mord an einem Autofahrer beobachtet hatte und seitdem von dem Täter, der ihn gesehen hatte, verfolgt wurde. Er gestand ihr, seit einigen Monaten als Obdachloser auf der Straße zu leben, weil seine Firma pleitegegangen war und er all sein Geld verloren hatte. Während er sprach, lachte er ein paarmal trocken auf, aber Leni spürte, dass er damit nur seine Traurigkeit überspielte. Schließlich erzählte er, dass ihn zwei andere Obdachlose beklaut und verletzt hatten, als er sie um Hilfe bat, und dass er daraufhin dem vermeintlichen Mörder gefolgt war. Er hatte den Mann im Kajak in den Kanal an der Eilenau einbiegen sehen, aber nicht mehr gesehen, wo er geblieben war, deshalb hatte Freddy sich entschlossen, auf den Hausbooten nachzusehen. Als er auf Leni stieß, hatte er die anderen Hausboote bereits abgesucht, aber niemanden gefunden.

Nachdem er geendet hatte, schwiegen sie. Frederic starrte vor sich hin, als könne er selbst nicht glauben, was er da gerade erzählt hatte.

Leni wusste nicht, wie sie die Frage stellen sollte, die sich ihr aufdrängte. Aber sie musste natürlich gestellt werden, das verlangte schlichtweg ihre Hilfsbereitschaft.

«Wo ... wo werden Sie heute Nacht schlafen?»

Ohne sie anzusehen, zuckte er mit den Schultern und sagte: «Ich finde schon einen Platz. Das hat die letzten drei Monate auch ganz gut geklappt.»

«Also draußen?»

Er nickte, die Lippen zusammengepresst, das Gesicht wie versteinert.

«Nein, das kann ich nicht zulassen. Ich verdanke Ihnen mein Leben.»

«Das war das Mindeste, schließlich habe ich dein Leben erst in Gefahr gebracht.»

«Trotzdem. Ihre Kleidung ist feucht, Sie sind unterkühlt ... Sie können diese Nacht auf gar keinen Fall draußen schlafen.»

«Und was schlägst du vor?» Jetzt sah er doch zu ihr auf. «Du magst mich ja nicht einmal duzen, da wirst du mich wohl kaum in deinem Bett schlafen lassen.»

«Nicht in meinem, aber es gibt ein anderes freies Bett hier.»

Sie erzählte Frederic von dem Telefonat der Amerikanerin in Viviens Zimmer, die lieber bei ihrem neuen Freund schlief als hier.

«Ich weiß nicht, wie lange sie das Zimmer gebucht hat, vielleicht nur für diese Nacht, vielleicht für länger, aber sie wird sicher nicht zurückkommen. Ich denke, ... *du* ... solltest die Nacht hier verbringen.»

Er hörte aufmerksam zu und nickte schließlich.

«Ich gebe zu, das hört sich gut an. Und es wäre mir recht,

wenn ich heute nicht mehr hinausmüsste. Und du meinst wirklich, das geht?»

Leni nickte.

«Das ist ein Kommen und Gehen hier, und selbst wenn man dich erwischt, wird das kein Problem sein. Ich kenne den Vermieter, wenn ich mit ihm rede, lässt er dich vielleicht sogar länger dort wohnen.»

«Nein nein, auf keinen Fall. Ich will niemandem zur Last fallen», wehrte Freddy ab.

«Dem Mann gehört wohl das Hausboot, auf dem wir uns … na ja, begegnet sind. Er ist ziemlich vermögend, denke ich. Deshalb ist es wohl keine Last für ihn.»

Frederics Augenbrauen zogen sich argwöhnisch zusammen.

«Moment … Damit ich das richtig verstehe. Dem Typen, der diese Wohnungen via BedtoBed vermietet, gehört auch das Hausboot?»

«Hat er gesagt.»

Leni konnte sehen, wie Frederics Miene sich verdüsterte und es hinter seiner Stirn arbeitete.

«Sag mir doch bitte noch einmal, warum du dich in dem Wandschrank versteckt hast, als du das Telefonat dieser Amerikanerin mitgehört hast?»

«Wie schon gesagt, hat vorher meine Freundin Vivien in dem Zimmer gewohnt. Aber die hat auf einer Party einen Millionär kennengelernt und ist spontan zu ihm gezogen … zumindest geht das aus einer Notiz hervor, die sie mir unter der Tür durchgeschoben hat.»

«Aber das glaubst du nicht?»

Leni schüttelte den Kopf. «Ich finde das merkwürdig. Auch weil ich bei Instagram entdeckt habe, dass sie angeblich nach Amsterdam aufgebrochen ist. Davon hat sie mir überhaupt nichts gesagt. Ich mache mir Sorgen um Vivien, deshalb habe ich in ihrem Zimmer nachgeschaut und wurde von der Amerikanerin überrascht.»

«Der Millionär, den Vivien angeblich kennengelernt hat, ist es der, an den ich denke?», fragte Frederic.

«In ihrer Nachricht stand das nicht genau, sie hat ihn nur Bootsmann genannt.»

«Okay, das ist aber schon ziemlich eindeutig. Du hast also auf dem Hausboot nach ihr gesucht?»

Leni streckte eine Hand unter der Decke hervor und griff nach dem Federohrring auf dem Nachtschrank.

«Ja, weil ich das hier im Kleiderschrank in ihrem Zimmer fand. Sie hängt sehr an dem Schmuck, das hat sie mir erzählt, und ich finde es merkwürdig, dass sie nicht danach sucht.»

Mit ernstem Blick sagte Frederic:

«Weißt du, was das bedeutet?»

Leni nickte.

«Wir müssen damit zur Polizei gehen», sagte sie.

Frederic schüttelte den Kopf. «Ich kann nicht zur Polizei gehen. Einem Obdachlosen glauben die sowieso nicht, schon gar nicht solch abstruse Geschichten, außerdem … na ja, ich schulde ein paar Leuten Geld, und die sollen besser nicht wissen, wo ich mich aufhalte.»

«Dann gehe ich allein.»

«Was willst du der Polizei sagen? Du weißt ja nicht einmal, ob deine Freundin nicht vielleicht wirklich nach Amsterdam weitergereist ist. Hast du eigentlich ihre Handynummer?»

Leni schüttelte den Kopf. «Wir kennen uns ja erst, seit ich in der Stadt bin.»

«Und bei Instagram, hast du ihr da geschrieben?»

«Kann man das?»

«Ja, klar! Zeig doch mal dein Handy.»

«Moment, ich …»

Leni wollte aufstehen und nach ihrem Handy suchen, da fiel ihr ein, wo sie es zuletzt gehabt hatte: in der Gesäßtasche der Jeans, die sie für ihren Besuch auf dem Hausboot gegen den unsäglichen Rock ausgetauscht hatte.

Sie sprang aus dem Bett und klaubte die nasse Hose vom Boden auf.

Kein Handy!

«O nein, bitte nicht!», stieß Leni verzweifelt aus.

«Was ist denn?»

«Es ist weg! Ich glaube, es liegt auf dem Grund des Kanals.»

5.

Die Nacht war ruhig und klar.

Jetzt, gegen drei Uhr, war in dieser feinen Gegend in Winterhude kaum noch jemand unterwegs, schon gar nicht abseits der Straßen und Wege auf den Kanälen.

Er stach das Paddel sanft und leise ein und drückte das Kanu langsam vorwärts. Nur keine große Bugwelle oder gar ein Plätschern erzeugen! Für jemanden wie ihn, dem das Kanufahren im Blut lag, war das kein Problem. Wasser war sein Element, sein Freund, es trug und beschützte ihn und nahm ihm ab, was er verstecken musste.

Links und rechts des schmalen Goldbekkanals standen die Bäume in vollem Laub; ein zusätzlicher Sichtschutz, den er zu schätzen wusste. Er benutzte keine Stirnlampe, da er sich auf den Kanälen und Fleeten der Stadt sehr gut auskannte. Es musste sich schon irgendein Schlafloser direkt am Ufer aufhalten, um ihn zu sehen, und das war bisher noch nicht vorgekommen.

Zwischen seinen Beinen lag das Paket.

Was war das für ein Akt gewesen, es ins Boot zu laden!

Die Neue war total durchgedreht. Na ja, man musste das verstehen, immerhin hatte es sogar ihn beim ersten Mal große Überwindung gekostet. Eine Leiche war eben abstoßend, und wie sich der dünne, scharfe Kaninchendraht ins Fleisch drückte und es zerteilte, das war auch kein schöner Anblick. Vielleicht sollte er sich für die nächste etwas anderes überlegen. Wenn er die Leiche vorher in Haushaltsfolie wickeln würde, so richtig dick, das wäre doch eine Lösung. Zum einen sähe man dann kein Fleisch, keine Haut, kein Gesicht mehr, zum anderen würde sich im Wasser ganz sicher nichts mehr von der Leiche lösen. Aber würde sie dann auch verwesen? Das Wasser verzögerte die Zersetzung ohnehin, und wenn die Leiche auch noch mehr oder weniger luftdicht verpackt war, könnte es damit Probleme geben.

Er würde das recherchieren, wenn er wieder zurück war.

Trotz des Pakets zwischen seinen Füßen genoss er die nächtliche Ausfahrt. Gewiss, der Schlaf würde ihm fehlen, aber das war es ihm wert. Hier draußen zu sein, inmitten der Stadt so abgeschieden, das tat ihm gut. Immer häufiger stellte er fest, wie sehr er die Stadt mit all ihren Bewohnern hasste und wie wenig er mit den Menschen anfangen konnte. Ehrlicherweise musste er sich eingestehen, dass er Angst vor ihnen hatte. Sie setzten ihm zu, verunsicherten ihn, engten seinen Lebensraum, seine Seele ein.

Die Stadt machte sein Leben schwer.

Fortzugehen war dennoch keine Option. Jedenfalls nicht für längere Zeit.

Er erreichte den Wiesendamm.

Ein kritischer Moment, da auf der Brücke auch nachts Verkehr herrschte und das Polizeikommissariat 33 direkt am Ufer lag. Von dem mehrgeschossigen Gebäude hatte man einen guten Blick auf den Kanal, und irgendwo brannten da drinnen immer Lichter.

Er fuhr ganz dicht ans linke Ufer, an dem das Polizeikommissariat stand, und hielt sich, soweit es ging, unter den überhängenden Ästen der Bäume versteckt. Dadurch kam er nur langsam voran. Äste und Blätter kratzten ihm über Kopf und Gesicht und erzeugten Geräusche an der Außenhaut des Kanus. Sein Herz schlug schneller, und er spürte die Aufregung wie Fieber in seinem Inneren.

Zumindest stand niemand auf der Brücke, und aus den vorbeifahrenden Autos heraus konnte man ihn nicht sehen.

Als er unter der Brücke hindurch war, atmete er erleichtert aus. Von jetzt an drohte kaum noch Gefahr, entdeckt zu werden. Die Ufer waren dicht bewachsen, auf den Grundstücken standen Villen, ein Stück weiter Schrebergartenhütten. Ruhig und zügig paddelte er am Stadtparksee vorbei, fuhr unter der Südringbrücke hindurch und bog schließlich in den noch schmaleren Barmbeker Stichkanal ein. Dort bildeten die Kronen der Bäume beinahe ein geschlossenes Dach. Hinter der Hauptwerkstatt der Hamburger Hochbahn landete er am linken Ufer an.

Fünf Minuten verharrte er dort vollkommen geräuschlos und beobachtete die Umgebung.

Die Sache mit dem Penner neulich hatte ihm zu denken gegeben. Diese Typen trieben sich wirklich zu allen Zeiten überall in der Stadt herum. Und auch wenn sie meistens besoffen waren, als Zeugen nicht taugten und die Polizei mieden wie der Teufel das Weihwasser, musste er vorsichtig sein.

Während er wartete, dachte er darüber nach, ob er den Penner weiterhin suchen sollte. Es schien keinen Sinn zu ergeben, niemand kannte den Typen, und da er seine Beobachtungen bisher nicht der Polizei gemeldet hatte, würde er es wohl auch nicht mehr tun.

Er verschob die Entscheidung. Sie oblag ja auch nicht ihm allein.

Als er sicher war, nicht beobachtet zu werden, verließ er das Kanu. Langsam und geräuschlos tauchte er ins Wasser. Der Taucheranzug schützte ihn vor der Kälte. Er hielt sich am Rand des Bootes fest, drückte es gegen das Ufer und begann mit den Schaukelbewegungen. Als er genug Schwung aufgebaut hatte, wuchtete er sich mit seinem gesamten Körpergewicht auf die Kante und drückte sie hinunter. Das Paket rutschte zu ihm herüber und sorgte für noch mehr Tiefgang auf dieser Seite. Er griff in den Kaninchendraht – das ging, weil er feste Neoprenhandschuhe trug – und zog das Paket zu sich her. Wasser drang ins Kanu ein, als die Leiche über die Bordwand in den Kanal glitt.

Schnell holte er Luft, schloss den Mund und ließ sich von dem Gewicht der Leiche auf den Grund des Kanals ziehen. Sehen konnte er da unten nichts, das wäre selbst bei Tage nicht möglich gewesen, da das Wasser zu schmutzig war.

Die Leiche schlug auf den Grund auf und blieb liegen. Er tastete herum. Die meisten Uferbereiche waren mit Steinen befestigt, und auch hier fand er welche, die lose herumlagen. Allein das Gewicht der Hantelscheiben sollte die Leiche sicher am Grund halten, aber wie sagte man so schön: Doppelt gemoppelt hält besser.

Also legte er die Steine, die er bewegen konnte, zusätzlich auf die Leiche. Zweimal musste er zwischendurch auftauchen, um Luft zu holen, dann war die Arbeit erledigt.

Aus dem Wasser kam er nicht wieder ins Kanu hinein, also schwamm er ans Ufer, zog das Kanu zu sich heran und stieg von dort aus ein.

Für den Rückweg wählte er den Goldbekkanal und ließ sich Zeit. Sie wartete zu Hause auf ihn, und wahrscheinlich war sie mal wieder schlecht gelaunt.

6.

Als Jens auf das unscheinbare Mietshaus zuging, öffnete sich die Tür, und eine Frau Mitte dreißig mit blonder Pagenfrisur trat heraus. Ihr folgte ein vielleicht vierjähriger Junge mit einem bunten Tornister auf dem Rücken.

Da Jens bis spät in die Nacht hinein recherchiert hatte, erkannte er die Frau sofort.

«Silke Seidel?», fragte er und bemühte sich um einen freundlichen Tonfall. Der fiel ihm am frühen Morgen generell schwer, heute aber besonders. Rotwein war nichts für ihn, das wusste er. Er hätte Rebecca davon abhalten sollen, eine zweite Flasche zu öffnen. Da sie die Gläser immer wieder nachgefüllt hatte, hatten beide eine ganze Flasche getrunken, und das spürte er auch. Sein Kopf brummte und fühlte sich merkwürdig betäubt an, dazu gesellten sich die schmerzenden Muskeln vom Laufen, alles in allem fing der Tag also beschissen genug an, um schlechte Laune zu haben.

«Ja?», sagte die Frau, sah ihn argwöhnisch an und zog ihren Sohn zu sich her.

Jens zeigte seinen Dienstausweis und stellte sich vor.

«Haben Sie Zeit für ein Gespräch?», fragte er.

«Ich bringe den Kleinen gerade zum Kindergarten. Um acht muss er da sein.»

Jens warf einen Blick auf seine Armbanduhr. «Also in zehn Minuten.»

«Richtig. Der Kindergarten ist hier gleich um die Ecke.»

«Haben Sie anschließend Zeit?»

«Worum geht es denn?»

Bevor Jens antwortete, warf er einen Blick auf den Jungen, und das allein schien der Frau zu reichen.

«Alles klar, ich weiß schon», sagte sie und klang alles andere als erfreut. «Ich kann in zehn Minuten wieder hier sein und habe dann ungefähr eine Stunde, bevor ich zur Arbeit muss.»

«Okay, das reicht auf jeden Fall.»

«Bist du wirklich ein Polizist?», fragte Leon Seidel und sah Jens aus großen Augen von unten herauf an.

«Ja, bin ich. Man nennt mich auch Dirty Harry.»

Etwas zu spät fiel ihm ein, dass ein Vierjähriger diesen Film vielleicht nicht kannte.

«Was ist Dörtäri?»

«Ach, nur ein Spitzname. Hast du auch einen Spitznamen?»

«Nö. Ich heiße einfach Leon. Das heißt Löwe.»

«Du siehst auch aus wie ein Löwe.»

«Wieso?»

Auf die Nachfrage war Jens nicht gefasst und musste sich schnell etwas Gescheites aus den Fingern saugen.

«Na ja … wegen deines blonden Haars, und weil du so stark bist.»

«Wenn ich groß bin, werde ich auch Polizist», sagte Leon.

«Wirklich? Warum?»

«Weil die schlauer sind als alle bösen Männer und am Ende immer gewinnen.»

Wenn's doch so wäre, dachte Jens, freute sich aber darüber, dass es wenigstens in dieser Altersklasse noch Respekt und Anerkennung für seinen Beruf gab. In zehn Jahren würde der Kleine ihn Bulle schimpfen, ihm einen Stinkefinger zeigen und mit Pflastersteinen nach ihm werfen.

«Wir müssen los», unterbrach Leons Mutter das Gespräch und zog ihren Sohn mit sich.

«Viel Spaß!», rief Jens ihnen nach.

Der Junge drehte sich um, winkte und schenkte ihm ein strahlendes Lächeln.

Während Jens auf Silke Seidel wartete, fragte er sich, warum er nie den Wunsch verspürt hatte, selbst Kinder zu haben. Irgendwie war so ein Sohn doch cool, oder? Man konnte alles Mögliche tun und erschaffen auf dieser Welt – nichts davon hatte den bleibenden Wert eines Kindes. Weil es einen Teil von dem in sich trug und weitergab, was einen selbst ausmachte.

Ob Rebecca wohl Kinder bekommen konnte? Trotz ihrer Behinderung?

Jens hatte keine Ahnung, woher diese Gedanken plötzlich kamen. Er schob sie auf seinen vom Rotwein vernebelten Verstand.

Nach nicht einmal zehn Minuten kam Silke Seidel zurück. Sie wirkte ein bisschen gestresst, aber das war bei den meisten Menschen so, wenn sie mit der Polizei reden mussten.

«Tut mir leid, wenn es gerade nicht gut passt», sagte Jens. «Leider drängt es ein bisschen.»

Sie schüttelte den Kopf.

«Wenn es um meinen Ex geht, passt es eigentlich nie gut. Und es geht um ihn, nicht wahr?»

«Ich bin wegen Frederic Förster hier, ja.»

«Na klar, was sonst.»

Sie schloss die Haustür auf.

«Wer hat ihn diesmal angezeigt?», fragte sie.

«Niemand.»

«Das wäre ja mal ganz neu.»

Sie klang abschätzig oder auch einfach nur genervt. Eigentlich nicht verwunderlich, schließlich waren die beiden geschieden, und Silke Seidel zog ihren Sohn allein auf, während ihr Exmann als Obdachloser auf den Straßen Hamburgs lebte. Zwischen den beiden musste so einiges vorgefallen sein. Das interessierte Jens aber nicht. Er war hier, um herauszufinden, wo er nach Freddy suchen sollte. Wenn der Mann wirklich den Mord an Oliver Kienat beobachtet hatte und nun von dem Täter verfolgt wurde, musste Jens ihn vor ihm finden.

Sie erreichten die Wohnung im ersten Obergeschoss, und Silke Seidel schloss die Tür auf.

«Ist nicht aufgeräumt», warnte sie.

«Ein Zustand, den ich sehr gut kenne.»

Sie bot ihm Platz an einem kleinen Esstisch in der Küche an. Zwar stand das gebrauchte Geschirr vom Frühstück herum, ansonsten wirkte zumindest die Küche recht gut in Schuss. Da sah es bei Jens meistens schlimmer aus. Er war der Typ, der erst abwusch, wenn kein sauberes Geschirr mehr zur Verfügung stand.

Silke Seidel warf ihren Schlüsselbund klappernd auf den Tisch, ließ sich auf einen Stuhl fallen und seufzte vernehmlich.

«Entschuldigung … aber ich bin's wirklich leid, dauernd mit den Problemen meines Exmannes konfrontiert zu werden.»

«Kommt das denn so häufig vor?»

«Jedenfalls häufiger, als mir lieb ist. Gefühlt hat er bei aller Welt Schulden, und da er keine Adresse hat, unter der er anzutreffen ist, kommen die Leute zu mir.»

«Wie ist es denn zu diesen Schulden gekommen?»

«Frederic hatte eine erfolgreiche Firma für Sicherheitstechnik – günstig in Fernost eingekauft und teuer übers Internet verkauft. Eine Weile lief das sehr gut, ab einem gewissen Zeitpunkt, den ich nicht mitbekommen habe, aber nicht mehr, und er hat angefangen, auf Pump zu wirtschaften. Eine Zeitlang ging das noch, aber dann kam der Absturz. Da waren wir aber schon geschieden.»

Es schien ihr wichtig zu sein, Jens wissen zu lassen, dass sie ihren Mann nicht verlassen hatte, als er am Boden lag.

«Und bevor Sie fragen, nein, seine Firma war nicht Grund der Scheidung. Er hat mich betrogen.»

«Tut mir leid zu hören.»

Sie stieß ein hohles Lachen aus.

«Wissen Sie was? Mir auch. Nein, ganz ehrlich, Frederic ist eigentlich ein toller Mensch, und ich war mir sicher, den Rest meines Lebens an seiner Seite zu bleiben. Aber dieses schnell verdiente Geld im Internet … das hat ihn verändert.»

Jens wusste nicht, was er darauf erwidern sollte. Platte Sprüche waren nicht sein Ding.

Plötzlich sah Silke Seidel ihn an.

«Dirty Harry also, ja?»

«'tschuldigung, da habe ich nicht nachgedacht.»

«Nein, ich meine … ich hab davon gelesen. Von Ihnen. Damals.»

«Wer nicht? Und ich kann Ihnen sagen, ich bin es leid, dauernd darauf angesprochen zu werden.»

«Leon findet Sie cool.»

«Sie haben einen sehr klugen Sohn.»

Endlich lächelte sie, und ihre Anspannung legte sich etwas.

«Ja, das hat er von seinem Vater. Frederic ist klug, auch wenn man das heutzutage kaum mehr glauben mag. Warum suchen Sie nach ihm?»

Jens klärte sie darüber auf, dass ihr Ex möglicherweise einen Mord beobachtet hatte und als Zeuge dringend gebraucht wurde. Dass Hagenah in Erfahrung gebracht hatte, dass der Mörder hinter ihm her war, verschwieg er.

«Also hat er sich nichts zuschulden kommen lassen.»

«Nicht, was uns betrifft. Können Sie mir sagen, wo ich nach ihm suchen sollte? Gibt es Orte, an denen er sich bevorzugt aufhält? Können Sie ihn vielleicht erreichen?»

Sie schüttelte den Kopf. «Er besitzt kein Handy mehr, und ich weiß auch nicht, wo er sich rumtreibt. Vor zwei Tagen war er noch hier.»

«Hier bei Ihnen in der Wohnung?»

«Ja, und jetzt fällt mir auch auf, dass er sich komisch benommen hat. Er suchte einen Platz zum Schlafen, und ich hatte das Gefühl, er fürchte sich vor irgendwas.»

«Aber Sie haben ihn nicht hier schlafen lassen?»

Silke Seidel schüttelte den Kopf und presste die Lippen zu schmalen Strichen zusammen, unternahm aber keinen Versuch, sich vor Jens zu rechtfertigen. Musste sie auch nicht. Ihr Privatleben ging ihn nichts an. Sie hatte sicher ihre Gründe, ihren Ex abzuweisen.

«Sie wissen nicht, wohin er wollte?»

«Nein ... ich habe ihn nicht gefragt.»

«Was ist mit seiner Verwandtschaft? Eltern, Geschwister?»

«Bei denen hat er sich auch Geld geliehen und es nicht zurückbezahlt. Frederic hat eigentlich jeden vor den Kopf gestoßen und kann sich nirgendwo mehr blicken lassen.»

Jens kannte Frederic Förster nicht, aber in diesem Moment bekam er Mitleid mit dem Mann. Jens war ein Einzelgänger, sein Leben lang gewesen, auch als Jugendlicher schon, und er kam gut damit zurecht, allein zu sein, solange er hin und wieder Gesellschaft von Menschen hatte, die er mochte. Aber dieses Leben hatte er sich selbst ausgesucht und aufgebaut, während Freddys Leben ganz anders geplant gewesen war. Nun musste er mutterseelenallein durch die Ruinen seines Lebens wandeln, ohne Hoffnung auf Hilfe.

Arme Sau, dachte Jens.

«Sie können mir also nicht weiterhelfen?», versuchte er es ein letztes Mal.

«Ich wüsste nicht, wie.»

Jens schob ihr seine Karte über den Tisch.

«Rufen Sie mich bitte an, falls sich Herr Förster bei Ihnen meldet. Wie gesagt, er hat nichts zu befürchten, zumindest nicht von mir.»

Sie versprach es und geleitete ihn an die Tür.

«Ist er in Gefahr?», fragte sie.

«Nicht auszuschließen», antwortete er ehrlich.

Im Gesicht der Frau erkannte er in diesem Moment, dass Freddys Lage doch nicht ganz so aussichtslos war. Sie sorgte sich um ihren Ex.

7.

Ob er gerade eine Glückssträhne hatte oder ihn dieser Weg in noch tieferes Verderben führte, wusste Freddy nicht einzuschätzen. Er wusste aber, dass er nicht anders handeln konnte. Zu einem früheren Zeitpunkt hätte er vielleicht aussteigen können, jetzt nicht mehr.

Dafür war er dem Mörder zu dicht auf den Fersen – und das im wahrsten Sinne des Wortes, denn er lief mit ordentlichem Sicherheitsabstand hinter dem Mann her.

Hendrik ten Damme!

Freddy war davon überzeugt, dass dieser Mann den Autofahrer erschossen hatte und ihm nach dem Leben trachtete. Anders als Leni Fontane. Sie hielt ten Damme für einen netten, charmanten Mann, der zu so etwas gar nicht in der Lage wäre. Die typische Sichtweise eine Frau, noch dazu einer etwas naiven. Freddy mochte Leni. Sie war ehrlich, sympathisch und hilfsbereit, nicht viele hätten jemandem wie ihm ein Bett für eine Nacht verschafft. Darüber hinaus war sie auch noch süß, so richtig eine Frau zum Verlieben. Aber man merkte ihr die mangelnde Lebenserfahrung an. Sie glaubte sicher immer an das Gute im Menschen.

Leni und Freddy hatten in der Nacht eine Abmachung getroffen. Er hatte einen Tag Zeit, etwas über ten Damme herauszufinden. Fand er nichts, würde sie mit dem bisschen, was sie hatte, zur Polizei gehen und ihre Freundin Vivien als vermisst melden. Freddy konnte sich lebhaft vorstellen, was dabei herauskommen und wie enttäuscht Leni sein würde.

Am frühen Morgen um sieben hatte Freddy sich auf die

Fensterbank in Lenis Zimmer gesetzt und das Hausboot von ten Damme beobachtet.

Um acht Uhr war Leni zu ihrem Praktikumsplatz beim Verlag aufgebrochen, bis dahin hatte sich drüben auf dem Boot nichts getan. Um exakt Viertel nach acht hatte ten Damme die Tür geöffnet und war nach draußen getreten. Er war einmal um das Boot herumgegangen, so als suche er etwas. Da er eine Jacke und Straßenschuhe trug, war Freddy davon ausgegangen, dass ten Damme gleich aufbrechen würde. Also war er hinuntergelaufen und hatte sein Glück kaum fassen können, als ten Damme nicht in irgendeine teure Limousine stieg, sondern zu Fuß die Eilenau hinunterging.

Seit zehn Minuten folgte er ihm nun.

Ten Damme hielt auf ein Café an einem Kanal zu und betrat es. Wahrscheinlich wollte er frühstücken. Auch Freddy knurrte der Magen, er hatte seit gestern nichts mehr zu sich genommen, aber ins Café setzen wollte er sich nicht – wegen der Kosten und damit ten Damme ihn nicht bemerkte.

Er wartete ab, bis er durch die Panoramascheiben sah, das ten Damme an einem Tisch mit Blick aufs Wasser Platz nahm und bei einer Bedienung etwas bestellte. Freddy schätzte, dass er eine halbe Stunde Zeit hatte. Also lief er los. Nach fünf Minuten entdeckte er eine Bäckerei, kaufte einen Coffee to go und ein Käsebrötchen. Damit kehrte er zu dem Café zurück, in dem ten Damme gemütlich im Sitzen frühstückte, suchte sich einen Platz an der Böschung, hockte sich ins Gras, trank, aß und beobachtete.

Seine Gedanken kehrten zu Leni Fontane zurück.

Sie war zutiefst traurig über den Verlust ihres Handys gewesen. Freddy hatte ihr versprochen, für Ersatz zu sorgen. Ein Versprechen, von dem er überhaupt nicht wusste, wie er es halten sollte. Eines stand fest: Ein Handy kaufen konnte er auf keinen Fall.

Er war nicht einmal schockiert über sich selbst, als er kurz daran dachte, eines zu klauen. Wenn er damit bei Leni etwas gutmachen konnte, würde er es tun. Sie durfte es nur nicht erfahren. So wie er sie nach der kurzen Zeit ihrer Bekanntschaft einschätzte, waren Moral und Anstand wichtig für sie. Werte, die eigentlich selbstverständlich sein sollten, heutzutage aber nicht mehr viel galten. Er selbst hatte das bewiesen.

Freddy respektierte Leni dafür, erkannte aber auch ihre Weltfremdheit. Die konnte in diesem Fall sogar gefährlich sein. Nur weil ten Damme ein paar Minuten nett zu ihr gewesen war, musste er nicht zwangsläufig ein netter Kerl sein. Vielleicht hatte er die Gunst der Stunde genutzt, als Lenis Chef sie vor den anderen Männern beschämt hatte, um sich ihr zu nähern. Vielleicht war genau das seine Masche.

Leni konnte das nicht glauben. Freddy nahm an, dass sie nicht einmal die Verbindung zwischen seiner Geschichte und ihrer sah, auch wenn sie es behauptete.

Er selbst dachte seit gestern Nacht darüber nach, so richtig schlüssig erschien ihm die Sache aber noch nicht. Wenn ten Damme diese Vivien entführt hatte, was hatte das dann mit dem erschossenen Autofahrer zu tun oder umgekehrt? Nun, er war kein Polizist und musste das nicht verstehen, sicher war aber, dass es ten Damme gewesen war, der gestern Nacht mit dem Kajak in den Kanal an der Eilenau eingebogen war. Ziemlich sicher jedenfalls. Gut, er hatte dem Mann nicht von Angesicht zu Angesicht gegenübergestanden, aber wer sollte es sonst gewesen sein? Die Sache mit dem Hausboot war doch eindeutig!

Je länger Freddy darüber nachdachte, desto weniger durchsichtig erschien ihm, was gestern Nacht noch glasklar gewesen war. Hatte er sich in der Aufregung zu sehr in die Sache hineingesteigert?

Möglich. Irgendwie war alles möglich.

Weil er so in seine Gedanken vertieft war, bekam er nicht mit, wie ten Damme von seinem Tisch aufstand und das Café verließ. Erst als er bereits vor der Tür stand, bemerkte er ihn. Ten Damme stand da, die Hände in den vorderen Taschen der Jeans, und sah sich um. Nicht einfach nur so, sondern richtig intensiv, so als scanne er die Umgebung. Freddy hielt sich den längst geleerten Pappkaffeebecher vors Gesicht und tat so, als würde er trinken.

Schließlich ging ten Damme.

Freddy folgte ihm und warf seinen Becher vor dem Café in den Mülleimer.

Er kannte diese Ecke von Hamburg nicht besonders gut und lief dem Mann einfach hinterher. In gebührendem Abstand natürlich. Ten Damme schien es nicht eilig zu haben. Hin und wieder blieb er an Schaufenstern stehen und betrachtete die Auslage.

Nach ungefähr zehn Minuten wechselte er die Straßenseite und holte dabei einen Schlüsselbund aus seiner Hosentasche.

Damit öffnete er die Fahrertür eines am Straßenrand abgestellten Wagens und stieg ein.

Freddy blieb stehen, als sei er gegen eine unsichtbare Wand geprallt.

Da war er, der weiße Kastenwagen, den er in jener Nacht beobachtet hatte, als der Autofahrer erschossen worden war.

8.

«Da unten steht so ein merkwürdiger Kerl, der dich sprechen will», sagte Elke Althoff voller Entrüstung. «Ganz ehrlich? Der sieht aus wie ein Penner.»

Beim letzten Wort hob sich ihre Stimme zusammen mit den Augenbrauen, und es war offensichtlich, dass sie von Leni eine Erklärung erwartete.

Leni saß an dem Schreibtisch, den man ihr zu Beginn des Arbeitstages zugewiesen hatte. Seitdem war sie damit beschäftigt, via Facebook Leseranfragen zu beantworten. Das war ermüdend und hatte nichts mit der Arbeit einer Lektorin zu tun, aber sie war schließlich auch nur eine Praktikantin.

«Oh!», machte Leni und stand auf. «Das ist ... ich geh schon runter, danke.»

Sie drückte sich an Frau Althoff vorbei und lief ins Erdgeschoss.

Vor der gläsernen Eingangstür lief Frederic Förster nervös auf und ab. Zugegeben, man sah ihm den Obdachlosen ein wenig an, dennoch fand Leni Frau Althoffs Reaktion unangemessen.

«Was machst du hier?», fragte sie.

Frederic packte sie am Oberarm und zog sie ein Stück weit von dem Gebäude weg.

«Ich hab ihn!», raunte er ihr zu.

«Wen?»

«Na, wen schon, den Killer. Ich bin ten Damme zu Fuß gefolgt und habe beobachtet, wie er in den weißen Kastenwagen stieg, den ich in jener Nacht gesehen habe. Er ist es, verstehst du!»

Frederic sah Leni aus großen Augen an. Er war ganz außer sich.

«Bist du dir ganz sicher? Es gibt doch bestimmt viele solcher Wagen.»

«Ja, sicher gibt es viele solcher Wagen, aber das kann doch kein Zufall sein. Ich sage dir, ten Damme ist der Täter.»

«Gut … ich meine, nicht gut …»

Lenis Gedanken stoben wild durcheinander. Hendrik ten Damme ein Mörder? Konnte das sein? Dieser nette, charmante Mann? Und was bedeutete das für Vivien, wenn er auch noch der Bootsmann war, von dem sie geschrieben hatte?

«Wir müssen die Polizei informieren», sagte Frederic. «Du musst das tun. Ich kann das wegen meiner Probleme nicht, und außerdem würden die mir sowieso nicht glauben.»

«Ich soll zur Polizei gehen?»

Aus irgendeinem Grund machte die Vorstellung Leni Angst. Ihr brach der Schweiß aus.

«Ich weiß nicht …», stammelte sie. «Kannst du nicht mitkommen? Ich hab Angst davor.»

«Ich kann dich dorthin begleiten, aber nicht mit hineinkommen. Das verstehst du doch, oder?»

Leni nickte. Ihr Blick ging zurück zum Verlagsgebäude. Hinter dem Bürofenster ihres Chefs sah sie eine Bewegung. «Kann das bis nach Feierabend warten?», fragte Leni.

Frederic schüttelte den Kopf. «Was, wenn er deine Freundin in seiner Gewalt hat? Jede Minute kann wichtig sein.»

Ja, natürlich, da hatte er recht. Und eigentlich war Leni auch schon drauf und dran gewesen, Viviens Verschwinden bei der Polizei zu melden. Aber da stand auch noch nicht fest, dass sie gleich den Täter mitliefern würde. Die Aussicht, Hendrik ten Damme anzeigen zu müssen, den Freund und Förderer des

Verlags, ließ ihren Mut auf Erbsengröße zusammenschrumpfen.

Nicht auszudenken, wenn Seekamp davon erfuhr.

«Komm schon, wir haben keine andere Wahl», drängte Frederic sie. «Denk an Vivien.»

Leni dachte an Vivien. Und an den Mann mit dem fehlenden kleinen Finger an der linken Hand, auf dessen Schoß sie in dem Club gesessen hatte. Hendrik ten Damme fehlte ein Finger. Hendrik ten Damme stieg in ein Auto, das in einen Mordfall verwickelt war. Hendrik ten Damme war der Bootsmann.

«Okay, ich sag nur schnell Bescheid.»

9.

Katrin saß in Unterwäsche vor dem Schminkspiegel und betrachtete die vielen Tuben, Tiegel, Puder, Pinsel und Tupfer. Von Jahr zu Jahr wurden es mehr, und doch richteten sie immer weniger aus.

Das war deprimierend und ungerecht.

Es klopfte leise an der Tür.

Ihr Geliebter kam niemals einfach so herein, denn dies war ihr Zimmer, ihr Reich, und er respektierte das. Er hatte so vieles an sich, was sie liebte und schätzte, verhielt sich so, wie die meisten Frauen es sich erträumten, und Katrin wusste, sie sollte zufrieden sein. Und doch war sie es nicht. Weil etwas fehlte. Immer fehlte etwas, niemals war es perfekt.

«Komm rein», sagte sie.

Zunächst schob er nur den Kopf durch den Türspalt, das

machte er immer so. Wahrscheinlich nahm er an, die Störung fiele geringer aus, solange sein Körper draußen blieb. Gleich kam die Frage, die ebenfalls immer kam …

«Störe ich?»

«Nein, ich bin gleich so weit.»

Also kam er ganz herein und trat hinter sie. Sein Lächeln war freundlich und sanft – sie kannte es nicht anders. Selbst wenn er wütend war, blieb ihm etwas von dieser Sanftheit erhalten. Ein Wesenszug, den Katrin bei keinem anderen Mann je beobachtet hatte.

«Soll ich dir helfen?», fragte er.

Katrin schüttelte den Kopf. Sie ärgerte sich über die Frage, würde es ihn aber nicht spüren lassen.

«Wenn Vivien nicht dumm ist, weiß sie nach der Sache am Boot ohnehin Bescheid. Wir müssen ihr nichts mehr vorspielen … und ehrlich gesagt, habe ich auch keine Lust mehr dazu.»

«Bist du böse mit mir?»

Ihr Geliebter legte seine Hände auf ihre Schultern und begann, mit den Daumen ihren Nacken zu massieren. Er wusste, wie sehr sie das mochte. Viel zu oft war ihr Nacken von all dem Druck und Stress verhärtet. Es schien so, als nähmen die Verspannungen mit jeder neuen Falte, die sich in ihrem Gesicht zeigte, zu, so als gäbe es eine Verbindung zwischen Haut und Muskel, zwischen Gesicht und Nacken.

«Nein, ich bin nicht böse … aber ich wünsche mir, dass es diesmal anders läuft. Keine künstlichen Wunden und blauen Flecke mehr, verstehst du.»

«Und keinen anderen Mann mehr.»

Katrin spürte Ärger in sich aufwallen. Immer wieder fing er davon an, dabei wusste er doch, warum es nötig war, dass sie fremdging.

«Muss ich dazu noch etwas sagen?»

Ohne sie über den Spiegel anzusehen, schüttelte er den Kopf. Seine kräftigen Daumen drückten und walkten an genau den richtigen Stellen, und sie spürte, wie die verhärteten Muskelstränge sich entspannten.

«Es fällt mir noch immer sehr schwer», sagte er leise.

Katrin schloss die Augen.

«Vier Mädchen, mit denen wir geübt haben, und nichts hat sich geändert», sagte sie frustriert.

«Aber ich habe doch getan, was du verlangt hast», verteidigte sich ihr Geliebter.

«Ja, mit ihnen, aber nicht mit mir.»

Ihre Antwort war zu scharf. Er sagte nichts, massierte einfach weiter, und durch seine Daumen hindurch konnte sie spüren, wie sein mühsam aufgebautes Selbstbewusstsein zerbrach.

Katrin fuhr mit dem Drehstuhl herum.

Erschrocken ließ er die Arme fallen.

«Leg die Hände um meinen Hals», forderte sie ihn auf.

«Aber …»

«Na los, mach schon!»

Ihr Geliebter tat, was sie ihm befahl, so wie er es immer tat, nur eben nicht aus freien Stücken, nicht aus eigenem Antrieb, nicht, weil es ihm Lust bereitete.

Seine warmen, weichen Hände schlossen sich um ihren Hals, ganz vorsichtig, ohne Kraft.

«Sieh mich an und drück zu», sagte Katrin.

Sie liebte seinen Blick, seine Augen, in denen sie jeden Tag aufs Neue Bewunderung und Verehrung fand, ganz egal, wie viele Tiegel und Tuben sie auch brauchte. Er schien der Einzige zu sein, der die Veränderungen nicht bemerkte, die mit und an ihr voranschritten.

Er erhöhte den Druck auf ihren Hals, ein klein wenig, nicht viel, seine Massage vorher war viel kräftiger gewesen. Dabei sah er ihr in die Augen, wandte den Blick nicht ab, wie er es früher getan hatte, es stimmte also nicht, dass er keine Fortschritte machte, aber sie waren zu klein, es dauerte zu lange, und immer wieder fiel er in alte Muster zurück.

«Stärker», sagte sie.

Seine Mundwinkel zuckten, während er zudrückte. Tatsächlich schnürte es ihr die Luft ab. Katrin versuchte, sich nichts anmerken zu lassen, genoss die Panik, den Schmerz, die Unterwerfung still im Inneren, aber da war es auch schon wieder vorbei, und er nahm seine Hände von ihrem Hals.

«Warum hörst du auf?»

«Ich habe Angst, dir weh zu tun.»

«Aber das will ich doch.»

Er schüttelte den Kopf.

«Und wenn ich nicht rechtzeitig aufhören kann? Was, wenn wir zu weit gehen? Ich will dich nicht verlieren.»

Sie nahm seine Hände, streichelte sie.

«Das wirst du nicht, ich verspreche es dir. Aber du musst mir auch etwas versprechen.»

Er sah sie skeptisch an.

«Diese Vivien … sie ist genau die Richtige. Ich will, dass wir es mit ihr so tun, wie wir es immer besprochen haben. Du weißt doch noch, was ich mir wünsche, oder?»

Ihr Geliebter schluckte trocken.

«Ja, natürlich …»

«Wirst du das für mich tun?»

«Ich tue alles für dich, das weißt du.»

«Gut. Dann lass mich noch ein paar Minuten allein. Ich ziehe mich an, und dann kümmern wir uns um Vivien.»

10.

Eine halbe Stunde später betrat Leni mit Herzrasen und schmerzendem Magen die Polizeistation, die dem Verlag am nächsten lag. Frederic hatte sie bis vor die Tür begleitet, ihr noch einmal Mut zugesprochen, sich dann aber verdrückt.

Nun stand sie allein zwischen zwei schweren Glastüren in dem engen, muffig riechenden Flur, betrachtete die Plakate mit den gesuchten Personen und Sicherheitshinweisen und fragte sich ein letztes Mal, ob sie das Richtige tat. Bevor sie eine Antwort fand, kam eine Polizistin in Uniform heraus, lächelte sie an und hielt ihr die Tür auf. Leni wollte nicht unhöflich sein, schlüpfte hindurch und befand sich mir nichts, dir nichts in einer Polizeiwache, ohne eine bewusste Entscheidung getroffen zu haben.

Vor ihr zog sich ein brusthoher Tresen durch den gesamten Raum. Dahinter standen Schreibtische, an denen Beamte saßen. Einer sah vom Bildschirm auf.

«Kann ich Ihnen helfen?»

Besonders freundlich fand Leni ihn nicht. Er machte einen eher genervten Eindruck. Durfte sie ihn wirklich mit ihren ungeheuerlichen Mutmaßungen belästigen?

«Ich … vermisse jemanden», sagte sie leise.

«Etwas lauter bitte, ich kann Sie nicht verstehen.»

«Ich … ähm, vermisse jemanden.»

«Sie möchten eine Vermisstenanzeige aufgeben?»

«Na ja, sozusagen.»

Der Mann lehnte sich auf den Tresen und sah sie missmutig an.

«Wen vermissen Sie?»

«Eine Freundin.»

«Seit wann?»

«Seit gestern.»

«Wie alt ist die Freundin?»

«Ich … ich weiß nicht. Mitte zwanzig, denke ich.»

Der Beamte seufzte und rollte mit den Augen.

«Sind Sie sicher, dass die Freundin nicht bei einem Freund ist?»

«Ich, äh … ich weiß, das klingt merkwürdig, aber wir … ich meine ich, ich kenne ihren Mörder, also … ich weiß nicht, ob Vivien tot ist, aber ich kenne einen anderen Mörder, also den in dem weißen Transporter … und es kann sein, dass er Vivien etwas angetan hat. Er wohnt auf einem Boot, wissen Sie, und Vivien hat von einem Bootsmann gesprochen.»

Das Gesicht des Beamten nahm einen leeren Ausdruck an, und es dauerte einen Moment, bis er auf Lenis Vortrag reagierte.

«Haben Sie getrunken?», fragte er.

«Wie? Ich … also, nein … das ist mein Ernst.»

So langsam begann Leni sich darüber zu ärgern, wie der Beamte sie behandelte. Schließlich war sie hier, um Vivien zu helfen. War er nicht sogar verpflichtet, ihre Anzeige aufzunehmen, wenn sie darauf bestand?

«Gut», stieß der Beamte aus und zog ein Formularblatt unter dem Tresen hervor.

«Name der vermissten Person?», fragte er und brachte einen Kugelschreiber über dem Papier in Stellung.

«Vivien …»

«Und weiter?»

«Ihren Nachnamen weiß ich nicht, wir kennen uns ja erst seit drei Tagen.»

Sein Blick sprach Bände.

«Hören Sie», begann er und klang, als würde er jetzt mit einer Schwachsinnigen sprechen. «In Deutschland haben Erwachsene das Recht, sich aufzuhalten, wo sie wollen, sie müssen ihre Freunde darüber nicht informieren, nicht einmal die Familie. Gehen Sie denn davon aus, dass Ihrer Freundin Gefahr für Leib und Leben droht?»

«Ja, das sag ich doch. Wir wohnen bei einem Mörder, ich meine, vielleicht ist er ein Mörder, immerhin ist er in diesen weißen Lieferwagen gestiegen.»

«Nehmen Sie es mir nicht übel, junge Frau, aber Sie klingen verwirrt. Wir setzen uns mal hin, und dann nehme ich Ihre persönlichen Daten auf.»

Jetzt klang der Beamte fürsorglicher, und Leni glaubte sich schon am Ziel. Er führte sie am Tresen entlang in den hinteren Bereich der Wache, öffnete eine Tür und bot ihr Platz in einem winzigen Büro an.

Nachdem Leni ihren Wohnort und ihren jetzigen Aufenthaltsort angegeben hatte, versuchte sie noch einmal so ruhig und sachlich wie möglich, zu erklären, warum sie sich um Vivien sorgte. Das war gar nicht so einfach, ohne Frederic zu erwähnen.

Am Ende schüttelte der Beamte den Kopf.

«Das reicht nicht, um eine Personensuche in Gang zu setzen.»

«Warum nicht?»

«Weil Sie diese Vivien eigentlich gar nicht kennen und selbst gesagt haben, dass sie nach Amsterdam weitergereist ist. Dafür muss sie sich nicht bei Ihnen abmelden.»

«Und was, wenn sie nicht weitergereist ist, sondern entführt wurde? Wir können doch nicht einfach so tun, als sei nichts passiert? Nehmen Sie doch wenigstens Kontakt zu dem Vermieter unserer Zimmer auf, Herrn Hendrik ten Damme.»

«Ich mache Ihnen einen Vorschlag», begann der Beamte. «Ich nehme Ihre Anzeige schon einmal in unser System auf, aber wir warten noch vierundzwanzig Stunden, vielleicht taucht diese Vivien ja wieder auf oder meldet sich bei Ihnen. So ist es nach meiner Erfahrung nämlich meistens. Falls nicht, kommen Sie noch einmal wieder, und wir besprechen das weitere Vorgehen. Okay?»

Leni wusste, dass der Mann sie loswerden wollte. Er glaubte ihr nicht oder nahm sie nicht ernst oder beides, und sie war es leid, sich zu erklären. Es lief eigentlich genau so, wie Frederic es gestern Nacht vorausgesagt hatte.

Gefrustet und mutlos verließ Leni die Polizeiwache. Sie verstand nicht, wie es sein konnte, dass mitten in Deutschland ein Mensch verschwand und niemand etwas unternahm.

Sie suchte nach Frederic, doch der war auch verschwunden.

Noch eine Enttäuschung.

War er doch nicht so vertrauenswürdig, wie sie glaubte? Eigentlich wusste sie ja überhaupt nichts von ihm, und alles, was er erzählt hatte, konnte genauso gut gelogen sein. Es wäre nicht das erste Mal, dass sie mit ihrer Gutgläubigkeit auf die Schnauze fiel.

Leni ging zurück zum Verlag.

Was sollte sie sonst tun?

11.

Vivien schlug die Augen auf.

Für einen hoffnungsvollen Moment glaubte sie, aus einem Albtraum zu erwachen, dann nahm sie ihre Umgebung wahr, und die Angst überkam sie erneut.

Sie lag in einem Schlafzimmer, das sie nicht kannte, in einem Doppelbett. Die gegenüberliegende Wand war eine einzige Spiegelfläche, Vivien vermutete einen Kleiderschrank dahinter. Die Wände waren blendend weiß gestrichen, es gab nur ein schmales Fenster, vor das ein Außenrollladen heruntergelassen war. Das schummrige Licht stammte von der kleinen Leselampe neben dem Bett.

Stille.

Sie hörte nicht das kleinste Geräusch.

Vivien setzte sich auf.

Der Raum war groß, die Decke hoch, alles wirkte neu und nobel. Ganz anders als das Verlies, in dem sie zuletzt erwacht war.

Das Verlies? Nummer sieben?

Viviens Erinnerung streikte, lieferte ihr nur unzusammenhängende Eindrücke und Gefühle. Wie war sie hierhergekommen? Was war passiert?

Plötzlich erinnerte sie sich an einen Taucher, der durch eine schwere Holztür in das Verlies gekommen war, doch sosehr sie sich auch anstrengte, danach kam nichts mehr. Ein schwarzes Loch hatte jede weitere Erinnerung verschlungen.

Vivien schlug die Decke beiseite, um aufzustehen, stellte aber fest, dass sie vollkommen nackt war. Im selben Moment hörte sie Stimmen auf der anderen Seite der Tür.

Ein Mann und eine Frau sprachen miteinander, ohne dass Vivien die Worte verstehen konnte. Es klang aber wie eine Auseinandersetzung.

Plötzlich sprang die Tür auf.

Vivien erschrak, zog die Decke bis hinauf unters Kinn und rutschte ans Kopfteil des Bettes.

Nummer sieben kam herein. Nur sah sie ganz anders aus, als Vivien sie in Erinnerung hatte. Unten im Verlies war sie nackt, verletzt und eingeschüchtert gewesen. Nun trug sie eine saubere, modern geschnittene, enganliegende Jeans und dazu einen pflaumenfarbenen Kaschmirpullover. Ihr langes Haar war gepflegt, sie hatte Schminke aufgetragen, um ihren schlanken Hals trug sie eine feine goldene Kette.

Nummer sieben schloss die Tür, kam auf das Bett zu, verschränkte die Arme vor der Brust und sah auf Vivien herab.

«Ausgeschlafen?», fragte sie mit spöttischem Unterton. Ihr Lächeln war unecht, es schrie geradezu heraus, dass man lieber vorsichtig sein sollte im Umgang mit ihr.

«Was … was ist passiert?»

«Na, was wohl? Du bist durchgedreht. Hast rumgeschrien wie eine Irre, also mussten wir dich sedieren.»

«Wir?»

«Na ja, ich. Der Herr des Hauses kann nicht so gut mit Spritzen umgehen. Kannst du dich nicht erinnern?»

Vivien schüttelte den Kopf.

«Ist vielleicht auch besser so. Wir haben nämlich keine Lust auf noch so eine Vorstellung von dir. Von jetzt an funktionierst du besser, oder das hier nimmt eine ganz schlechte Wendung für dich.»

«Aber …»

«Kein Aber. Steh auf. Der Herr des Hauses wartet auf dich.»

Vivien bewegte sich nicht.

«Du sollst aufstehen», fuhr Nummer sieben sie an.

«Ich … habe nichts an.»

«Na und! Ich hab dich schon nackt gesehen.»

Der Blick, mit dem Nummer sieben sie ansah, ließ Vivien gehorchen. Er war so kalt und unnachgiebig, dass es sie fröstelte.

Die Arme vor ihrem Körper verschränkt, trat sie einen Schritt vor das Bett.

«Die Zeiten von Nummer sieben sind vorbei. Ab jetzt darfst du mich Katrin nennen», sagte die Frau im Kaschmirpullover, überwand die kurze Distanz mit einem schnellen Schritt und schlug Vivien mit der flachen Hand ins Gesicht.

Vivien schrie auf und fiel zurück aufs Bett. Ihre linke Wange brannte vor Schmerz. Im nächsten Moment löste der Schlag eine wahre Erinnerungsflut aus, so als sei in ihrem Kopf ein Damm gebrochen. Vivien sah das Gewölbe, einen schmalen Kanal mit schwarzem Wasser und einem Boot darauf. Eine Leiche, in Kaninchendraht gewickelt. Jana …

«Ah, die Erinnerung kehrt zurück», sagte Nummer sieben, die jetzt Katrin genannt werden wollte.

«Ich kann es dir ansehen, Schätzchen. Aber du musst dich nicht fürchten. Wenn du genau das tust, was wir dir sagen, wird dir nichts passieren. Diese Jana, weißt du, die war von Anfang an renitent, wollte sich nicht an die Regeln halten und hat versucht, uns gegeneinander auszuspielen. Sie hat nicht verstanden, wie das hier läuft. Ich glaube, du bist da ganz anders. Wir werden viel Spaß miteinander haben, nicht wahr!»

Mit einem erwartungsvollen Lächeln sah Katrin sie an.

Vivien lag auf dem Bett, eine Hand an ihre schmerzende Wange gepresst, und hatte Schwierigkeiten, zu verstehen, was gerade geschah.

«Steh auf!», sagte Katrin und streckte ihre Hand aus.

Ganz kurz zuckte in Vivien der Drang auf, sich zu wehren, zurückzuschlagen, aber die Schmerzen im Gesicht, die Erinnerung an die Leiche und Katrins vehemente, brutale Art verdrängten den Wunsch ganz schnell wieder. Sie ließ sich aufhelfen.

Katrin kam ihr sehr nahe und streichelte ihre Wange. Vivien konnte ihr dezentes, teures Parfüm riechen.

«So etwas muss nicht sein, weißt du. Jedenfalls nicht zwischen uns beiden.»

Ihr Lächeln und ihr Blick wurden ein wenig traurig, und sie sah Vivien wie ein kleines Kind an, mit dem man Mitleid hatte. Plötzlich wandte sie sich ab, trat auf die Spiegelfläche zu und schob eine riesige Schiebetür beiseite. Dahinter kamen Fächer, Schubladen und Garderobenstangen zum Vorschein. Alles war voller Kleidung.

«Wir haben ungefähr die gleiche Größe. Bedien dich. Such dir was Schickes aus, aber nicht zu überkandidelt. Und dann stelle ich dich dem Herrn des Hauses noch einmal neu vor. Wir werden gemeinsam essen. In fünf Minuten hole ich dich ab.»

Katrin verließ das Schlafzimmer, und Vivien blieb allein zurück. Sie starrte die Tür an, fest davon überzeugt, die Frau würde zurückkommen und sie wieder schlagen, doch ihre Schritte entfernten sich, und dann war es still. Ein paar Sekunden hielt Vivien noch durch, bevor ein heftiges Zittern ihren Körper erfasste. Sie konnte sich nicht mehr auf den Beinen halten, fiel vor dem unfassbar großen Kleiderschrank auf die Knie, presste sich die Arme vor den Bauch und schaukelte vor und zurück. Mit aller Kraft versuchte sie, Angst und Panik zurückzudrängen, und kämpfte dagegen an, dass der Wahnsinn in ihrem Kopf die Führung übernahm.

Aber vielleicht hatte er das längst. Wie sonst ließ sich all das hier erklären? Vor ein paar Stunden hatte sie noch geglaubt, zusammen mit einer anderen Frau, die ihr Leid teilte, in die Fänge eines Psychopathen geraten zu sein. Nun wusste sie: Es war eine Finte gewesen. Sie hatte es hier mit einem kranken Pärchen zu tun. Und die arme Jana war ihnen bereits zum Opfer gefallen.

Würde sie genauso enden?

Und Leni?

Vivien drängte die Bilder von der in Kaninchendraht verpackten Jana zurück. Sie würden sie nur in einen Abgrund stürzen, aus dem es keine Rettung gab. Um sich abzulenken, zog sie sich an den Regalböden des Schrankes empor und durchsuchte ihn nach etwas Anziehbarem. In einer Schublade fand sie Unterwäsche. Aber nur spitzenbesetzte, knappe Dessous, die aufreizen sollten und kaum etwas verbargen. Vivien trug sonst gern solche Wäsche, jetzt hätte sie am liebsten einen Baumwollschlüpfer und ein Unterhemd gehabt. Aber das gab es nicht, also zog sie Slip und BH an.

Als sie mit einem Bein in eine Jeans schlüpfte, zu der sie bereits ein bequemes Langarmshirt im Auge hatte, fiel ihr ein, was Katrin gesagt hatte: Sie sollte sich schick machen. Für ein gemeinsames Essen.

Vivien dachte darüber nach, die Aufforderung zu ignorieren, doch weil sie ahnte, dass Katrin sie dann wieder schlagen würde, legte sie die Jeans zurück und entschied sich für ein eng tailliertes schwarzes Kleid.

Es passte, als sei es für sie gemacht.

Natürlich hatte es ein sehr freizügiges Dekolleté. Das ließ sich nicht ändern. Vielleicht half es ja, den Herrn des Hauses milde zu stimmen.

Vivien war noch auf der Suche nach Schuhen, da ging die Tür auf. Katrin betrat erneut den Raum, klatschte in die Hände und nickte anerkennend.

«Wunderschön», sagte sie, «und sehr elegant. Warte, ich habe die passenden Pumps dazu.»

Sie öffnete eine Tür am Ende des Schrankes, der dort von oben bis unten angefüllt war mit Damenschuhen. Sie nahm ein schwarzes Paar mit halbhohen Absätzen heraus und reichte sie Vivien.

«Die trage ich selbst gern zu diesem Kleid. Nun komm schon, zieh sie an, der Herr des Hauses wird ungeduldig.»

Die Schuhe waren ein bisschen eng, aber Vivien kam hinein. Als sie sich aufrichtete, sah Katrin sie mit einem merkwürdigen Blick an. Er war nicht so kalt und abweisend wie vorhin, sondern wehmütig, beinahe als bereite es ihr Kummer, Vivien in diesem Kleid zu sehen.

«Ich habe dieses Kleid zuletzt vor sechs Jahren getragen», sagte sie gedankenverloren. «Damals sah ich darin genauso schön aus wie du. Und heute …»

Sie schüttelte den Kopf, und ihr Blick wurde wieder hart.

«Was trägst du drunter?», fragte sie, und noch bevor Vivien antworten konnte, war sie bei ihr, hob den Rock hoch und kontrollierte die Unterwäsche.

«Okay, das geht.»

Der Rock fiel herunter. Katrin packte sie bei den Hüften, drehte sie herum, strich den Rock glatt, ordnete ihr Haar auf Schultern und Rücken, trat einen Schritt zurück und musterte Vivien, die sich wie ein Stück Vieh vorkam.

«Na dann, auf geht's!»

12.

Obwohl er eigentlich Dringenderes zu tun hatte, war Jens Kerner den halben Tag damit beschäftigt gewesen, nach Jana Heigl und Frederic Förster zu suchen, dabei stand noch nicht einmal fest, ob die beiden etwas mit dem Mord an dem Krankenpfleger zu tun hatten.

Das lange Telefongespräch mit den Kollegen aus Berlin hatte ebenso wenig gebracht wie sein Besuch bei Silke Seidel. Das im Gepäcknetz des Zuges gefundene Handy von Jana Heigl war mittlerweile ausgewertet, die Fotos gesichtet. Es waren Hunderte! Viele davon stammten aus Hamburg, es gab auch Innenfotos eines Zimmers, in dem Jana wohl gewohnt hatte, aber keinen Hinweis darauf, wo dieses Zimmer war. Noch immer stand nicht fest, ob sie selbst oder nur ihr Handy nach Berlin gefahren war, und mittlerweile war sich sogar Jens nicht mehr sicher, ob er sich auf der richtigen Spur befand.

Wenn er doch nur diesen Freddy finden könnte!

Der Mann war wie vom Erdboden verschluckt.

Jens hatte noch einmal mit dem Streifenpolizisten Hagenah gesprochen und ihn darum gebeten, alle Kollegen auf Freddy anzusetzen. Wenn er sich irgendwo blicken ließ, würde Jens es erfahren. Da der Mann jedoch glaubte, von einem Mörder verfolgt zu werden, würde er sich sicher versteckt halten.

Es war zum Haareraufen.

Eine halbe Stunde Cruisen in der Red Lady hatte Jens ein wenig ruhiger werden lassen, und als er zum Revier zurückkehrte, waren seine Gedanken einigermaßen geordnet – allerdings hatte er keinen Plan, wie er weiter vorgehen sollte.

Er wollte gerade aussteigen, da bekam er eine SMS von Rebecca.

Rätsel gelöst – denke ich.

Jens beeilte sich, ins Gebäude zu kommen.

Rebecca kam ihm auf dem Gang entgegengerollt. Sie war sichtlich aufgeregt. Ihre Wangen waren gerötet, ihre Augen strahlten.

«Hast du genug Mozartkugeln dabei?», rief sie.

«Leider nicht, aber ich besorge dir gleich morgen eine ganze Kiste, wenn du das Rätsel wirklich gelöst hast.»

«Komm mit», sagte sie und rollte voran in sein Büro.

An der Stirnwand war ein Whiteboard angebracht. Im unteren Bereich hatte Rebecca mit rotem Stift zwei Wörter geschrieben.

Corsa – Rennen

Rebecca sah ihn an, als müsse er sofort durchblicken.

«Erklär es mir», sagte Jens, der nichts verstand.

«Das italienische Wort Corsa bedeutet Rennen», sagte Rebecca. «Ich habe mir erlaubt, deinen Freund Knüffi anzurufen, und er hat mir bestätigt, dass diese Möglichkeit natürlich überprüft wurde. Die Rennbahnstraße kam als möglicher Aufenthaltsort von Rosaria Leone nicht in Frage und auch keine andere Straße, in der das Wort Rennen vorkommt.»

«Und Straßen, die ähnlich klingen wie Corsa, wurden auch überprüft. So weit waren wir schon. Ich verstehe nicht, wo du die Lösung siehst.»

Rebecca rollte bis vor das Whiteboard, wischte die beiden Wörter ab, nahm den roten Stift und setzte ihn an.

«Wenn man in den Google-Translator für Deutsch / Italienisch folgendes Wort eingibt …»

Sie schrieb *eilen*.

« … bekommt man als italienische Übersetzung …»

Rebecca schrieb *corsa*.

Sie sah ihn herausfordernd an, aber Jens stand immer noch auf dem Schlauch. Er zuckte hilflos mit den Schultern.

«Und wenn man dann in Hamburg nach einer Straße sucht, die an einem Kanal liegt und in der das Wort *eilen* in irgendeiner Form vorkommt, sodass es zwischen Rosaria und ihren Eltern zu einem Übersetzungsfehler gekommen sein könnte, findet man nur eine Straße, die in Frage kommt.»

Rebecca schrieb *Eilenau*.

Jens sagte: «Scheiße.»

«Mehr Lob kann ich wohl nicht erwarten», erwiderte Rebecca.

«Die Eilenau liegt am Eilbekkanal … und der mündet im Kuhmühlenteich», sagte Jens.

«Und dort wurde seinerzeit Rosaria Leone gefunden», vervollständigte Rebecca.

Jens eilte an seinen Schreibtisch und loggte sich ins interne System der Hamburger Polizei ein.

Dort gab er Eilenau ein, um nachzuschauen, ob es irgendeine Meldung im Zusammenhang mit dieser Straße gab.

Die gab es.

Sie war von heute.

«Ich glaube, mich tritt ein Elch», rief er aus.

13.

Vivien folgte Katrin in einen langen, schmalen Flur. Blendend weiße Wände zogen sich bis zu einer Deckenhöhe von drei Metern. In gleichmäßigen Abständen stachen scharfe Lichtlanzen aus Aluminiumrohren sowohl zu Boden als auch zur Decke, auf dem Fußboden klackten Viviens Pumps auf echtem Holzboden, der aussah, als liege er schon seit Jahrhunderten dort.

Sie passierten drei Türen und hielten auf die am Ende des Ganges zu. Dort klopfte Katrin. Erst nach einem leisen «Herein» öffnete sie die Tür, betrat den Raum dahinter und winkte Vivien zu sich her.

Ein riesiger Kamin stand wie eine eckige Säule inmitten des großen, hallenartigen Raumes. Er war rundherum verglast. Träge züngelten Flammen darin und verströmten angenehme Wärme. Dahinter teilte eine Wohnlandschaft mit grauschwarzen Polstern den Raum, daneben bedeckten einige Läufer, die wie Schaffelle aussahen, den Dielenboden. Nackter roter Backstein aus einem anderen Jahrhundert rahmte die drei schmalen Fenster ein, vor die Außenrollladen heruntergelassen waren. In Haltern aus schwarzem Eisen flackerten armdicke Kerzen.

Das war es, was Vivien mit einem Blick wahrnahm, bevor sie sich auf den Mann konzentrierte, der vor dem Kamin stand und ihr den Rücken zudrehte. Er trug eine Anzughose, dazu ein weißes Hemd, die Ärmel waren hochgeschoben. Seine Hände steckten in den Hosentaschen.

«Sie ist jetzt bereit!», sagte Katrin, schloss die Tür hinter Vivien und trat beiseite.

Der Mann rührte sich nicht. Er schien in die Flammen vertieft.

«Bist du wirklich bereit?»

Seine Stimme kam ihr bekannt vor.

Sie traute sich nicht, zu sprechen.

«Antworte», forderte der Mann sie auf.

«Ja … ich … ich bin bereit.»

«Wozu?»

Viviens Unterlippe zitterte, sie stand kurz davor, in Tränen auszubrechen. Sie wusste nicht, was sie antworten sollte, ahnte aber, dass erneutes Schweigen eine Strafe nach sich ziehen würde.

«Ich … ich weiß nicht …», stotterte sie. «Bitte, können Sie mich nicht gehen lassen, ich werde auch sicher nichts sagen.»

«Aber natürlich werden wir dich gehen lassen. Nur nicht heute und auch nicht morgen. Irgendwann aber ganz sicher. Du musst nicht so enden wie die junge Dame, die du mit ins Boot geladen hast. Mit ihr, das war … ein Unfall, wenn man so will. Ein Unfall, den sie selbst herbeigeführt hat. Wenn du vernünftig bist und tust, was wir dir sagen, wird das nicht wieder passieren.»

«Das werde ich, ich verspreche es.»

«Und ich glaube dir.»

Mit diesen Worten drehte der Mann sich um, und Vivien erkannte ihn.

«Nein!», entfuhr es ihr. Die Überraschung hätte nicht größer sein können.

«O doch. Ich bin der Herr des Hauses, und du hast mir zu gehorchen. Ist das klar?»

Vivien sagte nichts. Sie starrte ihn an und konnte nicht fassen, dass dieser Mann ein Mörder war.

Der Schlag kam unerwartet von hinten und traf sie in die Nieren. Vivien schrie auf, fiel nach vorn auf die Knie, Tränen schossen ihr in die Augen, und der Schmerz raste durch ihren Körper.

«Der Herr hat dir eine Frage gestellt», sagte Katrin mit ruhiger Stimme. «Also antworte gefälligst.»

Vivien brauchte ein paar Atemzüge, um sich von dem Schlag zu erholen. Dann aber nickte sie und sagte: «Ja, ist klar.»

«Schön!» Der Herr klatschte in die Hände. «Dann können wir ja endlich zum gemütlichen Teil des Tages übergehen. Das Essen steht bereit. Wir hoffen, du hast einen guten Appetit. Es gibt Lachsgratin mit Noilly Prat und Thymian. Wunderbar, ganz wunderbar.»

Er ging voran und verschwand hinter einer Ecke.

Katrin packte Vivien unter der rechten Achsel und zog sie auf die Beine.

«Tut mir leid, das war ein wenig zu fest», entschuldigte sie sich und half ihr dabei, Kleid und Haar zu richten. «So, jetzt geht es wieder. Du siehst wirklich atemberaubend aus in diesem Kleid. Na komm, mein Schatz, lass uns etwas essen.»

Wie eine alte Freundin hakte Katrin sich bei Vivien ein und zog sie mit sich in den offenen Essbereich des großen Raumes. Dort stand ein monströser Eichentisch für zwölf Personen mit einer zwanzig Zentimeter dicken Platte, die aussah, als sei sie von Hand mit einer Axt behauen.

Am vorderen Ende des Tisches war für drei Personen eingedeckt. Der Herr des Hauses nahm am Kopfende Platz, Vivien saß zu seiner Rechten, Katrin zu seiner Linken. Zwischen den Gedecken wartete bereits das Lachsgratin. Katrin nahm den Deckel von der großen Keramik-Auflaufform, und der aufsteigende Duft des Essens ließ Viviens Magen verkrampfen. Sie hatte Hunger, ja, aber würde sie etwas hinunterbekommen? Unter diesen Umständen und in dieser Gesellschaft? Und was würde passieren, wenn sie nicht aß?

Katrin tat jedem eine Portion auf den Teller. Zuerst dem Herrn, dann sich selbst, schließlich Vivien.

Der Herr hob ein Glas Rotwein an.

«Auf eine schöne Zeit», sagte er, stieß mit Katrin an und schwenkte sein Glas dann in Viviens Richtung.

Als sie nicht sofort reagierte, verdunkelte sich Katrins Blick. Vorsicht, schoss es Vivien durch den Kopf. Sie passt genau auf und lässt nichts durchgehen. Hastig hob Vivien ihr Glas und stieß mit dem Herrn an; es klirrte sanft und edel. Sie tranken gleichzeitig. Der Herr mit geschlossenen Augen, genießend, sich ganz dem Geschmack hingebend, doch Katrin beobachtete Vivien über den Rand ihres Glases hinweg.

Dieser furchterregende Blick, der sich nicht deuten ließ – wie war es möglich, dass ein Mensch von einer Sekunde auf die andere seine Stimmung derart änderte?

Der Herr setzte sein Glas ab, nahm das Besteck auf, wünschte einen guten Appetit und begann zu essen.

Vivien wollte kein Risiko eingehen. Sie nahm rasch Gabel und Messer und begann ebenfalls zu essen. Der Gratin war genau richtig temperiert und schmeckte phantastisch, dennoch blieben ihr die Brocken im Halse stecken. Sie aß sehr langsam und stocherte in ihrer Portion herum.

Nach wenigen Minuten sah Katrin zu ihr auf, lächelte sie warmherzig an, erhob sich und kam um den Tisch herum. Noch ehe Vivien es begriff, bekam sie einen harten Schlag gegen den Hinterkopf. Viviens Zähne schlugen aufeinander, ihre Gabel fiel klappernd in den Teller.

«Das Besteck darf den Tellerboden nicht berühren», erklärte

Katrin. «Wir ertragen dieses Geräusch nicht. Pöbel isst so, wir nicht.»

Dann setzte sie sich wieder, als sei nichts gewesen.

Vivien nahm ihre Gabel auf und aß weiter, sehr vorsichtig und darauf bedacht, auf gar keinen Fall den Tellerboden zu berühren. Sie schwitzte, immer wieder ging ihr Blick verstohlen zu Katrin und dem Herrn des Hauses, doch die beiden waren vollkommen mit Essen beschäftigt. Minutenlang sagte niemand etwas. Kauen und Schlucken verursachten die einzigen Geräusche, dazwischen noch das leise Knistern des Kamins. Über allem lag eine beängstigende, monströse Stille, in der jedes andere Geräusch, jedes Klappern von Besteck auf Porzellan, sofort aufgefallen wäre. Mit jeder Portion, die Vivien sich in den Mund schob, stieg ihre Angst, und ihre Hände zitterten, wenn sie die Gabel erneut füllte.

Der Herr des Hauses hatte eine merkwürdige Art zu essen. Wenn er einen Bissen im Mund hatte, begann er, schnell wie ein Kaninchen zu kauen, hielt plötzlich inne, kaute wieder, hielt inne. Sechs- bis siebenmal wiederholte er diesen Rhythmus, bevor er herunterschluckte. Dabei bewegte sich der Kehlkopf in seinem schlanken Hals fast gar nicht.

Katrin war zuerst fertig. Sie legte ihr Besteck diagonal, das Messer über der Gabel, auf dem Teller ab, sodass die Griffe nach rechts unten wiesen. Einen Moment später machte der Herr es genauso.

Vivien beobachtete die beiden genau, denn sie wollte nicht wieder geschlagen werden. Sie brauchte ein wenig länger, und als sie fertig war, legte sie ihr Besteck auf die gleiche Art ab.

Als sie aufsah, blickte sie direkt in Katrins Augen. Sie lächelte zwar, aber die Härte und Kälte in ihrem Blick straften ihr Lächeln Lügen.

«Das war ganz hervorragend, mein Schatz», sagte der Herr, legte seine Hand auf Katrins und streichelte sie zärtlich.

Sie bedankte sich bei ihm mit einem Lächeln ganz anderer Art. Voller Zuneigung, Liebe und Wärme. Aber es war auch noch etwas anderes darin.

Skepsis? Überheblichkeit?

Vivien konnte es nicht deuten, nicht in der Sekunde, die ihr blieb, bevor Katrin sie dabei erwischte, wie sie sie beobachtete.

«Was meinst du, mein Schatz», sagte Katrin, ohne den Blick von Vivien zu nehmen. «Wollen wir uns ein wenig vergnügen mit Vivien?»

«Direkt nach dem Essen?», fragte er.

«Warum nicht?»

«Ein voller Magen schafft nicht gern.»

«Aber wir hatten es doch so verabredet. Du wirst dich doch nicht drücken wollen?»

«Ich? Nein … warum auch. Also gut, vergnügen wir uns.»

Der Herr klang nicht wirklich überzeugt, sondern eher, als müsse er um des lieben Friedens willen nachgeben.

«Dann gehe ich schon mal hinunter und warte auf euch.»

Etwas zu hastig stand er auf und verließ den Raum.

Katrin schaute ihm nach, bis er verschwunden war, dann konzentrierte sie sich wieder auf Vivien.

«Versuchst du, mich zu durchschauen?»

«Ich? Nein … wieso, ich wollte nur …»

«Halt die Klappe! Nimm deinen Teller und leck ihn ab.»

«Was?»

«Deinen Teller. Da sind viel zu viele Reste drauf. Der geht so nicht in die Spülmaschine. Leck ihn ab.»

Vivien starrte die Frau an. Ihre Blicke trafen aufeinander wie Fäuste. Vivien wollte nicht wegschauen, nicht nachgeben, wollte demonstrieren, dass sie so leicht nicht zu brechen war und sich nicht weiter von ihr demütigen ließ.

Mit überraschender Geschwindigkeit riss Katrin ihr Besteckmesser vom Tisch hoch und rammte es mit voller Wucht keinen Zentimeter von Viviens Hand entfernt in die Eichenplatte. Das Holz schluckte die Wucht, nicht ein einziges Geschirrstück klapperte. Vivien aber zuckte zurück.

«Ablecken, sofort!»

Vivien nahm den Teller hoch, hielt ihn sich vors Gesicht und leckte ihn ab.

Dabei konnte sie Katrin nicht mehr sehen, hörte aber, wie sie von ihrem Stuhl aufstand. Plötzlich war sie hinter ihr und ihre Lippen ganz dicht an Viviens rechtem Ohr.

«Deine Jugend und Schönheit nützen dir hier gar nichts», flüsterte Katrin. «Glaub ja nicht, du könntest was versuchen, sonst wickeln wir dich in Kaninchendraht und versenken dich im Kanal.»

Und dann presste Katrin ihr den Teller fest ins Gesicht. Er schlug gegen Viviens Zähne, drückte ihre Nase platt, sie bekam kaum noch Luft, wand sich hin und her, konnte sich aber nicht aus der Umklammerung befreien. Ihr Hinterkopf lag auf Katrins Brüsten.

«Ja, leck ihn ab!», schrie Katrin. «Leck ihn ab, bis er blitzeblank ist, du Hure! Und dann gehen wir in den Keller und vergnügen uns!»

14.

«Diesmal will dich die Polizei sprechen», sagte Elke Althoff. «Vor dem Haus steht ein Streifenwagen mit Blaulicht. Was hast du bloß angestellt?»

Hinter ihr tauchte ein großer, kräftiger Mann mit hohem Haaransatz und markanten Wangenknochen auf. Er schob sich an Elke Althoff vorbei und zeigte Leni seinen Ausweis.

«Kerner, Mordkommission», sagte er. Seine Stimme klang alt und knarzig. «Sind Sie Leni Fontane?»

Leni nickte.

«Wo können wir in Ruhe reden?»

Der Blick des Kommissars wanderte zwischen Leni und Elke Althoff hin und her.

«Äh … hier, bitte», sagte Elke Althoff, in deren Büro Leni einen Platz am Fenster bekommen hatte, um die Facebook-Anfragen zu beantworten.

«Vielen Dank. Wenn Sie uns jetzt bitte entschuldigen würden.»

Der Kommissar schob Frau Althoff, die sich das sichtlich anders vorgestellt hatte, aus dem Raum und schloss die Tür.

Leni sah dem Treiben sprachlos zu und bemerkte erst spät, dass ihr der Mund offen stand. Sie schloss ihn, schluckte trocken und versuchte, ihre Gedanken zu sortieren.

«Ich bin wegen Ihrer Anzeige hier», begann der Kommissar.

«Das … ging ja schnell.»

Seit kaum zwei Stunden hockte Leni wieder vor dem Computer. In der Zwischenzeit hatte sie es bereut, überhaupt zur Polizei gegangen zu sein. Ihre Mutter hatte immer gesagt, die Angelegenheiten anderer Leute gingen einen nichts an, und wenn sich alle Menschen um ihren eigenen Kram kümmern würden, hätten sie genug zu tun und kämen nicht auf dumme Gedanken.

Ihre Verdächtigungen gegen ten Damme waren dumm, zu diesem Schluss war Leni in den letzten zwei Stunden gelangt. Doch nun stand plötzlich dieser Kommissar Kerner mit seiner angespannten Körperhaltung und seinem ernsten Blick vor ihr, schüchterte Leni ein und machte ihr unmissverständlich klar, dass es sich um eine ernste Angelegenheit handelte.

«Hat sich Ihre Freundin Vivien inzwischen bei Ihnen gemeldet?»

Leni schüttelte den Kopf.

«Ich muss Sie bitten, Ihren Arbeitsplatz zu verlassen und mit mir zu kommen.»

«Wohin?»

«In die Eilenau. Wo Sie wohnen.»

In diesem Moment klopfte es an der Tür, und ohne auf ein «Herein» zu warten, stürzte der Verlagschef Horst Seekamp in den Raum.

«Was geht hier vor?»

Leni saß immer noch auf dem Drehstuhl und beobachtete die Szene aus einem merkwürdigen inneren Abstand, so als schaue sie fern. Der Kommissar wies sich dem Verlagschef gegenüber aus und erklärte ihm, dass er Frau Fontane mitnehmen müsse. Sie sei eine wichtige Zeugin, und nein, mehr könne er nicht sagen, da es sich um laufende Ermittlungen handele.

«Kommen Sie bitte, Frau Fontane.»

Der Kommissar sah Leni auffordernd an, doch sie rührte sich nicht. Warum sollte sie auch auf ein Fernsehprogramm reagieren?

«Frau Fontane!»

Seine nachdrückliche, kräftige Stimme riss sie nun doch aus ihrer Trance, und Leni erhob sich aus dem Drehstuhl. Der Kommissar ging voran und teilte den Menschenauflauf auf dem Gang wie Moses das Wasser.

«Was ist passiert?», raunte Herr Seekamp Leni im Vorbeigehen zu.

Sie wollte es ihm sagen, immerhin war er ihr Chef, doch der Kommissar packte sie am Oberarm und schob Leni vor sich her.

«Ist Fräulein Fontane verhaftet?», fragte Seekamp.

«Wie schon gesagt, sie wird als Zeugin vernommen.»

Vor dem Gebäude standen mittlerweile zwei Streifenwagen, die Blaulichter waren aber nicht eingeschaltet. Der Kommissar bugsierte Leni auf den Rücksitz eines Wagens und schlug die Tür zu. Leni hörte ihn draußen mit den Männern und Frauen in Uniform sprechen. Es fielen Worte wie «Hausdurchsuchung», «Tötungsdelikt» und «Kanal», und Leni sackte immer weiter in sich zusammen.

Was hatte sie nur angerichtet!

Der Kommissar setzte sich zu ihr auf die Rückbank, auf dem Fahrersitz nahm eine uniformierte Beamtin Platz.

«Wir fahren jetzt zu Ihrer Wohnung in der Eilenau», sagte der Kommissar. «Auf dem Weg dorthin erzählen Sie mir bitte noch einmal, was Sie dem Kollegen auf dem Revier erzählt haben. Und bitte so genau wie möglich.»

Der Mann hatte einen sehr eindringlichen Blick, der Leni tief unter die Haut ging, und sie fragte sich, ob irgendein Verbrecher sich traute, ihn anzulügen. Und wenn ja, ob er damit erfolgreich sein würde. Das Problem war, sie musste den Kommissar anlügen, wenn sie sich an ihr Versprechen halten wollte, Frederic nicht zu verraten.

Ihr brach der Schweiß aus, während sie dem Kommissar ihre Geschichte erzählte. Er hörte schweigend zu. An seiner Mimik ließ sich nicht ablesen, ob er ihr glaubte oder nicht.

Die kurze Fahrt reichte gerade so für ihren Bericht. Der Wagen hielt, die Beamtin stieg aus, der Kommissar blieb noch sitzen und starrte Leni an. Ahnte er, dass sie ihm etwas verschwieg?

«Haben Sie die Nachricht noch, die Vivien unter Ihrer Tür durchgeschoben hat?», fragte er.

«Ja, oben, in meinem Zimmer.»

«Können Sie mir auf Ihrem Handy den letzten Eintrag von Vivien auf Instagram zeigen?»

«Ja, ich … ach nein, doch nicht, mein Handy … es ist … ins Wasser gefallen.»

«Ins Wasser?»

Leni nickte heftig. «Ja, in den Kanal, gestern Abend. Ich … ich habe mir solche Sorgen um Vivien gemacht, da bin ich auf das Hausboot gegangen, um nach ihr zu suchen, aber sie war nicht da. Leider ist mir dabei mein Handy in den Kanal gefallen.»

Wie unglaubwürdig das klang, registrierte Leni selbst, und auch der Kommissar ließ jetzt deutlich erkennen, dass er ihr nicht glaubte. Seine Augenbrauen senkten sich bedrohlich.

«Und auf dem Hausboot lebt Herr ten Damme?»

«Hat er zumindest gesagt.»

«Auf der Verlagsparty?»

«Ja.»

«Auf der Sie gesehen haben, dass ihm der kleine Finger an der linken Hand fehlt, genau wie dem Mann, dessen Gesicht Sie nicht gesehen haben, der aber Kontakt zu Vivien hatte. In diesem Nachtclub?»

«Genau!»

«Woraufhin Vivien schrieb, sie habe den Bootsmann kennengelernt?»

«Das sag ich doch!»

Der Kommissar sah sie noch einen Moment an, dann nickte er, stieß die Tür auf und stieg aus. Die Beamtin öffnete den Verschlag auf Lenis Seite, und auch sie verließ den Streifenwagen.

Vor ihr ragte Eilenau Nummer 39b auf.

Inzwischen empfand sie das Haus als bedrohlich und wäre gern geflüchtet. Stattdessen betrat sie es in Begleitung des Kommissars und zweier Streifenbeamter.

15.

Jens Kerner stand im Zimmer von Leni Fontane.

Es war groß, sauber, ordentlich eingerichtet und konnte mit einem Hotelzimmer locker mithalten. Es war sogar besser, weil es nicht so gesichtslos war, sondern Charme hatte.

«Hier, die Notiz.»

Leni Fontane hielt ihm den handbeschriebenen Zettel hin. Jens faltete ihn auseinander und las die wenigen Worte.

Hey, Leni Landei, tut mir wirklich, wirklich leid, sorry! Wir sehen uns heute Abend, ja? Du glaubst es nicht, ich hab den Bootsmann kennengelernt!!! Millionär!!!!

Jens sah zu der jungen Frau auf.

Wieder wich sie seinem Blick aus.

Warum?

War sie einfach nur schüchtern, oder belog sie ihn? Jens hatte das Gefühl, sie verschweige ihm etwas. Nach einigen Jahren im Dienst und unzähligen Verhören und Vernehmungen bekam man unweigerlich einen siebten Sinn dafür.

«Millionär?», fragte Jens. «Was bedeutet das?»

«Na ja, Vivien … sie, sie will sich einen reichen Mann angeln, dafür ist sie in Hamburg.»

Und damit in genau der richtigen Stadt, dachte Jens, sagte es aber nicht.

«Der Millionär ist Herr ten Damme. Der Bootsmann?»

«Ich denke schon, ja. Einen anderen Reim kann ich mir darauf nicht machen. Auch wegen seiner Hand.»

Jens musste zugeben, die junge Frau war eine gute Beobachterin und zog die richtigen Schlüsse. Aber ob das auch bedeutete, dass ten Damme ihrer Freundin etwas angetan hatte, stand längst nicht fest. Natürlich konnte sie mit ihm nach Amsterdam weitergereist sein, wäre ja auch logisch. Auf seinem Hausboot war ten Damme jedenfalls nicht, das hatten die Kollegen überprüft.

Rosaria Leone war innerhalb der Stadt umgezogen.

Jana Heigl angeblich nach Berlin gefahren.

Vivien nach Amsterdam.

Von Vivien und Jana gab es Social-Media-Fotos, die das belegen sollten.

Das Muster war eindeutig. Mehr brauchte Jens nicht, um daran zu glauben, einem Serientäter auf der Spur zu sein, der junge Touristinnen entführte und tötete und, im Falle von Rosaria, in einem der vielen Kanäle versenkte.

Blieben die Fragen offen, wer es war, wo er sich versteckt hielt und wie er an seine Opfer herankam – und wie der erschossene Krankenpfleger ins Bild passte.

«Hat außer Ihnen noch jemand diesen Zettel angefasst?», wollte Jens wissen.

Leni Fontane benahm sich wirklich auffällig. Sie wollte sofort antworten, hielt einen Moment inne, sah zu Boden, dann zu ihm auf und sagte: «Nein, ich glaube nicht.»

«Okay, wir werden später auf dem Revier Ihre Fingerabdrücke nehmen.»

Er faltete das Blatt Papier zusammen, steckte es in eine durchsichtige Beweismitteltüte und bat Leni Fontane, ihm das Zimmer zu zeigen, in dem Vivien gewohnt hatte.

Sie führte ihn dorthin und zeigte auf die Tür.

«Das ist Viviens Zimmer.»

Irgendwas bedrückt die Kleine, dachte Jens, schob sich an ihr vorbei und öffnete die Tür. Er war sich bewusst, dass er keinen Durchsuchungsbeschluss hatte und damit streng genommen gegen das Gesetz handelte. Nicht einmal Gefahr im Verzug konnte er anführen. Aber das war Jens egal. Der Besitzer dieser Zimmer würde ihn sicher nicht anzeigen, schließlich war dieses kleine Privathotel illegal.

Das Zimmer war dem von Leni Fontane ähnlich in Größe, Ausstattung und Charme, verfügte aber nicht über den schönen Blick auf den Kanal, sondern ging nach hinten hinaus. Dort gab es einen kleinen, gepflegten Garten mit einem großen Walnussbaum in der Mitte. Rechts, links und hinten war er von Nachbargrundstücken eingerahmt. Ein idyllisches kleines Fleckchen Hamburg, für die meisten unbezahlbar.

Jens wandte sich vom Fenster ab. «Wo haben Sie den Ohrring Ihrer Freundin gefunden?», fragte er.

Leni Fontane deutete auf den in die Nische gebauten Wandschrank.

«Da drinnen.»

Jens ergriff die beiden Türknäufe und zog die Flügeltüren auf. Im nächsten Moment zuckte er zurück, schrie auf und griff nach seiner Waffe.

16.

Der Keller, großer Gott, der Keller!

Vivien hatte Filme gesehen, in denen es solche Keller voller grauenhafter Requisiten gab, aber eben nur Filme, die unterhalten und einen Schrecken verbreiten sollten, der sich leicht mit einem vor die Brust gedrückten Kissen abwehren ließ.

Aber dieser Keller war echt.

Ein Raum, so groß und weitläufig, dass Vivien seine Ausmaße nicht erfassen konnte. Dunkle Bereiche wechselten sich mit schummrig beleuchteten ab. Die Wände aus Naturstein waren massiv und gewaltig, für die Ewigkeit gebaut, kein Schrei würde sie jemals durchdringen.

Und dann die Ausstattung!

Schmiedeeiserne Ketten und Haken, ein hölzernes Rad mit eisernen Beschlägen, ein Turnbock, dessen braunes Leder Flecken von Schweiß oder Schlimmerem aufwies. Tische und Ablagen mit Utensilien und Werkzeugen, darunter Messer, Bohrer, Zangen.

Bevor sie in den Keller hinuntergegangen waren, hatte Vivien Katrin etwas versprechen müssen, aber beim Anblick dieses Raumes wusste sie, sie würde es nicht einhalten können.

«Ich möchte, dass du dich ein bisschen unnahbar und arrogant gibst. Kriegst du das hin?», hatte Katrin sie gefragt.

«Ich … was soll ich?»

«Die arrogante, eingebildete Zicke geben. Und sag mir nicht, du hättest das noch nie gemacht. Lass den Herrn des Hauses ein bisschen zappeln, erfüll ihm nicht jeden Wunsch sofort, und vor allem, sei nicht von Beginn an unterwürfig.»

Nicht unterwürfig?

Wozu diente diese Ausstattung, wenn nicht, um Menschen zu demütigen, sie zu unterwerfen mit den Methoden von Schmerz und Erniedrigung?

Katrin stand so dicht hinter Vivien, dass sie ihren Atem im Nacken spürte.

«Beeindruckend, nicht wahr!», sagte sie leise. «Der Herr ist ein handwerkliches Genie. Das alles hat er selbst gemacht, damit wir uns zusammen vergnügen können.»

Vivien wurde nach vorn gestoßen und stolperte in den Folterkeller.

Hinter ihr schloss Katrin die Tür ab, steckte den Schlüssel ein, stieß Vivien noch ein Stück tiefer in den Raum, ging an ihr vorbei und sah sich suchend um.

«Mein Herr?», rief sie. «Wir sind bereit.»

Einen Moment standen sie beide lauschend da, und Vivien fragte sich, ob sich hier gerade eine Möglichkeit bot zu flüchten. Würde sie mit Katrin fertig werden?

Sie bekam keine Chance, es herauszufinden.

Der Herr des Hauses stürzte aus einem ummauerten Durchgang in den Folterkeller.

«Wir haben ein Problem», rief er.

Er wirkte panisch. Die Angst stand ihm ins Gesicht geschrieben.

«Sie muss weg, auf der Stelle!»

Er zeigte auf Vivien.

KAPITEL 5

1.

Jens Kerner inhalierte die letzten Züge seiner Zigarette und blickte vom Balkon auf den Kanal hinunter, an dem das 33. Revier lag. Es war weit nach zwanzig Uhr und das Wasser so schwarz wie die Nacht. Der Verkehr auf den Straßen ließ langsam nach, für die meisten war der Feierabend längst eingeläutet.

Für ihn noch nicht.

Jens brannte darauf, zu erfahren, was Frederic Förster im Einbauschrank in der Eilenau 39b zu suchen hatte.

Es war schon ein Schock gewesen, die Tür zu dem Schrank zu öffnen und darin jemanden vorzufinden. Förster, in seinem langen Mantel und mit vor Schreck verzerrtem Gesicht, hatte einen beängstigenden Anblick abgegeben, sodass Jens tatsächlich zu seiner Dienstwaffe gegriffen hatte – zum ersten Mal, seitdem er damals die Typen erschossen hatte. Ohne darüber nachzudenken, hatte er einfach gehandelt. Er war froh, dass seine Reflexe noch funktionierten. Nicht auszudenken, wenn er doch ein Trauma davongetragen hätte, das ihn davon abhielt, seine Dienstwaffe zu benutzen.

Es musste ja niemand wissen, wie sehr danach seine Hände gezittert hatten, und dass er seitdem eine Zigarette nach der anderen rauchte, auch nicht.

Jens fragte sich noch immer, was hier ablief. Den ganzen Tag war er auf der Suche nach Förster gewesen, und kaum folgte er einer aktuellen Vermisstenanzeige, hockte der im Schrank in der Eilenau Nummer 39b, ebenjener Adresse, auf die Rebecca durch ihre kreative Lösung des Rätsels gekommen war.

Corsa. Eile. Eilenau …

Wenn man erst einmal darauf hingewiesen wurde, lag es auf der Hand, aber damals, als die Leone verschwunden war, war niemand darauf gekommen. Jens hatte Knüffi noch nicht darüber informiert, dazu war keine Zeit gewesen, er würde das später nachholen.

Jens ahnte, wie es dem armen Kerl danach gehen würde.

Es ließ sich heute nicht mehr nachvollziehen, ob Rosaria damals wirklich in der Eilenau gewohnt hatte, aber dass es dort gerade einen weiteren Vermisstenfall gab, konnte kein Zufall sein.

Was für ein Glück, dass Leni Fontane die Anzeige ausgerechnet heute aufgegeben hatte!

In der zurückliegenden Stunde hatte Jens die junge Frau noch einmal vernommen. Sie hatte viel geweint und sich ständig dafür entschuldigt, nicht sofort die ganze Wahrheit gesagt zu haben. Leni Fontane war eine ehrliche Haut, die durch Zufall in diese Geschichte hineingeraten war. Sie hatte Förster aus Mitleid auf die Möglichkeit aufmerksam gemacht, kostenlos in der Eilenau zu wohnen. Ihre Geschichte war stimmig, und Jens glaubte ihr. Vor einer halben Stunde hatte er sie nach Hause geschickt. Vielleicht war es nicht richtig, sie weiterhin in der Eilenau wohnen zu lassen, immerhin war die Vermietung illegal. Aber bevor Jens dagegen etwas unternahm, wollte er mit Hendrik ten Damme sprechen, dem Besitzer des Hauses. Vielleicht konnte der das aufklären.

Nur dass ten Damme nicht auffindbar war. Der weiße Lieferwagen, in dem Förster ihn hatte wegfahren sehen, ebenfalls nicht. Leider hatte Förster sich das Kennzeichen des Wagens nicht gemerkt, und Lieferwagen dieser Art gab es viele in der Stadt. Vor allem in weißer Lackierung.

Jens drückte seine aufgeraughte Kippe in den übervollen Sandascher und ging zurück ins Gebäude. Er zog zwei Kaffee aus dem Automaten und nahm sie mit in den Vernehmungsraum, in dem Förster seit einiger Zeit wartete.

Als Jens die Tür aufstieß, schreckte Förster auf. Sein Blick war unsicher und flog hin und her, die Hände hielt er zwischen den Beinen verschränkt.

Jens stellte einen Kaffeebecher vor ihm ab und setzte sich ihm gegenüber.

«Schmeckt wie Bullenpisse, hält aber wach», sagte er, deutete mit einem Kopfnicken auf den Becher und trank aus seinem.

Nur zögerlich nippte Förster davon. Er hatte Angst, das war ihm deutlich anzumerken.

«Bin ich … verhaftet?», fragte er.

Jens zuckte mit den Schultern. «Im Moment will ich nur mit Ihnen reden», sagte er. «Danach sehen wir weiter.»

«Ich sage Ihnen alles, was ich weiß.»

«Okay, dann fangen wir mit der Nacht an, in der Sie den Mord an Oliver Kienat beobachtet haben.»

«Ich weiß noch, dass der Wagen mit dem jungen blonden Mann am Steuer an mir vorbeigefahren ist. Ich war betrunken, aber daran erinnere ich mich, weil er mich so anstarrte, als sei ich ein Zombie oder so. Und wenig später steht der gleiche Wagen am Straßenrand, ich dachte erst, da ist ein Unfall passiert, weil so ein kleiner weißer Lieferwagen direkt dahintersteht. Aber dann sehe ich, wie der Mann durch die Seitenscheibe feuert. Zweimal. Und … und Blut spritzte gegen die Scheiben.»

Förster stockte und schüttelte den Kopf.

«Der weiße Lieferwagen, war das derselbe, in den Sie heute Herrn ten Damme haben einsteigen sehen?»

Förster nickte. «Ich denke schon.»

«Was heißt das? War er es oder nicht?»

«Form und Farbe stimmen überein, aber ich habe die Marke nicht erkannt … dieser Mann, der geschossen hat … er hat zu mir aufgeschaut, und da habe ich zugesehen, dass ich wegkam.»

«Können Sie den Schützen beschreiben?»

«Nicht wirklich.»

Jens seufzte vernehmlich. Unentschlossene Aussagen konnte er nicht leiden. Niemand sagte heute noch nein oder ja. Stattdessen hieß es, nicht wirklich, vielleicht, eventuell, keine Ahnung.

«Er war weit weg, und ich stand unter Schock!», verteidigte Förster sich. «Er war groß … und schlank. Also schlank auf jeden Fall!»

«Was taten Sie dann?»

«Na ja, was wohl? Ich bin abgehauen.»

«Sie hätten Ihre Beobachtung sofort melden sollen.»

«Ja, hätte ich, ich weiß. Aber ich war betrunken, hatte Angst, außerdem lebe ich zurzeit auf der Straße. Mal ganz ehrlich, wer hätte mir geglaubt?»

«Tja, als Zeuge vor Gericht wären Sie ein Totalausfall. Aber um diesen Fall zu klären nicht. Dafür bin ich auf solche Beobachtungen angewiesen.»

«Tut mir leid. Es war dumm von mir.»

«Genau, und jetzt Schwamm drüber. Sie sind also abgehauen und haben sich versteckt?»

Freddy nickte. «Er war mir auf den Fersen.»

«Wissen Sie das genau?»

«Darauf können Sie wetten. Zwei Tage später bin ich noch einmal an diese Stelle zurück …»

«Den Tatort?»

«Ja, den Tatort … nachts, ich weiß auch nicht genau, warum … er war da. Hat mich sogar verfolgt.»

«Aber Sie konnten entkommen.»

Freddy grinste frech. «Ich habe ihm einen Außenspiegel an den Kopf geworfen, da ist er zu Boden gegangen.»

Plötzlich schmerzte die Stelle an Jens' Kopf, und er widerstand dem Drang, die noch vorhandene Beule zu betasten. Förster war das gewesen, nicht der Mörder! Wenn sich herumsprach, dass er von einem Penner übertölpelt worden war, den er für einen Mörder gehalten hatte, würde sich daraus ein Running Gag entwickeln, der Jens auf ewig verfolgen würde.

«Ja, ich weiß», sagte Förster, «in dem Moment hätte ich ihn fertigmachen sollen, aber ich hatte Schiss. Bin einfach wieder abgehauen.»

«Gut so», sagte Jens. «Nicht auszudenken, was alles hätte passieren können.»

Er hüstelte.

«Wie sind Sie in der Folge auf das Haus in der Eilenau aufmerksam geworden?», wechselte er rasch die Spur.

«Auf das Haus? Gar nicht.»

Freddy erzählte Jens, jemand aus der Obdachlosenszene habe ihn darauf aufmerksam gemacht, dass der Mann, der ihn suchte, mit einem Kajak auf den Kanälen unterwegs sei. Daraufhin war er dem Mann gefolgt, allerdings nur bis zur Einmündung der Eilenau in den Kuhmühlenteich, wo er ihn aus den Augen verloren hatte. Bei der weiteren Suche auf den dort liegenden Hausbooten war er zufällig auf Leni Fontane gestoßen.

«Was hätten Sie getan, wenn Sie den Täter auf einem der Hausboote angetroffen hätten?», wollte Jens wissen.

Freddy zuckte mit den Schultern.

«Ihn fertiggemacht? Mit meinem Wissen zur Polizei gegangen? Ich weiß es nicht. Ich wollte nur nicht länger weglaufen ...»

Plötzlich klopfte es an der Tür, und ohne auf ein Herein zu warten, riss ein Beamter in Uniform sie auf.

«Wir haben ihn!», rief er aufgeregt. «Ten Damme. Er ist uns direkt in die Arme gelaufen!»

2.

Leni war vollkommen fertig, physisch wie psychisch, und dem Verlagschef Horst Seekamp dankbar dafür, dass er sie nach Hause fuhr.

Der regte sich noch immer furchtbar auf.

«Für Herrn ten Damme lege ich meine Hand ins Feuer», sagte er, gleich nachdem sie in seinen nagelneuen BMW mit Elektroantrieb eingestiegen waren. «Hendrik kann mit alledem nichts zu tun haben, ich bin mir sicher, es wird sich alles aufklären. Ihrer Freundin geht es bestimmt gut.»

«Hoffentlich», sagte Leni.

«Was hat Ihnen die Polizei denn noch gesagt?», fragte Seekamp. «Mir wollten die ja nichts sagen, dabei geht es mich doch auch etwas an. Immerhin sind Sie meine Praktikantin, und ich bin für Ihr Wohlergehen verantwortlich.»

«Nicht viel.»

Sie hatte keine Lust, alles zu wiederholen, was sie mit dem

netten Kommissar Kerner besprochen hatte. Außerdem hatte der sie gebeten, Stillschweigen zu bewahren. Viel wusste sie ja tatsächlich nicht: Vor zwei Jahren war eine junge Italienerin verschwunden, deren Leiche man später tot in einem Kanal gefunden hatte. Der Kommissar meinte, sie hätte eventuell in dem Haus in der Eilenau gewohnt.

Das war gruselig, fand Leni, und sie hatte kein gutes Gefühl dabei, dorthin zurückzukehren, aber was sollte sie machen. Trotz allem war sie nach wie vor entschlossen, ihr Praktikum beim Newmedia-Verlag durchzuziehen. Sie konnte nicht bei den ersten Problemen die Beine in die Hand nehmen und nach Hause laufen. Schließlich hatte sie ihrer Mutter versprochen, endlich ein eigenes Leben zu beginnen.

«Aber irgendwas müssen die doch gesagt haben», beharrte Seekamp. «Mir können Sie es anvertrauen, Fräulein Fontane. Wird Herr ten Damme wirklich beschuldigt, Ihrer Freundin etwas angetan zu haben?»

Leni hatte keine Ahnung, woher Seekamp von diesem Vorwurf wusste. Sie hatte es ihm gegenüber nicht erwähnt, schon allein deshalb nicht, weil Hendrik ten Damme ein Förderer des Verlags war und sie sich bei Seekamp nicht unbeliebt machen wollte.

Mein Gott, in was für eine verfahrene Geschichte war sie hier reingeraten!

«Der Kommissar wollte nur wissen, was ich gesehen habe», wich Leni aus.

«Und was haben Sie gesehen?»

Bei dieser Frage klang Seekamps Stimme anders als vorher. Nicht mehr so großväterlich besorgt, sondern irgendwie … hinterhältig. Außerdem warf er ihr einen ganz merkwürdigen Blick zu.

Durfte sie ihm von der Sache mit dem fehlenden Finger erzählen? Der Kommissar hatte sie für diese Beobachtung gelobt und gemeint, es hätte schon etwas Kriminalistisches, wie sie die Verbindung hergestellt hatte. Vielleicht waren die vielen Krimis, die Leni gelesen hatte, ja doch zu irgendwas nütze gewesen.

Auf den fehlenden kleinen Finger stützte sich ihr ganzer Verdacht – und auf den Umstand natürlich, dass ten Damme von Frederic dabei beobachtet worden war, wie er in einen kleinen weißen Lieferwagen stieg – denselben, mit dem in jener Nacht ein Mörder unterwegs gewesen war.

Plötzlich spürte Leni, wie sich ihre Organe zusammenzogen und ihr Herz für einen Schlag aussetzte. Zugleich wurde ihr heiß und kalt.

Diese Verlagsparty. Als sie mit Herrn Seekamps Sohn Christian Besorgungen gemacht hatte. Sie hatten einen kleinen weißen Lieferwagen benutzt!

Sie warf Seekamp einen schnellen Blick zu, doch der war in diesem Augenblick mit dem Verkehr beschäftigt und bemerkte ihre Panik nicht.

Großer Gott, dachte sie, das darf doch alles nicht wahr sein!

«Fräulein Fontane?», hakte Seekamp nach. «Was ist denn? Geht es Ihnen nicht gut? Sie sind ja ganz blass!»

«Ich …» Leni nutzte die Chance und fasste sich gespielt leidend an den Kopf. «Ich habe furchtbare Kopfschmerzen.»

«Das ist ja auch kein Wunder. Sie armes Ding! So viel Aufregung. Wir sind ja gleich da.»

Er tätschelte Lenis Knie und löste damit einen Schauer aus, der ihr eiskalt den Rücken hinablief.

«Haben Sie denn wirklich etwas beobachtet, was Herrn ten Damme belastet?», kam er noch einmal auf seine Frage zurück.

Leni schüttelte den Kopf.

«Nein, ich weiß nur, dass Vivien verschwunden ist und zuletzt wahrscheinlich auf dem Hausboot war.»

«Auf dem Hausboot? Wie kommen Sie darauf?»

«In jener Nacht hat sie mir eine Notiz unter der Tür hindurchgeschoben, aus der ging das hervor.»

«Ach so», sagte Seekamp und klang erleichtert. «Nun ja, wie ich schon sagte, das wird sich alles aufklären, Sie werden schon sehen. Hendrik hat nichts damit zu tun. Ich habe schon viele Praktikantinnen in seinen Zimmern untergebracht, und nie ist etwas vorgefallen. So, da sind wir.»

Er hielt in zweiter Reihe vor der Villa in der Eilenau und zog den Schlüssel ab.

«Ich begleite Sie noch hinauf», sagte er.

«Das ist doch nicht nötig.»

«Aber sicher ist es das, in Ihrem Zustand. Keine Widerrede!»

Bevor Leni etwas sagen konnte, war Seekamp schon ausgestiegen, kam um den Wagen herum und hielt ihr die Tür auf.

Leni blieb nichts anderes übrig, sie musste sich von ihm begleiten lassen. Dabei wollte sie so schnell wie möglich Kommissar Kerner anrufen und ihm von dem Verlags-Lieferwagen erzählen. Aber das konnte sie nicht, solange Seekamp in ihrer Nähe war.

Zu allem Überfluss hakte er sich auch noch bei ihr ein! Waren seine Berührungen vorher schon unangenehm gewesen, so empfand Leni sie jetzt als Bedrohung. Wehren konnte sie sich jedoch nicht.

In seinem Griff stieg sie die vier Stufen zur Haustür hinauf und fühlte sich, als würde sie zum Schafott geführt.

3.

Zwei Beamte der Schutzpolizei hatten auf Jens' Anweisung auf ten Dammes Hausboot gewartet, und tatsächlich war er ihnen dort in die Arme gelaufen. Jens hatte mit den Beamten gesprochen; sie waren beide der Meinung, ten Damme habe auf überzeugende Art und Weise überrascht gewirkt und sich sofort zur Zusammenarbeit bereiterklärt, obwohl die Streifenbeamten ihm nicht sagen wollten, in welcher Angelegenheit. Folglich wusste ten Damme bisher nur, dass es um ein Kapitalverbrechen ging, in dem er als Zeuge vernommen werden sollte.

Insgeheim betrachtete Jens es aber als Verhör. Er war noch nicht bei seiner Chefin gewesen, damit sie einen Haftbefehl beim Staatsanwalt erwirkte, dafür hatte er einfach nicht genug in der Hand. Ein wichtiges Detail fehlte. Die Anfrage bei dem Internetdienstleister BedtoBed.com lief, die Antwort stand aber noch aus. Die Firma saß in den Staaten, die Buchungen liefen vollautomatisch, und ob dort überhaupt jemand kooperieren würde, stand noch nicht fest.

Folglich wusste Jens nicht, ob Jana Heigl ihr Zimmer in der Wohnung von ten Damme gebucht hatte oder ob sie irgendwo anders in Hamburg untergekommen war. Dasselbe galt für Rosaria Leone. Er erhoffte sich die Bestätigung für den morgigen Tag, und wenn zu der vermissten Vivien, von der Jens noch nicht einmal den Nachnamen kannte, zwei weitere Mädchen hinzukamen, die alle in der Eilenau 39b gewohnt hatten, würde er problemlos einen Haftbefehl gegen ten Damme erwirken können.

Nun stand aber erst einmal das Verhör an.

Ten Damme wartete seit einer halben Stunde geduldig in Vernehmungsraum drei. Der Mann hatte Geld und damit auch Einfluss, konnte sich die besten Anwälte leisten, allzu lange würde er die Situation also sicher nicht erdulden.

Ten Damme erhob sich, als Jens den kargen Raum betrat. Er war genauso groß wie Jens, schlank, hatte volles dunkles Haar und eine athletische Figur. Man konnte ihn durchaus als gutaussehend bezeichnen, und Jens musste an die Aussage des IT-Technikers Linus Tietjen denken. Ten Damme sah gut aus, so wie Tietjen es beschrieben hatte. Jens machte sich eine geistige Notiz, unbedingt ein Foto von ten Damme zu schießen, damit Tietjen es mit seinem Programm abgleichen konnte. Der hatte behauptet, trotz des schlechten Fotos, das Oliver Kienat von seinem Mörder geschossen hatte, bei einem Vergleich mit einem Verdächtigen zu sechzig Prozent sagen zu können, ob es sich um die Person am Steuer des weißen Kleintransporters handelte.

Jens schüttelte ten Damme die Hand, stellte sich vor und bat ihn, wieder Platz zu nehmen.

«Entschuldigen Sie bitte, dass Sie warten mussten», begann er das Gespräch. Es konnte nicht schaden, für gute Stimmung zu sorgen.

«Nun, ich helfe natürlich gern, aber die Art und Weise, wie man mich bisher behandelt hat, empfinde ich als herablassend. Ich fühle mich wie ein Schwerverbrecher.»

Jens hätte ihm verdeutlichen können, wie sie mit ihm umgegangen wären, wäre er tatsächlich ein Schwerverbrecher, ließ es aber bleiben.

«Wie gesagt, es tut mir leid. Ist ziemlich viel los gerade.»

«Gut, vergessen wir das. Sagen Sie mir bitte einfach, worum es geht.»

Ten Damme drückte sich gewählt und gebildet aus, seine Stimme klang weder nervös noch aufgebracht, aber durchaus so, als sei er es gewohnt, vor anderen zu sprechen und sich verbal durchzusetzen.

«Sie sind der Besitzer der Immobilie Eilenau Nummer 39b?», fragte Jens drauflos.

«Nein, bin ich nicht.»

Oha! Die erste Überraschung.

«Ich habe andere Informationen.»

«Dann stimmen Ihre Quellen nicht. Mir gehört lediglich eine Etage der Villa. Die vierte, um genau zu sein.»

Jens machte sich entsprechende Notizen.

«Wem gehören die anderen Etagen?»

«Das weiß ich nicht. Es gibt eine Eigentümergemeinschaft, aber um diese Dinge kümmert sich mein Anwalt. An dieser Stelle möchte ich gern wissen, ob es geboten ist, ihn hinzuzuziehen?»

Jens schürzte die Lippen. «Das liegt in Ihrer Entscheidung. Sie werden lediglich als möglicher Zeuge vernommen.»

«Ich werde also keines Verbrechens beschuldigt?»

«Nein.»

«Gut, dann verzichte ich vorerst auf Rechtsbeistand.»

«Okay. Vermieten Sie die Zimmer Ihrer Etage über einen Internetdienstleister?»

«Das ist richtig. BedtoBed.com macht das.»

«Haben Sie ein Zimmer an eine junge Frau namens Vivien vermietet?»

«Ehrlicherweise muss ich gestehen, dass ich die Buchungen weder überprüfe noch mit den Mietern spreche. Das läuft alles elektronisch, was das System ja so genial und erfolgreich macht.»

«Dann anders gefragt: Kennen Sie eine Vivien?»

«Ich kenne keine Vivien. Wie heißt sie denn mit Nachnamen?»

«Der ist uns noch nicht bekannt», musste Jens zugeben und erntete dafür von ten Damme eine leicht spöttisch hochgezogene Augenbraue.

«Aha», sagte er. «Also, im Moment kenne ich nur eine der Mieterinnen. Frau Leni Fontane. Ich bin ihr auf einem Empfang beim Newmedia-Verlag begegnet. Wir haben uns kurz unterhalten. Geht es Frau Fontane gut?»

Jens fixierte den Mann. Dass ten Damme freiwillig einräumte, Leni Fontane zu kennen, war nicht weiter verwunderlich, schließlich war das einfach nachprüfbar.

«Frau Fontane geht es gut, ja. Sie hat die Vermisstenanzeige gestellt. Vivien ist ihre Freundin, und Frau Fontane glaubt, ihr könnte etwas zugestoßen sein.»

«Und deshalb durchsucht die Polizei meine Wohnung und hält sich unberechtigt auf meinem Hausboot auf? Ich muss schon sagen, ich bin einigermaßen erstaunt und verärgert.»

«Immerhin geht es um ein Menschenleben», warf Jens ein.

«Ja, okay, das verstehe ich. Aber dies ist Hamburg. Wenn dieser Vivien, von der Sie nicht einmal den Nachnamen kennen, wirklich etwas zugestoßen ist, kann das überall passiert sein, nicht wahr. Warum kommt die Polizei zuallererst zu mir?»

Jens sah ein, er musste mehr Informationen rausrücken, sonst würde er bei ten Damme nicht weiterkommen.

«Es werden zwei weitere junge Frauen vermisst», gab er deshalb zu.

«Was? Und die haben auch bei mir gewohnt?»

«Sie haben online Zimmer in der Stadt gebucht und waren

allein unterwegs. Das ist eine nicht unwesentliche Übereinstimmung.»

Ten Damme rückte ein Stück an den Tisch heran und fixierte Jens aus schmalen Augen.

«Haben diese Mädchen bei mir gewohnt?», wiederholte er seine Frage.

«Das wissen wir noch nicht», musste Jens zugeben.

«Sie wissen offenbar recht vieles noch nicht.»

Ten Damme lehnte sich wieder zurück und verschränkte die Arme vor der Brust. Jens fiel der fehlende kleine Finger an der linken Hand auf.

«Ihre Aktion erscheint mir immer mehr wie ein Schnellschuss. Haben Sie sich eigentlich vorher einmal Gedanken darüber gemacht, welche Folgen es für mich haben kann, wenn sich dadurch Gerüchte verbreiten?»

«Welche Gerüchte könnten sich denn verbreiten?»

«Herr Kommissar, unterlassen Sie bitte solche Spielchen, oder ich stehe sofort auf und gehe. Ich denke, mein Anwalt würde sich freuen, eine Dienstaufsichtsbeschwerde gegen Sie auf den Weg zu bringen.»

«Eingangs sagten Sie, Sie würden gern helfen.»

«Eingangs sagten Sie, ich würde als Zeuge vernommen. Hat sich daran etwas geändert?»

Sie kreuzten ihre Blicke wie Schwerter. Ten Damme war ein harter Hund, der sich nicht einschüchtern ließ.

«Besitzen Sie einen weißen Kleinlieferwagen?»

«Ich? Nein. Wie kommen Sie darauf?»

Jens hatte ein winziges Zögern vor der Antwort bemerkt, zum ersten Mal, seitdem er sich mit ten Damme unterhielt. War er an dieser Stelle unehrlich?

«Fahren Sie hin und wieder so ein Fahrzeug?»

«Was sollen diese Fragen?»

«Beantworten Sie sie einfach.»

«Nein, werde ich nicht. Ich denke, ich breche das jetzt ab und bespreche mich morgen in aller Frühe mit meinem Anwalt.»

«Wie schon gesagt, das ist Ihre Entscheidung. Eine Sache noch: Fahren Sie Kanu auf den Kanälen der Stadt?»

«Ja, tue ich. Kajak, um genau zu sein. Und zwar regelmäßig. Was hat das jetzt wieder mit den verschwundenen Mädchen zu tun?»

«Eines der Mädchen wurde am Grund eines Kanals gefunden. Mit Drahtgeflecht zusammengeschnürt wie ein Paket.»

Ten Damme starrte Jens an. Sein Blick war hart und undurchsichtig. Sein rechter Mundwinkel zuckte kurz, ansonsten blieb seine Mimik unverändert.

Schließlich erhob er sich.

«Sind wir fertig?»

«Für heute schon. Ich möchte Sie aber bitten, sich zur Verfügung zu halten.»

«Darauf wird mein Anwalt antworten.»

«Darf ich fragen, wie Sie den kleinen Finger an der linken Hand verloren haben?»

Ten Damme hob die Hand und betrachtete sie, so als müsse er überprüfen, ob dort wirklich ein Finger fehlte.

«Ist lange her», sagte er. «Warum interessiert Sie das?»

Jens lächelte.

«Nur so.»

Durch seinen Blick ließ er ten Damme wissen, dass seine Frage sehr wohl etwas zu bedeuten hatte und keine Belanglosigkeit war. Er würde den Mann aber nicht über die Hintergründe aufklären. Sollte er sich doch Gedanken machen und sich – falls er der Täter war – fragen, wie dicht Jens ihm auf den Fersen war.

Ten Damme verließ ohne ein weiteres Wort den Raum.

Jens ließ sich gegen die Lehne des Stuhls sinken, tippte sich mit dem Kugelschreiberkopf gegen die Schneidezähne und dachte nach.

Es klopfte an der Tür, und ein Kollege steckte den Kopf herein.

«Ich brauche Raum eins», nörgelte er. «Wie lange soll der Penner da noch sitzen?»

«Ach, Scheiße!», stieß Jens aus und sprang vom Stuhl auf.

Frederic Förster hatte er in der Aufregung um ten Damme total vergessen. Der Mann saß sicher schon seit einer Stunde herum, ohne dass sich jemand um ihn gekümmert hätte.

Wahrscheinlich war er froh über den trockenen Platz.

Jens fragte sich, ob er sich bei dem armen Wicht für seine Kooperation bedanken sollte.

Eine Idee dafür hatte er.

4.

«Kann ich sonst noch etwas für Sie tun, Fräulein Fontane?»

Horst Seekamp stand ganz dicht bei ihr, seine Hand näherte sich ihrem Gesicht, seine Finger streiften ihre Wange.

«Das war doch sicher ein ganz furchtbarer Tag für Sie. Ich kann noch eine Weile bleiben, wenn Sie möchten.»

Seekamp hatte Leni nicht nur bis hinauf in die vierte Etage begleitet, sondern darauf bestanden, mit ins Zimmer zu kommen, und Leni hatte nicht gewusst, wie sie es verhindern sollte, ohne unhöflich zu sein.

Warum nur konnte sie nicht einfach sagen, was sie dachte und fühlte? Andere Menschen schafften das doch auch. Sie aber hielt mit allem hinterm Berg, weil sie immer darauf bedacht war, dass andere nicht schlecht über sie redeten, und kopierte damit das Verhalten ihrer Mutter, der es immer wichtig gewesen war, den schönen Schein aufrechtzuerhalten und den Leuten in ihrer kleinen Gemeinde keinen Grund zum Tratschen zu geben. So hatte sie immer wieder gelogen, wenn sie die Spuren von Papas Ausbrüchen im Gesicht trug. Natürlich hatten die Leute gewusst, was Sache war. Sie wussten es immer. Aber darum ging es wahrscheinlich gar nicht. Es ging darum, vor sich selbst zu bestehen.

Leni wusste, wenn sie jetzt nichts unternahm, würde Seekamp zudringlich werden. Er würde ihre Zurückhaltung und Schüchternheit als Zustimmung deuten, auch wenn jeder Mann, der über ein Mindestmaß an Empathie und Intelligenz verfügte, erkennen konnte, wie sie sich fühlte.

«Sie zittern ja, meine Liebste. Kommen Sie, setzen Sie sich aufs Bett.»

Seine Hand lag auf ihrer Schulter. Er drehte sie herum und drückte sie sanft, aber nachdrücklich auf die Matratze. Dann stand er vor ihr, und sein Schritt befand sich direkt vor Lenis Gesicht.

Sie sprang auf. So heftig und schnell, dass sie mit dem Kopf gegen Seekamps Kinn stieß. Leni hörte, wie seine Zähne aufeinanderschlugen. Seekamp schrie auf, taumelte zurück, stieß mit dem Rücken gegen den Kleiderschrank und presste sich beide Hände gegen den Mund.

Aus weit aufgerissenen Augen sah er sie erschrocken an.

«Ich … ich will, dass Sie sofort mein Zimmer verlassen», presste Leni mühsam hervor.

«Ich hab mir auf die Zunge gebissen», nuschelte Seekamp hinter vorgehaltener Hand, nahm sie von seinem Mund und überprüfte sie nach Blut. Und tatsächlich klebte ein wenig Blut an der Innenfläche, ebenso an seinen Lippen, wo es rot glänzte wie Lippenstift.

Er wischte sich mit den Handrücken über den Mund, betrachtete auch dieses Blut und sah schließlich zu Leni auf. Sein Blick veränderte sich schlagartig. Aller Schreck verschwand und wich unbändigem Zorn.

«Du undankbare dumme Kuh», sagte Seekamp leise und mit gefährlichem Unterton. Seine väterliche Attitüde war vollkommen verschwunden.

Leni erinnerte sich an ihren Lehrgang.

Sei laut, schrei herum, mach auf dich aufmerksam, sei kein stilles Opfer.

Sie sprang zur Tür, riss sie auf und trat einen Schritt auf den Flur hinaus.

«Verschwinden Sie, sofort!», rief Leni laut. «Oder ich schreie, so laut ich kann, um Hilfe.»

Seekamp zögerte. Er versuchte einzuschätzen, ob Leni es ernst meinte. Wut und Angst verliehen ihr in diesem Moment Kraft, sodass sie es schaffte, seinem Blick standzuhalten. Sie hob sogar noch die Hand und wies ihm mit ausgestrecktem Zeigefinger den Weg.

«Raus. Sofort!»

Wo kam nur die Entschlossenheit her, die plötzlich in ihrer Stimme lag?

Seekamp wischte sich noch einmal über den Mund, dann setzte er sich in Bewegung.

An der Tür kam er Leni noch einmal ganz nahe, war aber darauf bedacht, sie nicht zu berühren.

«Dein Praktikum kannst du vergessen», sagte er. «Und das Zimmer hier auch.»

Leni wartete, bis er die Hälfte des Flurs hinter sich gebracht hatte, dann schrie sie ihre ganze Wut und Angst hinaus. «Ich scheiß auf Ihr Praktikum! Ich bin doch nicht Ihre Kellnerin!»

Sie wartete noch, bis die Wohnungstür zufiel, dann huschte sie in ihr Zimmer zurück, drückte die Tür zu und legte mit zitternden Fingern die Kette vor. Sie ging zum Fenster hinüber und beobachtete durch einen Spalt zwischen den Vorhängen, wie Seekamp in seinen Wagen stieg und davonfuhr.

Vorher warf er aber noch einen Blick zu ihrem Fenster hinauf. Ein Blick voller Bosheit und Wut.

Leni taumelte vom Fenster zurück, stieß mit den Beinen gegen das Bett und ließ sich fallen.

Sie konnte nicht fassen, was sie gerade getan hatte.

War es falsch gewesen? Vielleicht hatte Seekamp ihr tatsächlich nur beistehen wollen, und sie hatte ihn missverstanden?

Nein, hör auf, sagte Leni sich. Such die Schuld nicht wieder bei dir. Seekamp ist nicht der nette, gebildete Verlagschef, für den er sich ausgibt. Das weißt du doch schon seit dem Empfang.

Leni sammelte und beruhigte sich und dachte angestrengt nach.

Seekamp hatte gerade bewiesen, dass man ihm nicht trauen konnte. Er war voller Abgründe. Was, wenn auch er ganz tief in dieser Sache mit drinsteckte? Bewies der weiße Verlagslieferwagen das nicht sogar?

Machten Seekamp und Hendrik ten Damme womöglich gemeinsame Sache? Lockten sie junge Frauen in dieses Haus, um sie zu entführen und zu ermorden?

Leni musste unbedingt mit dem Kommissar sprechen.

Nur wie?

Im Zimmer gab es kein Telefon, und ihr Handy lag am Grund des Kanals.

Sie musste raus und irgendwo telefonieren.

Sofort!

5.

«Lass uns verschwinden!»

Ihr Geliebter sah sie mit diesem flehentlichen Blick an, den Katrin nicht ausstehen konnte. Sie saßen in seinem Wagen, der an einer dunklen Stelle am Straßenrand in einer ruhigen Sackgasse abgestellt war.

«Kommt nicht in Frage», sagte sie. «Wir haben so viel investiert, da werde ich doch nicht bei der ersten kleinen Schwierigkeit abhauen.»

«Diese Schwierigkeit ist nicht klein! Die Polizei ist uns auf der Spur, und diese Leni Fontane ahnt auch etwas.»

«Ist sie nicht. Die tappt im Dunkeln, oder besser, sie tappt dort herum, wo wir es wollen. Nein, wenn wir jetzt verschwinden, machen wir uns verdächtig.»

«Ich habe Angst.»

«Na und! Du musst lernen, sie zu kontrollieren. Nur schwache Menschen knicken vor ihrer Angst ein.»

«Vielleicht bin ich das. Schwach.»

Katrin starrte ihn an. Ihren Geliebten, der auf alle anderen Menschen wirkte wie der Fels in der Brandung, der Ruhe, Zuverlässigkeit und Kraft verströmte und doch so ganz anders war.

«Ja, vielleicht bist du das», sagte sie.

Das traf ihn hart, sie konnte es sehen. Doch in diesem Moment, da sie selbst unter großem Druck stand, war sie nicht länger in der Lage, ihn zu verhätscheln wie ein kleines Kind. Vielleicht war die ganze Arbeit und Zeit umsonst gewesen, und es stimmte, was manche behaupteten: Der Mensch ändert sich nicht. Katrin hatte das nie glauben wollen, und lange Zeit hatte es doch auch so ausgesehen, als wüchse ihr Geliebter an ihrer Seite über sich hinaus. Denn nur das hatte ihm gefehlt: eine Frau, eine Partnerin, die ihn nicht kleinmachte, neben der er sich entwickeln konnte, durch deren Zuspruch sein verkümmertes Selbstbewusstsein wuchs und gedieh. Es gab Frauen, neben denen Männer eingingen wie Unkraut im Feuer, weil sie es ablehnten, ihn größer zu sehen, als er es tatsächlich war. Sie lehnten es nicht nur ab, nein, sie verweigerten jede Anerkennung, lobten nicht, sondern tadelten in einem fort und wunderten sich dann, warum der eigene Mann so ein Versager war. Katrin hatte das nie getan, denn sie hatte sofort gewusst, wie sie ihren Geliebten behandeln musste, um aus ihm den perfekten Partner zu formen.

So viel Zeit, so viel Geduld, so viele Opfer …

Und jetzt?

Brach er unter der kleinsten Belastung zusammen.

Katrin war noch nicht so weit, sich einzugestehen, einen Fehler begangen und ihn falsch eingeschätzt zu haben – aber sie war auch nicht mehr weit davon entfernt. Ihre Geduld war endlich.

«Ich hab es nicht so gemeint», sagte sie und nahm seine Hände.

Hände, die fähig waren zu töten. Er hatte es bewiesen.

«Wir stehen das gemeinsam durch, hörst du! Weil wir uns lieben.»

Er nickte. Sein Lächeln war halbherzig.

«Und ich weiß auch schon, was dazu notwendig ist», sagte Katrin. «Vor allem muss dieses Landei weg.»

6.

Wo konnte man im Zeitalter des Smartphones noch telefonieren? Gab es überhaupt noch Telefonzellen?

Leni wusste es nicht. Notfalls würde sie eben in einem Lokal fragen oder sich direkt an die nächste Polizeistation wenden. Sie wusste nur nicht, wo die sich befand. Also lief sie einfach los in die Richtung, die Vivien und sie an Lenis erstem Tag in Hamburg eingeschlagen hatten, als sie zum Frühstück gegangen waren: am Kanal entlang und über die Straße.

Einige wenige Menschen mit Handys an den Ohren kamen ihr entgegen, quasi jeder telefonierte, doch Leni traute sich nicht, auf offener Straße jemanden darum zu bitten, sie sein Handy benutzen zu lassen.

Du musst, sagte sich Leni. Spring über deinen Schatten und trau dich, gerade eben hast du es bei Seekamp doch auch geschafft.

Sie wartete noch, bis ihr eine Frau mit einem Handy am Ohr entgegenkam. Sie war Mitte vierzig, sehr gut gekleidet und trug über dem rechten Arm zwei Einkaufstüten, die so leicht waren, dass sie nur Kleidung enthalten konnten.

«Entschuldigung», sprach Leni sie an.

Die Frau sah zu ihr herüber, hörte aber weder auf zu telefonieren, noch verlangsamte sie ihren Schritt. Hilflos musste Leni mit ansehen, wie sie unter den Bäumen verschwand.

Okay. Nur nicht gleich aufgeben. War doch klar, dass der erste Versuch nicht sofort klappen würde.

Aber es war spät, die Straße dunkel, und allzu viele Leute waren nicht mehr unterwegs, zumindest nicht zu Fuß. Einen Mann wollte Leni nicht ansprechen, und so lief sie und lief, bis ihr eine Mädchenclique entgegenkam. Vierzehnjährige, die munter miteinander quasselten und ganz nebenbei auf ihren Smartphones schrieben.

«Entschuldigt bitte», sprach Leni sie lauter und deutlicher an als zuvor die Frau. «Ich müsste dringend die Polizei anrufen. Kann ich vielleicht eines eurer Handys benutzen?»

Sie hatten sie gehört, und ihre Frage konnte man auch nicht missverstehen, aber die Mädchen glotzten Leni dennoch so an, als habe sie gerade in einer außerirdischen Sprache gesprochen.

«Verpiss dich!», sagte eine von ihnen. Laut kichernd ließen sie Leni stehen und zogen weiter. Ein Mädchen drehte sich noch zu ihr um, und ihr Blick war durchaus mitfühlend, aber sie löste sich nicht von der Gruppe und verschwand mit ihr.

Leni hätte heulen können und es vielleicht auch getan, wenn nicht in diesem Moment jemand aus dem tiefen Schatten unter den Bäumen hervorgetreten wäre. Sie hatte den jungen Mann vorher nicht bemerkt. Er trug modische Kleidung, sein pechschwarzes Haar war zurückgegelt.

«Hey», sprach er Leni an. «Du Polizei anrufen?» Er zeigte ihr sein Smartphone.

Leni war zu erschrocken, um sofort zu antworten.

«Ich dir helfen», sagte er und deutete auf sein Telefon. «Hier. 110. Du anrufen!»

Leni sammelte sich und klaubte die Visitenkarte aus ihrer Hosentasche, die Kommissar Kerner ihr nach dem Gespräch überlassen hatte.

«Ich muss diese Nummer anrufen», sagte Leni übertrieben laut und deutlich und zeigte ihm die Karte. «Das ist ein Kommissar. Es dauert auch nicht lange.»

«Okay, okay, du nehmen.»

Er zwang ihr sein Handy fast schon auf.

«Deutsche mir helfen, ich dir helfen», sagte der junge Mann, und sein Lächeln war so ehrlich und mitfühlend, dass es Leni ganz warm ums Herz wurde.

Sie nahm das Telefon und wählte die Nummer von der Visitenkarte. Kommissar Kerner meldete sich sofort. Aufgeregt erzählte sie ihm von dem kleinen weißen Lieferwagen, über den der Verlag verfügte und in dem sie zusammen mit Christian Seekamp am Tag des Empfangs Besorgungsfahrten erledigt hatte. Sie sprach auch noch einmal ten Dammes finanzielles Engagement für den Newmedia-Verlag an – und schließlich traute Leni sich sogar, dem Kommissar vom merkwürdigen Verhalten ihres Chefs zu berichten.

Sie war richtiggehend außer Atem, als alles heraus war.

«Vielen Dank für Ihren Anruf», sagte Kommissar Kerner. «Das hilft mir weiter. Ich werde der Sache gleich morgen früh nachgehen. Schlafen Sie gut, Frau Fontane. Ich melde mich morgen bei Ihnen.»

Der Kommissar beendete das Gespräch. Leni war enttäuscht darüber, wie ruhig er alles aufgenommen hatte. Warum nur war er nicht genauso aufgeregt wie sie? Er musste doch Viviens Verschwinden aufklären!

Leni gab dem jungen Mann sein Telefon zurück und bedankte sich. Der junge Ausländer starrte sie freudig an. Ob er wohl verstand, was vor sich ging?

«Du okay?», fragte er.

«Nein, nichts ist okay.»

Sein Gesicht spiegelte Lenis Gefühlslage wider.

«Du mehr Hilfe brauchen?»

Ja, brauchte sie, aber er konnte ihr nicht helfen.

«Vielen Dank, Sie haben mir schon sehr geholfen.»

Leni wandte sich ab und ging davon.

Nachdem sie einige Minuten tief in Gedanken versunken einfach drauflosgelaufen war, bemerkte sie, dass sie die falsche Richtung eingeschlagen hatte. Nichts von dem, was sie sah, kam ihr bekannt vor. Diese Stadt war ihr immer noch ein Rätsel und würde es auch bleiben. Leni drehte sich im Kreis. Wo ging es zur Eilenau? Sie konnte nicht einmal mehr einen Kanal entdecken.

Da sie glaubte, nach dem Telefonat mit Kommissar Kerner einfach nur in die entgegengesetzte Richtung gelaufen zu sein, kehrte sie um. Früher oder später würde sie den Kanal finden, und dann war alles in Ordnung.

Immer weniger Menschen begegneten ihr, und bald gar keine mehr. Zwar gab es auch hier Straßenlaternen, aber ihr Licht war diffus, und vor den schwarzen Feldern dazwischen fürchtete Leni sich. Wachsam und angespannt folgte sie der Straße. Als ihre Verzweiflung wuchs, glaubte sie, etwas wiederzuerkennen. Ein markantes Gebäude, das sie schon einmal gesehen hatte. Sie wusste nur nicht mehr, wann.

Erst als sie davor stehen blieb, fiel es ihr ein. Sie war auf ihrer Besorgungstour für den Empfang an diesem auffälligen Gebäude mit seinen kleinen Türmchen an den Ecken vorbeigefahren. Folglich konnte es nicht mehr weit sein bis zum Verlag, und von dort aus würde sie spielend leicht zurück in die Eilenau finden.

Die Erleichterung war groß, als die Verlagsvilla endlich in Sicht kam.

Leni beschleunigte ihren Schritt und war außer Atem, als sie dort ankam.

In der zweiten Etage brannte Licht.

Leni beobachtete das Fenster und erkannte anhand von Schatten, die sich an einer Wand bewegten, dass sich zwei Personen in dem Raum aufhielten. Sicher war sich Leni nicht, glaubte aber, das Büro von Horst Seekamp im Blick zu haben.

Na ja, was ging es sie an, wie lange ihr Chef arbeitete?

Sie wollte gerade gehen, da trat eine Person ans Fenster.

Ihre Blicke trafen sich, oder vielleicht auch nicht, immerhin stand Leni im Dunkeln und war aus dem erleuchteten Zimmer heraus praktisch unsichtbar. Dennoch trat sie einen schnellen Schritt beiseite und versteckte sich hinter Büschen.

Leni hatte eine Frau dort oben am Fenster erkannt.

Es war diese Schauspielerin, die Hendrik ten Damme ihr auf dem Empfang vorgestellt hatte.

Wie hieß sie noch gleich?

7.

«Ellen Lion», sagte Rebecca und deutete auf den großen Flatscreen an der Wand ihres Wohnzimmers. «Hauptdarstellerin und Star der Serie *Wen wir lieben.*»

«Nie gehört», sagte Jens und betrachtete die Frau auf dem Bildschirm. Sie war groß und schön und gut gekleidet. Ob sie eine gute Schauspielerin war, vermochte er nicht zu beurteilen. Er kannte sie erst seit zwei Sekunden, zudem war der Ton der Sendung stummgeschaltet.

«Das habe ich mir gedacht.»

Rebecca, die auf dem Sofa lag, die Beine unter einer Wolldecke verborgen, lächelte ihn an.

«Schließlich ist das Vorabend-TV für Menschen mit stark erhöhtem Romantikbedarf gemacht.»

«Und du meinst, zu denen gehöre ich nicht?»

«Nein, zu denen gehörst du nicht.»

Ihre Blicke blieben einen Moment aneinanderhaften, und Jens hatte kurz das Gefühl, sich den Magen verdorben zu haben. Er zog sich ganz merkwürdig zusammen. Das musste das chinesische Essen sein, das er auf dem Weg zu Rebecca besorgt hatte. Die beiden leeren Pappschachteln standen auf dem Wohnzimmertisch. Sie waren beide ausgehungert gewesen und darüber hergefallen wie wilde Tiere.

«Aber jetzt pass mal auf!», sagte Rebecca und wandte sich wieder dem Fernseher zu. «Deswegen habe ich dich angerufen.»

Jens konzentrierte sich auf den Bildschirm, versuchte es zumindest, denn die Müdigkeit machte ihm doch sehr zu schaffen. Den ganzen Tag war er unterwegs gewesen, dann die zwei Vernehmungen hintereinander, außerdem steckte ihm sein Lauftraining noch immer in den Knochen. So richtig begeistert war er nicht gewesen, als Rebecca ihn auf dem Weg in den Feierabend angerufen hatte, doch das hatte sich schnell geändert.

Ich habe vielleicht die entscheidende Spur, hatte sie ins Telefon gerufen, sich darüber hinaus aber in Schweigen gehüllt. Auch seine hartnäckigen Fragen während des Essens hatten sie nicht weichkochen können. Rebecca genoss es offensichtlich, ihm, dem Kommissar, als einfache Mitarbeiterin im Innendienst eine Nasenlänge voraus zu sein.

«Worauf soll ich achten?», fragte Jens.

Auf dem Bildschirm saß eine Gruppe von acht Menschen um

einen festlich gedeckten Tisch herum. Sie aßen, tranken und waren fröhlich.

«Es klingelt gleich an der Haustür. Ellen Lion, die Gastgeberin, öffnet. Achte auf den Kerl, der vor der Tür steht.»

Das tat Jens.

Und die Überraschung hätte nicht größer sein können.

«Ten Damme!», stieß er aus. «Der Mann ist Schauspieler?»

Rebecca schüttelte den Kopf. «Nicht wirklich. In diesen Billigserien bekommen Laiendarsteller häufig kleinere Rollen. So muss es auch hier gewesen sein. Ten Damme hat in dieser und der nächsten Folge jeweils knapp zwei Minuten seinen Auftritt, dann nie wieder.»

«Wann wurde das ausgestrahlt?»

«Schon vor einem Jahr.»

«Und wie kommt es, dass du dich daran erinnert hast?»

Rebecca deutete auf den Bildschirm.

«Schau dir den Typ doch mal an. Keine Frau vergisst den.»

«Na ja, über Geschmack lässt sich ja bekanntlich streiten.»

«Bist du etwa eifersüchtig auf ten Damme?»

Jens funkelte sie an. «Nie im Leben.»

Ihr Lächeln war warm und herzlich, der Glanz in ihren Augen kaum auszuhalten.

«Ich gestehe, ich schaue diese Serie, seitdem sie vor fast zehn Jahren begann», erklärte Rebecca. «Bin ein Fan der ersten Stunde, und als der Name ten Damme heute im Präsidium fiel, wusste ich, ich kenne den irgendwoher. Als ich ihn dann sah, war es klar.»

«Okay», sagte Jens und lehnte sich zurück. «Aber wie hilft uns das weiter?»

«Denk mal nach, mein Großer.»

Das tat er. Auch wenn es ihm schwerfiel, weil Rebecca ihn

die ganze Zeit mit diesem Magenumdrehblick anschaute. Außerdem klang ihm in den Ohren nach, wie sie «mein Großer» gesagt hatte. Deshalb dauerte es einen Moment, bis der Groschen fiel.

«Die Waffe, mit der Oliver Kienat erschossen wurde!», stieß Jens aus.

Rebecca nickte.

«Wie ich dir schon am Telefon sagte, kam sie bei einer Filmproduktion abhanden. Damals war es eine schussunfähige Waffe, aber wir wissen beide, wie einfach man so etwas ändern kann.»

Die Müdigkeit war wie weggeblasen. Jens sprang auf und lief zwischen Fernseher und Sofa hin und her.

«Jetzt sag bloß noch, dass die Waffe bei der Produktion dieses Films verschwand, den du mir gerade gezeigt hast.»

«Leider haben wir in unserem System keine Information darüber. Es wird uns also nichts anderes übrigbleiben, als bis morgen früh zu warten und dann bei der Produktion anzurufen.»

«Scheiße! Das überfordert meine Geduld. Wenn die Waffe verschwand, als ten Damme am Set war, bekomme ich auf jeden Fall einen Haftbefehl.»

Jens schlug sich mit der Faust in die offene Handfläche, dass es nur so klatschte.

«Wir haben ihn! Du hast ihn.»

Aus dem Überschwang und der Aufregung heraus beugte Jens sich zu Rebecca hinunter, legte seine Hände an ihre Wangen und küsste sie auf den Scheitel.

«Du bist genial!»

«Ich fasse es nicht. Ein richtiges Kompliment. Du weißt noch, was ich dir für diesen Fall versprochen habe?»

«Ich heirate nicht mehr!»

«Aber du könntest mich zumindest küssen, wie man eine Frau küsst. Nicht wie deine Großmutter.»

Sie streckte ihm ihr Kinn entgegen.

Als Gentleman alter Schule tat Jens, worum ihn die Lady bat. Gerade in dem Moment, als der Kuss intensiver wurde, klingelte sein Handy.

Es fiel ihm wirklich schwer, sich von Rebecca zu trennen und den Anruf entgegenzunehmen.

«Hier ist Leni Fontane», rief eine aufgeregte Stimme.

8.

Morgen ganz früh würde sie die Stadt verlassen. Diese Entscheidung hatte Leni auf dem Heimweg getroffen. Sie würde nicht warten, bis sich herausstellte, was mit Vivien passiert war und ob ten Damme oder Seekamp oder beide etwas damit zu tun hatten, denn das war nicht ihre Sache, und sie konnte auch nicht dabei helfen. Außerdem hatte sie ab morgen kein Zimmer mehr und kein Geld für ein Hotel.

Als Leni die Wohnung betrat, war es bereits weit nach Mitternacht. Trotzdem schlug ihr laute Musik entgegen, spanische, wenn sie sich nicht täuschte. Vor der Tür, hinter der die Party stattfand, blieb Leni stehen und hob die Hand, um zu klopfen. Sie hörte Stimmen, Lachen, Kreischen von mehreren Personen, hauptsächlich wohl weiblich.

Soll ich?, fragte sich Leni.

Ihre Hand schwebte in der Luft, tausend Argumente dagegen schossen ihr durch den Kopf, doch dann drückte Leni den Rücken durch, hob das Kinn und pochte lautstark gegen das Türblatt.

Eine rotgesichtige, verschwitzte Blondine öffnete. In der linken Hand hielt sie eine Bierflasche. Sie war barfuß, ihr Haar klebte an ihrem Kopf, und sie strahlte Leni an, als sei sie der Partygast, auf den alle gewartet hatten.

«Ich will schlafen», sagte Leni laut und deutlich.

Die Frau antwortete auf Spanisch. Und nicht nur zwei, drei Wörter, nein, sie palaverte wild und schnell drauflos, trat auf Leni zu, legte ihr einen Arm um die Schulter, sodass Leni deren alkoholgeschwängerten Atem riechen konnte, und versuchte, sie in ihr Zimmer zu ziehen.

Acht junge Leute waren darin. Männer und Frauen, alle in Lenis Alter, alle ausgelassen, angetrunken, vielleicht unter Drogen stehend. Manche tanzten, andere hockten auf dem Bett oder dem Fußboden, es stank nach Schweiß und Alkohol, obwohl das Fenster weit offen stand.

Leni riss sich von der Spanierin los und trat zurück auf den Flur.

«Seid bitte leiser, ich will schlafen», sagte sie noch einmal laut und deutlich, doch die Blondine schien sie nicht zu verstehen.

«Silencio», rief Leni gegen die Musik an. «Sueno … yo.» Zu viel mehr taugten ihre Spanischkenntnisse nicht.

Die Blondine knallte ihr die Tür vor der Nase zu.

«Ja, ich wünsche euch auch eine schöne Nacht», flüsterte Leni und schlich den Gang hinunter zu ihrem Zimmer.

Ihr neues Selbstbewusstsein hatte ja keinen großen Erfolg gehabt.

Da auch in ihrem Zimmer die Luft stand, öffnete Leni beide Fensterflügel, schnappte sich ein Handtuch und ging über den

Flur ins Bad. Zum Glück war es frei. Sie schloss ab, zog sich aus und duschte. Dabei musste sie an die merkwürdige Situation von gestern Nacht denken, als Frederic ihr dabei geholfen hatte, die Knöpfe ihrer Bluse zu öffnen. Weil sie so gefroren hatte, war es Leni überhaupt nicht peinlich gewesen. Wo er jetzt wohl war? Hatte die Polizei ihn festgenommen, weil er sich unerlaubt in dem Zimmer von Vivien aufgehalten hatte? Wenn, dann war es Lenis Schuld. Das musste sie unbedingt klarstellen.

Oder war er längst wieder da und schlief nebenan?

Nachdem sie sich abgetrocknet hatte, wollte Leni sich wieder komplett anziehen, hielt aber inne.

Warum eigentlich?

Für vier Schritte über den Flur?

Kurz entschlossen band sie sich das große Handtuch um, schnappte sich ihre Kleidung, öffnete die Tür und spähte auf den Flur hinaus.

Alles klar, die Luft war rein.

Sie huschte hinaus.

Im selben Augenblick öffnete sich gegenüber die Tür zur Toilette, und ein junger Mann trat heraus.

Sie stießen beinahe zusammen.

Er sah gut aus. Braun gebrannt, schlank, mit dunklem, langem Haar und fast schwarzen Augen. Sein Lächeln kam ihr jedoch anzüglich vor und trieb Leni sofort die Schamesröte ins Gesicht.

Sie flüchtete in Richtung ihres Zimmers.

«Dulces suenos», rief er ihr hinterher.

Lenis Herz schlug Salti, als sie die Zimmertür zudrückte und hastig die Kette vorlegte.

Auf dem Flur lachte jemand, dann knallte eine Tür. Die laute Musik war deutlich zu hören, und die Bässe dröhnten in den

Wänden. Wie konnte es sein, dass sich die anderen Bewohner nicht beschwerten?, fragte sich Leni.

Die Antwort war wohl einfach: Sie befanden sich alle auf der Party.

Alle, außer mir, dachte Leni. Alles wie immer.

Sie zog ihre Schlafkleidung an, merkte aber schnell, dass sie für diese Nacht viel zu warm war. Also schlüpfte sie nur in Unterwäsche unter die Decke. Das Fenster stand noch offen, ein wenig kühlere Luft drang herein, hin und wieder der Lärm eines Autos und aus großer Entfernung Sirengeheul eines Polizeiwagens. Geräusche der Großstadt, überlagert vom Lärm der Party.

Leni schaute aus dem Fenster zum klaren Nachthimmel hinauf, an dem die Sterne glitzerten. Sie dachte an Vivien.

Wo mochte sie jetzt sein? Ging es ihr gut, oder musste sie womöglich Schmerzen erleiden?

Obwohl es danach aussah, konnte Leni sich nicht vorstellen, dass Hendrik ten Damme Frauen quälte und tötete. Er sah einfach nicht danach aus. In einen Mann wie ihn könnte Leni sich sogar verlieben.

Hatte Vivien sich in ihn verliebt?

Obwohl sie Vivien eigentlich gar nicht kannte, hatte Leni freundschaftliche Gefühle für sie. Ihre Offenheit und Hilfsbereitschaft, ihre Art, das Leben nicht so schwerzunehmen, die schönen Seiten zu sehen und auch auszuleben, das gefiel Leni. Und dass sie dieses Zimmer überhaupt als eine Art Zuhause empfunden hatte, war auch Vivien zu verdanken.

Ihre Lider wurden schwer, und die Müdigkeit schwemmte ihre Gedanken fort. Die Sterne verschwammen zu einem Lichtermeer, dann herrschte plötzlich Dunkelheit über allem, und Leni driftete in den Schlaf hinüber.

Aber nur für eine Sekunde.

Plötzlich schreckte sie auf, weil sie glaubte, durch den Party-lärm hindurch ein anderes Geräusch gehört zu haben. Nein, nicht gehört, gespürt. Es war in ihren Körper eingedrungen und hatte sie von innen heraus erbeben lassen.

Oder war das nur der Beginn eines Traums gewesen?

Leni wusste nicht, war sie wach oder nicht, sie wollte sich aufsetzen und lauschen, aber ihre Glieder gehorchten ihr nicht. Lass es geschehen, schlaf ein, sagte eine Stimme in ihrem Kopf, und Leni war müde und kraftlos genug, um ihr zu gehorchen.

Warum auch nicht, sie hatte sich Schlaf verdient, und die Musik war so schön, die Luft, die Sterne ...

Ein leises Quietschen begleitete sie hinüber in die Traum-welt. Bewegte sich etwa die Türklinke? Versuchte ihr Vater, zu ihr ins Zimmer zu gelangen?

Hör auf damit! Hör endlich auf! Er ist tot!

Schlaf ein ... schlaf ein ...

9.

Vivien starrte in die Dunkelheit.

Sie konnte sich kaum noch auf den Beinen halten und ließ sich trotz der Schmerzen immer wieder in die Metallschel-len an ihren Handgelenken fallen. Wie lange sie schon an das Kreuz gefesselt dastand, wusste sie nicht.

Das Paar, das sie gefangen hielt, war in großer Hektik auf-gebrochen und hatte sich nicht wieder blicken lassen.

Vivien musste daran denken, wie die beiden in Panik geraten waren. Irgendetwas war passiert. Vielleicht waren sie aufgeflogen, und die Polizei suchte bereits nach ihnen? Der Herr des Hauses hatte gesagt, jemand schnüffele herum. Er war richtig weinerlich gewesen. Katrin dagegen war nur sehr böse geworden. Sie hatte ihm vorgeworfen, er habe das alles mit seiner Kurzschlussreaktion in jener Nacht ausgelöst, in der er den Krankenpfleger erschossen hatte. Man könne ihn eben nicht allein lassen.

Es war schon merkwürdig gewesen, zuzusehen, wie dieser große, kräftige Mann, der sich selbst als Herr des Hauses bezeichnete, vor Katrin einknickte. Er hatte ihr die Führung überlassen, sie war es gewesen, die ihm befohlen hatte, Vivien nicht zurück ins Verlies zu bringen, sondern sie gleich hier in Ketten zu legen.

Seitdem stand sie hier.

Über die entsetzliche Angst, die sie anfangs fast um den Verstand gebracht hatte, war Vivien längst hinaus. Sie machte sich wieder Hoffnung. Vielleicht hatte Leni, die gute, hilfsbereite Leni vom Lande, alle Hebel in Bewegung gesetzt, damit sie gerettet würde. Bestimmt war es so.

Das Geräusch kam so plötzlich, dass Vivien erschrocken zusammenfuhr. Es klang, als knalle irgendwo über ihr eine Tür zu.

Vivien richtete sich auf und lauschte angestrengt, konnte zunächst aber nichts weiter hören. Dann schlug eine weitere Tür, und Stimmen näherten sich. Sie klangen nach dem Paar.

Viviens Hoffnung zerbarst.

Wenn sie wieder hier waren, hatte die Polizei sie nicht verhaftet.

«Hör auf», sagte laut eine weibliche Stimme, die Vivien Katrin zuordnete. «Ich ertrage dein Geheul nicht mehr. Wir wer-

den das schon regeln, aber dafür musst du dich zusammenrei-
ßen.»

Das klang jetzt, als hielten sie sich im Nebenraum auf.

«Und was machen wir mit den beiden?»

«Na, was wohl? Fischfutter. Die haben uns das alles einge-
brockt.»

«Machst du das?»

«Was?»

«Die beiden töten.»

«Eigentlich müsstest du es tun, und das weißt du auch. Aber
ich sag dir was: Ich bin so wütend, dass ich mich richtig darauf
freue.»

KAPITEL 6

1.

Dass eine Nacht im Knast so wohltuend und entspannend sein konnte, hatte Freddy nicht vermutet.

Gestern Abend musste er noch davon überzeugt werden, als Kerner ihm vorgeschlagen hatte, die Nacht auf dem Präsidium in der Ausnüchterungszelle zu verbringen, jetzt war er ihm sogar dankbar dafür.

Leider war damit Freddys letzte Bastion der Selbstachtung gefallen. Alles, was er immer hatte vermeiden wollen, war in den vergangenen Tagen geschehen: Er hatte sich sinnlos betrunken, unter einer Brücke geschlafen, sich mit Pennern zusammengetan und nun auch noch eine Nacht im Knast verbracht.

Und jetzt?

Was sollte er jetzt tun?

Das fragte Freddy sich, als er mit seinem Schlafsack und der Armeetasche aus dem Präsidium auf die Straße trat. Der Berufsverkehr war längst in vollem Gange, alle Menschen hatten eine Aufgabe, wussten, was der Tag bringen würde und wohin sie am Abend zurückkehren würden.

Nur er nicht.

Freddy musste an Leni Fontane denken. Seit sie gestern Abend mit Freddy aufs Präsidium gebracht worden war, hatte er sie nicht mehr gesehen. Ob es wohl möglich war, noch eine Nacht in dem freien Zimmer in der Villa zu schlafen? Wahrscheinlich nicht, nach allem, was passiert war. Dennoch würde Freddy sich gern von Leni verabschieden und ihr alles Gute wünschen. Immerhin hatte er sie fast getötet und sie danach wiederbelebt, da konnte er nicht einfach so verschwinden, als wäre nichts gewesen.

Das war doch ein Plan für diesen Tag, fand Freddy.

Er würde direkt zu diesem Verlag gehen, bei dem Leni ihr Praktikum machte, bestimmt war sie schon im Büro. Wenn sie Lust und Zeit hatte, könnten sie irgendwo einen Kaffee trinken gehen, miteinander quatschen, und vielleicht erfuhr Freddy auf diesem Weg ein bisschen mehr über den Mordfall, in den er verwickelt war. Der Kommissar hatte sich bedeckt gehalten, auch was diesen ten Damme anging. War der mittlerweile hinter Schloss und Riegel? Oder musste Freddy noch immer um seine Sicherheit fürchten?

Wahrscheinlich nicht, und das trug sehr zu seiner guten Laune bei.

Er stiefelte los und erreichte nach fünfzehn Minuten das Verlagsgebäude.

Guter Dinge und voller Freude auf ein Wiedersehen mit Leni klingelte er. Wieder öffnete ihm die Frau, die ihn schon beim ersten Mal angesehen hatte, als trüge er Pestbeulen im Gesicht.

«Ja, bitte.»

Scheiße, wie er dieses gezierte Getue mittlerweile hasste! Früher, als er noch Geld gehabt hatte und ein teures Auto fuhr, war er genauso gewesen, so von oben herab. Schall und Rauch all das, nichts weiter. Schall und Rauch, der den Boden verdeckte, auf den man hart aufschlug, wenn das Glück einen verließ.

«Ich möchte bitte Leni Fontane sprechen», sagte Freddy mit seiner seriösesten Geschäftsmannstimme.

Die Frau spitzte ihre Lippen, musterte ihn einmal von Kopf

bis Fuß, sagte dann, er solle warten, und verschwand – natürlich schloss sie sorgfältig die Eingangstür.

Während Freddy wartete, dachte er darüber nach, was dieses Leben als Penner mit ihm machte. Wie es ihn veränderte. Wenn er jemals wieder zu Geld kommen sollte – wovon er ausging –, würde er dann wieder dieses Arschloch werden, das er gewesen war? Oder würde dieses Leben auf der Straße Spuren hinterlassen?

Mit einem stabilen Anker wie Silke könnte er es schaffen, das wusste Freddy, aber der Zug war abgefahren.

Die Tür wurde aufgerissen, und ein großer, offensichtlich wütender Mann stürmte heraus.

Freddy blieb gar nichts anderes übrig, als ein paar Schritte zurückzuweichen.

«Was fällt Ihnen ein, uns schon wieder zu belästigen!», polterte der Mann los.

Seiner Gesichtsfarbe nach zu urteilen, stand er kurz vor einer Explosion.

Freddy ließ sich von dem Gehabe nicht einschüchtern.

«Gewöhnen Sie sich mal einen anderen Ton an», sagte er. «Und holen Sie Frau Fontane runter, aber schnell, bevor ich anfange, hier zu randalieren.»

«Frau Fontane hat Hausverbot. Lebenslang! Und Sie ebenfalls! Scheren Sie sich zum Teufel, Sie … Sie …»

Was auch immer Lenis Chef noch loswerden wollte, er behielt es für sich. Das war auch besser so. Er schlug die schwere Tür mit so viel Wucht zu, dass der Rahmen in der Wand erzitterte.

Freddy konnte sich ein Grinsen nicht verkneifen.

Leni hatte ihm von den Zudringlichkeiten des Verlagschefs erzählt, und wie es aussah, waren die beiden deswegen aneinandergeraten. Vielleicht aber auch wegen ten Damme, der den Verlag ja finanziell unterstützte. Gut möglich, dass Leni seine Unterstützung brauchte im Umgang mit diesem Arsch.

Bis zur Villa in der Eilenau war es nicht weit. Freddy schritt zügig aus und erreichte sie in zwanzig Minuten.

Die Haustür war nicht abgeschlossen, also benahm er sich, als sei er ein Bewohner, und ging hinein. Im Treppenhaus kam ihm ein junges Pärchen entgegen, das miteinander Englisch sprach. Es grüßte freundlich und verschwand.

Die Wohnung in der vierten Etage war auch nicht abgeschlossen. Freddy war es ein wenig unangenehm, sie schon wieder zu betreten, aber wer wollte ihm verbieten, Leni zu besuchen?

Als er um die Ecke bog, prallte er zurück.

Da stand ein großer Putzwagen mit allerlei Utensilien darauf und blockierte den Gang. Die Tür zu Lenis Zimmer stand offen, und eine Frau im blauen Kittel schwang einen Feudel.

In diesem Moment drehte sie sich um, tauchte den Feudel in einen roten Eimer mit Wischwasser und entdeckte Freddy. Ihren Blick als argwöhnisch zu bezeichnen, wäre untertrieben gewesen.

«Ich möchte zu Leni Fontane», sagte Freddy schnell und bemühte sich um ein freundliches Lächeln.

«Kenn ich nicht.»

Die Putzfrau hatte eine Reibeisenstimme wie ein Mann, und ihre Schultern waren beeindruckend.

«Die junge Frau, die hier wohnt», erklärte Freddy.

«Hier wohnt keiner mehr, deswegen mach ich ja sauber.»

«Aber gestern …»

«Gestern is nicht heute. Heute ist das Zimmer leer, und ich mach sauber. Sonst noch was?»

Die Art und Weise, wie die Putzfrau drohend den Feudel hob,

hielt Freddy davon ab, weiter nachzufragen. Er bedankte sich und ging.

Auf dem Weg die Treppe hinunter spürte er Enttäuschung in sich aufsteigen. Freddy hatte geglaubt, Leni und ihn verbinde durch ihr gemeinsames Erlebnis etwas, immerhin wäre sie wegen ihm und ohne ihn beinahe gestorben. Sie hatten eine intensive Unterhaltung geführt, er auf dem Fußboden sitzend, sie in ihr Bett eingekuschelt – da wäre eine ordentliche Verabschiedung doch das Mindeste gewesen. Stattdessen verschwand sie von einem Tag auf den anderen.

Als er auf den Bürgersteig trat, fühlte Freddy sich genauso mies wie an jenem Tag, als Silke ihm ihre Hilfe verwehrt und ihn der Wohnung verwiesen hatte.

Niemand wollte etwas mit ihm zu tun haben.

So war das nun einmal, wenn man auf der Straße lebte.

Dabei hatte er geglaubt, Leni sei anders. Okay, er kannte sie nicht wirklich, wusste eigentlich gar nichts über sie, aber sie war nicht oberflächlich, nicht abweisend. Sie hatte ein großes Herz und mehr Mut, als sie selbst glaubte.

Es machte ihn zutiefst traurig, dass sie einfach so abgereist war.

Vom Bürgersteig aus warf er noch einmal einen Blick zu ihrem Zimmer hinauf.

Die Putzfrau schloss gerade das Fenster.

Freddy fiel etwas ein, was Leni ihm erzählt hatte.

Als Vivien verschwand, war am nächsten Tag sofort eine Putzfrau da gewesen, um das Zimmer zu reinigen. Und Vivien selbst hatte zu Leni gesagt, dass ihre Vorgängerin in dem Zimmer quasi über Nacht ausgezogen sei und das Zimmer ebenfalls umgehend gereinigt worden war.

Verdammte Scheiße, dachte Freddy.

2.

Hendrik ten Dammes Anwalt hatte nicht lange gebraucht, um ins Präsidium zu kommen. Der Mann hieß Walter Kluge und sah auch so aus: schlohweißes Haar, randlose kleine Brille mit goldenen Bügeln, hellwache, flinke blaue Augen und ein fein ziseliertes Gesicht. Sein schlanker Körper steckte in einem Anzug, den Jens sich niemals würde leisten können. Natürlich hatte Jens bereits von dem Mann gehört, wie jeder Ermittler in Hamburg. Kluge vertrat ausschließlich die Schönen und Reichen. Jens hatte ja schon vermutet, dass ten Damme dazugehörte, aber er musste schon verdammt viel Geld besitzen, um sich Walter Kluge leisten zu können.

Die neue Information, die Leni Fontane Jens gestern Abend geliefert hatte, reichte immer noch nicht für einen Haftbefehl, das wusste Jens, also hatte er es gar nicht erst versucht. Aber für ein Verhör reichte sie allemal. Jens hatte eine Streife zum Hausboot geschickt und ten Damme abholen lassen. Er hatte sich nicht geweigert, aber natürlich diesmal seinen Anwalt dazugeholt.

In der zurückliegenden Stunde hatten sich die beiden allein besprochen. Die Zeit hatte Jens genutzt, um wichtige Telefonate zu erledigen, von denen er sich allerdings mehr erhofft hatte, sodass er nun mit einem schlechten Gefühl im Bauch in das Verhör gehen musste.

Walter Kluge lächelte weise. Hendrik ten Damme schaute böse drein.

«Was werfen Sie meinem Mandanten vor?», begann Kluge sofort das Gespräch.

«Wir verhören ihn im Zusammenhang mit dem Mord an Olaf Kienat.»

«Welche Indizien oder gar Fakten stützen Ihren Verdacht?»

Jetzt kam die Kuh auf dem Eis ins Rutschen. Jens hatte darauf gesetzt, von der Internetplattform BedtoBed.com Informationen darüber zu bekommen, ob Jana Heigl und Rosaria Leone Zimmer in ten Dammes Villa gebucht hatten. Doch der amerikanische Anbieter verweigerte ihm diese Information mit einem Verweis auf den Datenschutz. Auch Jens' Argument, dass der Datenschutz in diesem Fall nur einen Mörder schützte, hatte den Manager am Telefon nicht weichkochen können. Ohne eine richterliche Anordnung würde er keine Daten preisgeben, Punkt. Eine richterliche Anordnung zu bekommen würde eine Weile dauern. Deshalb konnte er dieses Verhör lediglich auf den Mord an Oliver Kienat aufbauen.

«Hat Herr ten Damme Zugriff auf einen weißen Lieferwagen?», begann Jens das Frage-Antwort-Spiel.

«Mein Mandant besitzt kein solches Fahrzeug», antwortete der Anwalt.

«Das war nicht meine Frage.»

«Er hat auch niemals ein solches Fahrzeug gefahren.»

Bingo!

Auf diese Lüge hatte Jens gehofft.

«Wenn Ihr Mandant das behauptet, dann lügt er», sagte Jens und erntete überraschte Blicke. «Ein Zeuge sah Herrn ten Damme gestern in ein solches Fahrzeug einsteigen und davonfahren.»

«Der Name des Zeugen?» Walter Kluge brachte seinen teuren Kugelschreiber in Wartestellung.

«Den können Sie später der Akte entnehmen.»

«Das Kennzeichen des besagten Fahrzeugs?»

An dieser Stelle war Jens Leni Fontane und Frederic Förster ausgesprochen dankbar, denn ohne sie besäße er dieses Wissen nicht.

Er nannte dem Anwalt das Kennzeichen des Wagens, der sich im Besitz des Newmedia-Verlages befand. Der Verlag war auch eingetragener Halter, doch dazu sagte Jens noch nichts. Er wollte zuerst ten Dammes Reaktion abwarten.

Anwalt und Mandant wechselten einen schnellen Blick.

«Ach so, das meinen Sie mit einem Lieferwagen», sagte ten Damme. Es klang einstudiert.

«Kann man das auch anders verstehen?»

«Ich dachte dabei an einen Fiat Ducato. Aber doch nicht an diesen kleinen Kastenwagen.»

Jens merkte, dass die beiden auf seine Fragen vorbereitet waren. Nicht er hatte sie, sondern sie ihn auflaufen lassen.

Seufzend stellte er seine Frage noch einmal.

Ten Damme antwortete.

«Hin und wieder, wenn ich etwas Größeres zu besorgen habe, darf ich den Fiat-Kastenwagen des Newmedia-Verlags nutzen. Ich tue das vielleicht drei-, viermal im Jahr.»

«Wann haben Sie den Wagen zuletzt genutzt?»

«Gestern.»

«Wozu?»

«Ich habe Getränkekisten besorgt.»

«Und das geht nicht mit Ihrem eigenen Wagen?»

«Ich fahre einen Porsche Carrera. Da passen nur einzelne Flaschen hinein. Also nein, das geht nicht mit meinem eigenen Wagen.»

Porsche, na klar, dachte Jens. Was auch sonst.

«Haben Sie den Wagen in der Nacht vom 12. auf den 13. Juni benutzt?»

«Warum fragen Sie ausgerechnet nach dieser Nacht?», wollte der Anwalt wissen.

«Weil in der Nacht der Krankenpfleger Oliver Kienat in seinem Wagen erschossen wurde. Der mutmaßliche Täter fuhr einen weißen Fiat-Kastenwagen.»

«Die Kennzeichen stimmen überein?», fragte Walter Kluge, der unablässig Notizen machte und zwischendurch immer wieder zu Jens aufsah.

«Das Kennzeichen ist nicht bekannt.»

Der nächste Blick Kluges wurde von einer hochgezogenen Augenbraue begleitet. Sagen musste er nichts. Eine Überprüfung hatte ergeben, dass es allein in Hamburg zweitausendachthundertdrei Fahrzeuge dieses Typs gab. Und das Umland war damit noch gar nicht einbezogen.

«Der Wagen wird derzeit von unserer Abteilung für Spurensicherung untersucht», sagte Jens. Das stimmte auch, na ja, teilweise. Der Wagen befand sich dort, aber noch hatte niemand Zeit gefunden, sich mit ihm zu beschäftigen.

«Davon gehe ich aus», sagte Walter Kluge, ohne aufzusehen. Er kritzelte weiterhin auf seinem Notizblock herum, während er seine nächste Frage stellte.

«Ich nehme an, Sie haben die Tatwaffe mit Spuren meines Mandanten darauf?»

«Wie kommen Sie darauf?»

Kluge sah auf, legte den Stift beiseite und setzte die Brille ab.

«Bei allem Respekt, Herr Kerner, wenn Sie die nicht haben, weiß ich nicht, was dieses Verhör soll.»

«Na ja, immerhin können wir die Tatwaffe mit ihrem Mandanten in Verbindung bringen.»

Ten Dammes Blick war Gold wert. Er war vollkommen überrascht.

Kluge hatte sich besser im Griff.

«Ich höre.»

«Die Tatwaffe wurde vor zwei Jahren von einem Filmset entwendet. Wir wissen, dass Herr ten Damme zu der Zeit dort war.»

Zumindest dieser eine Anruf bei der Filmproduktionsfirma war erfolgreich gewesen. Die nette Dame der Buchhaltung hatte bestätigt, dass ten Damme in dem Zeitraum, in dem die Waffe verlorenging, Drehtage gehabt hatte.

«Und er hat diese Waffe während des Drehs benutzt?»

«Nein, aber er hätte sie entwenden können.»

«Wie viele Personen außer ihm hätten dies noch tun können?», fragte Kluge wie aus der Pistole geschossen und setzte seine Brille wieder auf.

Jens war nicht gewillt, auf die Frage einzugehen.

Er hielt seine rechte Hand hoch und zählte nacheinander an seinen Fingern ab.

«Erstens: Herr ten Damme hat Zugriff auf einen weißen Lieferwagen. Der Täter fuhr nachweislich einen solchen Wagen. Gestern log mich ihr Mandant diesbezüglich noch an, heute auch wieder, sogar im Beisein seines Anwalts. Zweitens: Herr ten Damme kann an die Tatwaffe gelangt sein, mit der Oliver Kienat erschossen wurde. Drittens: Herr ten Damme betreibt eine illegale Zimmervermittlung, und es besteht der Verdacht, dass eine vermisste und eine ermordete Person bei ihm gewohnt haben. Viertens: Wir haben eine Augenzeugin, die Herrn ten Damme zusammen mit einer weiteren Vermissten gesehen hat.»

«Eine weitere Vermisste?», fragte Walter Kluge nach.

«Richtig. Und von dieser Person wissen wir sicher, dass sie ein Zimmer in der Eilenau Nummer 39b bewohnt hat.»

«In welcher Art und Weise hatte mein Mandant Kontakt zu ihr?»

«Sie saß auf seinem Schoß und hat ihn geküsst.»

Dass Leni Fontanes Personenbeschreibung auf einem nicht vorhandenen Finger an der linken Hand beruhte, verschwieg Jens einstweilen. Sonst würde Kluge unausweichlich fragen, wie viel Menschen in Hamburg dafür noch in Frage kämen.

Ten Damme räusperte sich, wechselte einen Blick mit seinem Anwalt und nickte ihm zu.

«Mein Mandant möchte Folgendes aussagen, bittet aber darum, dass die Informationen vertraulich behandelt werden, da sie eine prominente Person betreffen.»

«Kann ich nicht zusagen. Kommt darauf an.»

«Herr ten Damme unterhält eine Beziehung zu der bekannten Fernsehschauspielerin Ellen Lion. Sie ist verheiratet, deshalb müssen die beiden sehr vorsichtig sein. Aus diesem Grund benutzt Herr ten Damme entweder den Wagen des Verlags, wenn er Frau Lion besucht, oder aber er fährt mit dem Kajak. Den Kurzauftritt in der Fernsehserie, in der Frau Lion die Hauptrolle spielt, verdankt er ihr. Wir verstehen, was Sie dazu veranlasst hat, meinen Mandanten zu verdächtigen, doch mit den genannten Delikten hat er nichts zu tun. So weist er auch zurück, die vermisste Person gekannt zu haben. Für die Nacht, in der Oliver Kienat erschossen wurde, hat er ein Alibi.»

«Lassen Sie mich raten. Er war bei Frau Lion.»

«Richtig. Und zwar die ganze Nacht.»

«Das werde ich nachprüfen müssen.»

«Wir möchten Sie bitten, entsprechend umsichtig vorzugehen. Ich denke, unser Gespräch hat sich damit einstweilen erledigt. Im Namen meines Mandanten ersuche ich Sie, ihn nur noch zu belästigen, wenn stichhaltige Gründe dies erfordern oder Sie einen Haftbefehl vorweisen können.»

Kluge und ten Damme erhoben sich, und Jens musste den Impuls unterdrücken, beide sofort an den Heizkörper zu fesseln.

3.

Freddy versteckte sich im Eingangsbereich der Villa in der Eilenau. Viel konnte er von dem Platz unter der Treppe nicht sehen, aber bald hörte er jemanden die Stufen herunterkommen, und einen Moment später ging die Putzfrau an ihm vorbei.

Etwas polterte laut im Gemäuer hinter ihm, und kurz darauf verließ die Putzfrau in Straßenkleidung das Haus.

Freddy wartete noch zwei Minuten, dann wagte er sich aus seinem Versteck und stieg abermals in die vierte Etage hinauf.

Die Tür zu Lenis Zimmer war nicht abgeschlossen. Freddy huschte hinein und drückte sie leise ins Schloss. Drinnen roch es nach Putzmittel. Das Bett war neu bezogen, nirgends eine Spur von Leni.

Freddy drehte sich im Kreis und versuchte zu verstehen, was hier passierte. War Leni abgehauen? Zurück nach Hause? Oder war sie in ein Hotelzimmer gezogen, weil sie Angst hatte, weiterhin hier zu wohnen? Oder ging hier doch etwas ganz anderes vor?

Sein Blick fiel auf den großen Einbauschrank in der Wandnische, der mit dem identisch war, in dem Freddy sich versteckt hatte, als die Polizei angerückt war.

Er öffnete die Flügeltüren.

Der Schrank war leer. Auch darin roch es nach Putzmittel, und im vorderen Bereich war der Boden noch feucht.

Freddy wollte sich schon abwenden, da fiel ihm ein, wo Leni den Ohrring ihrer Freundin Vivien gefunden hatte.

Er ging auf die Knie und spähte in den tieferen Bereich des Schrankes. Er war in die Wandnische hineingebaut, wahrscheinlich, um die Lücke zu verschließen, aber der hintere Bereich ließ sich eigentlich nicht nutzen, weil man nur herankam, wenn man in den Schrank hineinkrabbelte.

Das tat Freddy. Nachdem seine Augen sich an die Dunkelheit im Schrank gewöhnt hatten, sah er sich um, fand aber nichts. Das wäre ja auch zu schön gewesen. Er drehte sich herum und stieß mit dem Fuß gegen die Schrankwand. Das Geräusch klang hohl.

«Zum Teufel noch mal», flüsterte Freddy, beugte sich vor und klopfte gegen das Holz.

Tatsächlich! Dahinter befand sich ein Hohlraum.

Freddy suchte und tastete alles ab, fand aber keine Möglichkeit, an den Hohlraum heranzukommen. Vielleicht war er ja auch nur aus technischen Gründen entstanden, um Leitungen aufzunehmen.

Vielleicht aber auch nicht!

Der intensive Geruch nach Putzmittel löste einen Gedanken in ihm aus.

Er ging auf den Flur hinaus.

Wo war der Putzwagen geblieben? Er musste ja irgendwo hier auf der Etage stehen, denn fürs Treppenhaus war er viel zu groß und zu schwer. Freddy inspizierte den Gang, der in U-Form verlief und von dem alle Zimmertüren abgingen. Bad und Toilette kannte er, auch Viviens Zimmer. Blieben immer noch fünf Türen übrig. Bevor er sich traute, sie zu öffnen, schaute er sich genau um und fand gegenüber dem Eingang eine Tür, die schmaler war als alle anderen.

Sie war nicht verschlossen. Dahinter befand sich eine Kammer, an deren Wände zwei Besen, Kehrbleche und Putztücher hingen. Außerdem lehnte an der hinteren Wand ein Staubsauger. Der Putzwagen stand aber nicht darin.

Wie hatte die Putzfrau den Wagen auf diese Etage bekommen?

Freddy betrat die Kammer, nahm den Staubsauger beiseite und entdeckte dahinter eine weitere Tür. Sie war vielleicht einen Meter hoch und fünfzig Zentimeter breit und lediglich mit einem Knauf ausgestattet.

Freddy zog sie auf.

Sie führte in einen Lastenaufzug, der gerade groß genug für den Putzwagen war. Eine kleine Schalttafel an der Wand war mit Ziffern von eins bis fünf und einem K versehen.

Freddy ging zurück auf den Flur und vergegenwärtigte sich den Grundriss der Etage.

Die Zimmer, die im Inneren des u-förmigen Ganges der Wohnung lagen, waren um diesen Schacht herum angeordnet, und die Einbauschränke verdeckten die Nische, in die er eingebaut war.

Freddy lief ins Erdgeschoss hinunter. Dort fand er den Lastenaufzug in einem größeren Raum neben der Treppe. Der Putzwagen stand in einer Nische. Ohne darüber nachzudenken, quetschte er sich in den Lastenaufzug und betätigte die Taste mit dem K.

Ruckelnd setzte sich die hölzerne Kabine in Gang. An der offenen Seite glitt eine graue Wand vorbei und machte schließlich einem Mauerdurchbruch Platz, vor dem die Kabine zum Stehen kam. Freddy befand sich nun im Keller der Villa. Er krabbelte aus der engen Kabine und sah sich um. Auf Betonabsätzen standen drei große Waschmaschinen und zwei Trockner, daneben Körbe und große weiße Säcke voller Bettwäsche und Handtücher. Unter der niedrigen Decke, die kaum zwei Meter hoch war, verliefen dicke Heizungs-, Wasser- und Entsorgungsrohre. Manche waren ummantelt, andere nackt, und aus einigen Rohrverbindungen quoll Rost.

Der Kellerraum war vielleicht dreißig Quadratmeter groß. An der rechten Stirnseite zogen sich massive Holzregale von einer Mauer zur anderen, sie waren jedoch leer. Es gab drei Türen aus feuerfestem Metall. Freddy probierte die erste Tür aus. Sie ließ sich öffnen und führte ins Treppenhaus. Mit grauer Ölfarbe lackierte Stufen führten hinauf. Freddy schloss die Tür und probierte die nächste. Dahinter befand sich ein Lagerraum mit Holzregalen rechts und links und einem schmalen Gang in der Mitte. In diesen Regalen lag allerlei Krimskrams: Werkzeug, Ersatzteile, Kabel und haufenweise Umzugskartons.

«Hallo», rief Freddy in die Dunkelheit hinter den Regalen. Eine Antwort bekam er nicht.

Die dritte Tür war verschlossen.

Freddy versuchte, sich zu orientieren. Wenn ihn nicht alles täuschte, führte diese Tür nach vorn zur Straße – und zum Kanal!

An dieser Stelle hätte er abbrechen und sich auf den Weg zum Polizeipräsidium machen können. Doch weil eigentlich noch längst nichts bewiesen war und er sich nicht lächerlich machen wollte mit seinem ungeheuerlichen Verdacht, quetschte er sich wieder in den Lastenaufzug. Es kostete ihn Überwindung, er hatte Angst vor der Enge und dem, was ihn erwartete. Nachdem er den Knopf für die vierte Etage gedrückt hatte, setzte sich die Kabine in Bewegung. Wieder zogen an der offenen Seite Mauern vorbei, auf jeder Etage, die die Kabine passierte, aber auch Putzräume, genau wie in der vierten Etage, wo sie stoppte.

Mühsam drehte er sich in der engen Kabine um.

An der hinteren Wand fand er eine kaum sichtbare Mulde, in die er die Kuppe seines Zeigefingers stecken konnte. Damit ließ sich die Wand aus Sperrholz einen, vielleicht zwei Zentimeter anheben und nach innen klappen.

Freddy legte sie beiseite und blickte wieder auf eine Holzwand. Nach dem gleichen Prinzip ließ auch die sich nach innen wegnehmen.

Dahinter lag der Kleiderschrank in Lenis Zimmer.

Eine weitere bewegliche Wand der Lastenkabine gab den Weg frei in das Zimmer, in dem Vivien gewohnt und Freddy sich im Schrank versteckt hatte.

Es lief ihm kalt den Rücken hinab.

Noch ehe er die Holzwände wieder einsetzen konnte, hörte er ein Geräusch, und der Lastenaufzug setzte sich ohne sein Zutun wieder in Bewegung.

Er fuhr hinunter.

Freddys Herz setzte einen Moment aus. Panik ergriff ihn. Plötzlich fühlte er sich in dem engen Kasten wie in einem Grab und hämmerte auf die Tasten, doch der Aufzug fuhr unbeeindruckt weiter.

Da es keine Chance auf Flucht gab, machte Freddy sich kampfbereit. Wer sonst, wenn nicht der Mörder, sollte den Aufzug bedient haben? Vielleicht hatte er eine Chance, wenn er den Kerl überraschte.

Kaum stoppte der Aufzug im Keller, sprang Freddy mit einem wilden Aufschrei heraus.

Etwas traf ihn hart im Gesicht und brach ihm die Nase. Blut klatschte auf den Boden.

Freddy sah Sterne.

4.

«Leni ... Leni, wach auf!»

Wie durch Watte gefiltert drangen die Worte zu Leni durch. Träumte sie?

Es kam ihr vor, als säße ihre Mutter neben ihrem Bett und rüttelte an ihrer Schulter. Als Leni die Augen öffnete, begegnete ihr der stets sorgenvolle, aber diesmal auch merkwürdig verklärte Blick ihrer Mama. Graue Augen, eingerahmt von unzähligen Falten, die nicht vom Lachen herrührten, eine traurige Abgestumpftheit darin, wie man sie oft bei Drogen- oder Alkoholabhängigen fand.

«Leni ... mein Schatz, wach auf.» Mamas Finger streichelten sanft ihre Wange. «Ich brauche deine Hilfe. Wegen Papa.»

Mühsam schüttelte Leni den Schlaf ab.

«Was ist denn mit Papa?»

«Ich weiß nicht ...»

Das klang alarmierend. Leni rutschte mit dem Rücken am Kopfende des Bettes hoch, fuhr sich durchs Haar und versuchte, wach zu werden.

«Mama? Was ist passiert?»

«Er bewegt sich nicht.»

Eine Nachricht dieser Art hatte Leni schon lange erwartet. Papa war jetzt fast siebzig, und sein Alkoholkonsum wurde immer schlimmer. Das Alter, diverse Krankheiten, Depressionen und Medikamente zwangen ihn die meiste Zeit des Tages in seinen Lieblingssessel vor dem Fernseher, aber seine Aggressivität war immer noch die alte. Zwar schlug er Mama nicht mehr, aber wenn er nicht genug Alkohol bekam, drangsalierte und terrorisierte er sie mit Worten. Leni war wegen ihres Studiums nur noch an den Wochenenden zu Hause, und was sie dann mitbekam, machte sie jedes Mal fertig. Sie verstand nicht, was im Kopf ihres Vaters vorging. Wie konnte man den Menschen, den man doch der Liebe wegen geheiratet hatte, nur so behandeln?

Und Mama?

Ertrug es.

Sie jammerte zwar beinahe jeden Tag am Telefon, sprach auch davon, das Haus und Papa zu verlassen, handelte aber nicht. Leni wusste, warum: Weil sie viel mehr Angst hatte vor dem, was die Leute in Sandhausen sagen würden, als vor dem, was Papa ihr antat oder antun könnte. An Papa hatte sie sich fünfzig Jahre lang gewöhnen können, und auch wenn sein Verhalten schwer erträglich war, war es doch Alltag geworden.

«Wo ist er denn?»

«In der Küche. Auf dem Fußboden.»

«Ist er …?»

Mama zuckte mit den Schultern. In diesem Moment wirkte sie hilflos wie ein kleines Kind.

Leni schwang die Beine aus dem Bett. Die Luft war in Bodennähe eiskalt. Dieses alte, zugige Haus war ohnehin kaum warm zu bekommen, und da sie Heizkosten sparen mussten, ließen sie es nachts auskühlen. Papa hackte ja kein Holz mehr, so wie früher.

«Ich sehe nach», sagte Leni, warf sich eine Wolljacke über und ging zur Tür.

Mama blieb auf dem Bett sitzen und schaute mit verlorenem Blick aus dem Fenster.

«Kommst du nicht mit?»

Sie sah Leni an, lächelte, schüttelte den Kopf, verschränkte die Finger ineinander und blickte wieder hinaus in die Landschaft, in der sie ihr ganzes Leben verbracht hatte. Mit Ausnahme einiger Wochen, damals, als sie vor Papa geflüchtet waren. Lange hatte es nicht gedauert, bis das Pflichtgefühl Mama wieder in seine Arme getrieben hatte.

Also ging Leni allein in die Küche.

Eiskalt war es darin.

Papa lag bäuchlings auf dem Fußboden zwischen Esstisch und Küchenzeile. Er trug nur Shorts und ein Feinrippunterhemd, die blutleere grauweiße Haut war von bläulichen Adern marmoriert. Sein fetter alter Körper schien an den Fliesen zu kleben, der rechte Arm über den Kopf gestreckt, verzweifelt nach einer Flasche Korn greifend, die unerreichbar für ihn unter den Tisch gerollt war. Leni musste sich nicht einmal bücken und nach dem Puls suchen, sie sah sofort, dass Papa nicht mehr lebte.

Wahrscheinlich ist er hingefallen, dachte Leni. Und dann fehlte ihm die Kraft aufzustehen. Das war schon oft vorgekommen, und jedes Mal hatte Mama dafür gesorgt, dass er den Weg ins Bett fand.

Aber diesmal nicht.

Nicht in dieser kalten Winternacht, in der es direkt am Fußboden sicher nicht mehr als zehn Grad warm war.

«Leni … wach auf … hörst du mich … bitte, wach doch auf!»

Immer deutlicher drangen die Worte durch die Watte.

Diesmal schlug Leni wirklich die Augen auf.

Über ihr wölbte sich eine niedrige Decke aus massivem

Stein. Sie wusste sofort, dass etwas Schreckliches passiert sein musste. Mit einem Ruck wollte sie sich aufsetzen, doch heftiger Schwindel und Kopfschmerz zwangen sie wieder zurück auf ihre Bettstatt.

«Leni, na endlich. Mein Gott, es geht dir gut … ich bin so froh.»

Es dauerte noch einen Moment, ehe Leni begriff, wer da sprach.

«Vivien?»

Leni steckte in einem Schlafsack, der bis oben hin zugezogen war. Sie öffnete den Reißverschluss ein Stück, damit sie die Arme herausbekam, und spürte sofort die kalte Luft. Sie war nackt. Mühsam setzte sie sich auf und sah sich um.

Sie war eingesperrt in einen Käfig. Vivien ebenso, die auf der anderen Seite eines schmalen Ganges in einen Schlafsack gehüllt am Gitter stand und zu ihr herübersah.

Tränen liefen ihr über die Wangen.

«Ich bin so froh, dass es dir gutgeht!», sagte sie weinend und schluchzend.

«Wo sind wir?»

«Ich weiß es nicht. Ich glaube, unter der Villa in der Eilenau.»

«Aber wie …»

Leni versuchte, sich zu erinnern. Was war passiert in der Nacht? Sie war eingeschlafen, hatte böse geträumt, Geräusche gehört, gesehen, wie sich die Türklinke bewegte, weil ihr Vater versuchte, zu ihr zu gelangen. Aber die Kette war vorgelegt, die Tür verschlossen, niemand hätte zu ihr hereinkonnt.

«Ich weiß es auch nicht», sagte Vivien. «Ich bin zu Bett gegangen und sofort eingeschlafen und dann hier aufgewacht. Ich glaube, ich wurde betäubt.»

«Aber … aber wer? Ten Damme? Hat er uns entführt?»

Ein lautes Geräusch hinderte Vivien daran, zu antworten. Es drang aus einem schwarzen Loch in der Wand rechts von den Käfigen. Die Wände bebten.

«Oh, Scheiße … sie kommt», stieß Vivien aus.

«Sie?»

«Katrin, die Frau … sie ist so böse. Sie hat gesagt, wir müssen sterben, und zwar schnell. Ich glaube, die Polizei ist ihnen auf der Spur … die beiden wollen uns verschwinden lassen. Leni … wir müssen etwas tun, sonst bringen die uns um!»

Viviens Stimme kippte fast vor Panik.

Leni stand auf, trat in dem Schlafsack ans Gitter, hielt sich an den kalten Metallstäben fest und sah zu dem schwarzen Loch hinüber.

Sie konnte hören, wie sich darin etwas bewegte.

«Leni … egal, was sie sagen, du darfst ihnen nicht glauben. Hast du gehört! Glaub ihnen nicht.»

5.

Jens stoppte seinen Farmtruck vor Hausnummer 39b in der Eilenau und sprang aus dem Führerhaus.

Ihn erwartete ein Riesenauflauf.

Ein Rettungswagen, zwei Streifenwagen mit eingeschaltetem Blaulicht, vier Kollegen in Uniform sowie eine stämmige Frau mit schwarzen Locken, die sich gar nicht beruhigen wollte.

Die Hecktüren des Rettungswagens standen offen, im Inneren saß Frederic Förster, den Kopf weit in den Nacken gelegt. Ein Rettungssanitäter kümmerte sich um ihn.

«Was ist hier los?», fragte Jens und trat auf die Beamten zu, die sichtlich genervt waren.

Ihr Anruf hatte ihn gleich nach ten Dammes Verhör erreicht. *Der Penner von gestern Abend hat einen Wohnungseinbruch begangen*, hatte die Kollegin gesagt, und als sie Jens die Adresse nannte, hatte er sofort gewusst, dass da etwas nicht stimmte.

«Das ist Frau Ludewig, sie reinigt die Zimmer in diesem Haus», begann Kollegin Zimmermann. Jens kannte sie von anderen Einsätzen als eine besonnene, intelligente Frau.

«Seit Jahren!», mischte sich Frau Ludewig prompt ein. «Aber so etwas ist mir noch nie passiert. Diese Saufbrüder werden immer dreister. Mein Herz schlägt immer noch Kapriolen, ich glaube, ich muss zum Arzt. So ein Schreck, das können Sie sich gar nicht vorstellen …»

«Nun machen Sie mal halblang», unterbrach Jens den Wortschwall der Frau. Ihre Stimme klang unglaublich unangenehm.

«Bitte, Kollegin, erzählen Sie», bat Jens Annika Zimmermann.

«Wie gesagt, Frau Ludewig putzt hier. Ihr fiel ein Mann auf, der sich Zutritt zu einem Zimmer verschaffen wollte, das sie gerade sauber machte. Sie ließ ihn aber nicht rein. Wenig später sprang der Mann sie aus dem Lastenaufzug heraus an und versetzte ihr einen Riesenschreck.»

«Einen Schock, ich habe einen Schock erlitten», rief Frau Ludewig erneut dazwischen. «Der Mann ist ein Einbrecher und Vergewaltiger! Der wollte mir etwas antun! Aber nicht mit mir, ich weiß mich zu wehren. Hat er selbst Schuld, dass er verarztet werden muss!»

Jens sah seine Kollegin fragend an.

Die nickte in Richtung Freddy.

«Gebrochene Nase. Hat ganz schön geblutet, deshalb haben wir die Rettung gerufen.»

«Ich will, dass eine Anzeige aufgenommen wird», plärrte Frau Ludewig. «Der darf nicht ungeschoren davonkommen. Wer weiß, was passiert wäre, wenn ich mich nicht zu wehren wüsste.»

«Okay, Kollegen, macht das bitte. Ich rede mit dem Verletzten.»

Annika Zimmermann verdrehte vor Freude die Augen und machte sich an die Arbeit.

Jens ging zum Rettungswagen hinüber. Der Sanitäter war inzwischen mit seiner Behandlung fertig. Freddy trug dekorative weiße Papierstöpsel in den Nasenlöchern. An der Stirn prangte eine Prellung, und sein rechtes Ohr war quietschrot. Alles in allem sah er aus wie durch die Mangel gedreht.

«Diese Frau ist ein Monster», sagte er.

«Sie sagt, Sie hätten sie angesprungen, um sie zu vergewaltigen.»

«Mir ist nicht nach Scherzen», versetzte Freddy. «Leni ist verschwunden.»

«Was?»

Jens führte Freddy außer Hörweite der anderen und ließ sich Bericht erstatten.

«Ein Lastenaufzug mit Geheimtüren zu den Zimmern der Mädchen?», wiederholte Jens schließlich, weil er nicht glauben konnte, was er hörte.

«Wenn ich es doch sage! Als ich in dem Aufzug saß und nach unten fuhr, in den Keller, da dachte ich, mein letztes Stündlein hätte geschlagen. Ich habe da unten Angst vor einem Angriff gehabt, deshalb bin ich rausgesprungen. Und dann ist diese Frau über mich hergefallen wie eine Bestie.»

«Okay, das will ich sehen. Zeigen Sie es mir.»

Im Vorbeigehen bat er die Kollegen, die Putzfrau noch nicht gehen zu lassen.

Zehn Minuten später hockte Jens auf allen vieren im Schrank in Leni Fontanes Zimmer und schaute durch die ausgebaute Klappe in den dunklen Schacht des Lastenaufzugs. Zuvor hatte er das komplette System geprüft. Auch in dem Zimmer, in dem Vivien gewohnt hatte, gab es eine solche geheime Klappe. Der Lastenaufzug war groß genug, um darin einen Menschen zu transportieren. Zwar nicht stehend und auch nicht mit ausgestreckten Beinen, aber es ging.

Jens kletterte aus dem Schrank.

«Gestern Abend hat Frau Fontane mich noch angerufen», sagte er nachdenklich.

«Sie müssen etwas tun!» Freddy war außer sich. «Bestimmt ist sie auch diesem Irren in die Hände gefallen.»

Tja, der Irre war heute Vormittag im Präsidium gewesen. In der zurückliegenden Nacht konnte ten Damme Leni aber ohne weiteres durch diese Klappe entführt und mit dem Lastenaufzug in den Keller gebracht haben.

Und von dort aus?

Wie auf ein Zeichen erschien ein Kollege in der Tür.

«Der Schlüsseldienst ist da», sagte er.

«Okay, ab in den Keller mit ihm.»

Freddy kam wie selbstverständlich mit, und Jens hinderte ihn nicht daran.

Im Keller versammelten sie sich um die einzige verschlossene Tür und beobachteten die junge Dame vom Schlüsseldienst dabei, wie sie das Schloss öffnete. Jens fiel das Blut vor dem Lastenaufzug auf. Wäre die Lage nicht so ernst, er hätte bei der Vorstellung gelacht, wie der Hausdrache Freddy anfiel.

«So, ist auf.» Die Frau trat einen Schritt zur Seite. Jens öffnete die feuerfeste Metalltür.

Eine gemauerte Röhre von etwa eins fünfzig Durchmesser und vielleicht zwanzig Metern Länge führte von dem Haus weg unter der Straße hindurch bis in den Kanal. Braunes Wasser stand in der Röhre und schwappte an drei Betonstufen, die mit Algen überzogen waren und zu einem kleinen Kai führten.

Jens vermutete, dass dies früher ein offener Zugang zum Eilbekkanal gewesen war, bevor eine Straße darübergebaut worden war. Viele Häuser in Hamburg besaßen solche Zugänge.

Ein Kanu aus dunkelbraunem Holz lag an dem kleinen Kai.

Jens und Freddy sahen sich an.

«Mach mal das Seil los», sagte Jens, stieg ins Kanu und setzte sich auf die Planke in der Mitte.

Nachdem Freddy das Seil gelöst hatte, stieß Jens sich mit dem Paddel an den Wänden der Röhre ab, bis er das Metallgitter am Übergang zum Eilbekkanal erreichte. Es war mit einem massiven Bügelschloss gesichert. Jens konnte die Häuser auf der anderen Seite des Kanals sehen und links von sich das Heck eines Hausbootes.

«Soll ich da auch aufmachen?», rief die Frau vom Schlüsseldienst.

Jens kam mit dem Kanu zurück zum Kai.

«Nicht nötig. Vielen Dank für Ihre Hilfe.»

«Was machen wir jetzt?», fragte Freddy. «Wir müssen Leni finden!»

Jens nickte.

«Werden wir. Und ich weiß auch schon, wie.»

6.

Vor der Tür zum Vorzimmer blieb Jens stehen.

Er hatte Magendrücken. Chinesischem Essen konnte er diesmal nicht die Schuld geben. Gestern Abend, als sie sich geküsst hatten, hatte Leni Fontanes Anruf die Situation aufgelöst, und Jens war gleich darauf nach Hause gefahren. Heute hatten sie nur miteinander telefoniert. Noch von der Eilenau aus hatte Jens sie gebeten, für ihn zu recherchieren.

Was sollte er nur sagen wegen gestern Abend?

Sich entschuldigen?

Aber Rebecca hatte diesen Kuss ja geradezu eingefordert.

Warum mussten diese Dinge nur immer so kompliziert sein?

Ein Kollege kam mit einem Stapel Akten den Gang hinunter, und Jens konnte nicht länger wie ein vom Unterricht ausgesperrter Schüler vor der Tür stehen bleiben.

Also ging er hinein.

Rebecca saß hinter ihrem Schreibtisch. Sie strahlte nicht, so wie sonst immer, sondern wirkte angespannt und hoch konzentriert. Ihr Blick flog kurz zu ihm rüber. Sofort widmete sie sich wieder dem PC-Bildschirm.

«Hast du schon was für mich?», fragte Jens.

«Die Villa in der Eilenau gehörte jahrzehntelang der Kaufmannsfamilie Reuter», antwortete Rebecca. «Die haben mit Kaffee, Tee und Gewürzen gehandelt und bis Ende der achtziger Jahre dort sogar ein Lager betrieben.»

«Deshalb also der Lastenaufzug und die Erreichbarkeit über den Kanal», dachte Jens laut nach.

«2002 wurde die Villa dann verkauft. Der neue Besitzer, ein japanischer Investor, ließ sie zu einem Hotel umbauen. Bis 2012 hieß das Haus Eilbekhotel, bevor der Investor das Haus wieder verkaufte – mit einem satten Gewinn, wie ich annehme. Seitdem gehört es verschiedenen Eigentümern.»

«Und ten Damme?», fragte Jens. Er blieb seitlich am Schreibtisch stehen, weil er sich nicht zu Rebecca dahinter traute.

«Dem gehört die vierte Etage. Jede Etage gehört anderen Besitzern, ich hab dir die Liste schon ausgedruckt. Die dritte und die fünfte Etage wechselten 2014 noch einmal die Besitzer und wurden dabei saniert.»

Rebecca langte zum Ausgabefach des Druckers hinüber und gab Jens den Ausdruck.

Zum ersten Mal sahen sie sich in die Augen.

«Ist was?», fragte sie.

Jens zögerte einen Moment mit der Antwort. Ihm fehlten die richtigen Worte.

«Du machst dir doch keinen Kopf wegen gestern Abend, oder?», fragte Rebecca leichthin.

«Nee … oder sollte ich?»

Sie zuckte mit den Schultern.

«Für mich ist alles in Ordnung … wenn du das nächste Mal an die Mozartkugeln denkst und eine Flasche guten Rotwein mitbringst.»

Das nächste Mal, dachte Jens und spürte, wie ihn Erleichterung überkam.

Plötzlich flog die Tür auf, und die Baumgärtner stürzte herein.

«Ah, da sind Sie ja!», rief sie. «Ich hab mal wieder eine Beschwerde gegen Sie auf dem Tisch, Kerner.»

«Lassen Sie mich raten … von Anwalt Kluge?»

«Treffer. Was treiben Sie da eigentlich? Würden Sie mich bitte aufklären?»

Mareike Baumgärtner stemmte die Fäuste in die Hüften und sah Jens herausfordernd an. Dass sie schlechte Laune hatte, war offensichtlich.

«Trifft sich gut», sagte Jens. «Ich wollte Sie ohnehin sprechen. Sie müssen mir eine Aktion genehmigen, und wenn die schiefgeht, werden sich die Beschwerden auf ihrem Schreibtisch türmen.»

Jens hielt seiner Chefin die Tür zu seinem Büro auf und machte eine einladende Handbewegung.

Einen Moment verharrte sie noch und funkelte ihn an, dann setzte sie sich in Bewegung.

«Ich weiß nicht, womit ich Sie verdient habe», sagte sie im Vorbeigehen. Ihr Parfüm stieg ihm betäubend in die Nase.

Bevor Jens ihr in sein Büro folgte, um mit ihr einen gewagten Plan zu besprechen, der sowohl Vivien als auch Leni Fontane retten sollte, wandte er sich noch einmal an Rebecca.

«Dieses Gummiboot, von dem du gesprochen hast, könnte ich mir das ausleihen?»

«Das heißt Packraft. Wann brauchst du es?»

«Jetzt gleich.»

«Das ist bei mir im Keller. Du müsstest es holen, dann erklär ich dir, wie es funktioniert.»

«Super. Danke.»

Sie lächelte, aber es war ein anderes Lächeln als sonst.

Weil es tiefer ging.

7.

Freddy besaß wieder ein Handy!

Okay, es war nicht seines, sondern das des Kommissars, von Besitz konnte man also nicht sprechen, trotzdem fühlte es sich gut an, es in der Hand zu halten. Es war wie ein Schritt zurück ins richtige Leben, denn das Handy hatte er bekommen, weil er gebraucht wurde. Nach drei Monaten auf der Straße war er plötzlich von einem Nichts und Niemand, von einer Schattengestalt, die höchstens als Ärgernis wahrgenommen wurde, zu jemandem aufgestiegen, der dabei helfen konnte, einen Mörder dingfest zu machen.

Scheißegal, wie es danach weiterging. Jetzt war nur diese Aufgabe wichtig. Er musste Leni Fontane finden, koste es, was es wolle.

Kommissar Kerner hatte Freddy deutlich darauf hingewiesen, dass nur sie beide von ihrer Absprache wussten und es streng genommen illegal war, was sie taten. Das war Freddy egal. Am Ende würde der Erfolg stehen, nur das war wichtig.

Er stand in der Nähe der Brücke, die den Eilbekkanal vom Kuhmühlenteich trennte, und beobachtete die Hausboote. Noch war ten Damme nicht aufgetaucht, aber das würde er, ganz sicher. Zehn Polizisten waren auf ihn angesetzt, sie verfolgten ihn auf Schritt und Tritt, und Kerner hatte sie angewiesen, nicht besonders diskret vorzugehen. Ten Damme würde sie bemerken, das sollte er auch, und dann würde er versuchen, sie abzuhängen.

Der Einzige, den er nicht bemerken würde, wäre Freddy. Und Freddy würde an ihm kleben wie eine Fliege an Hundescheiße.

Kerner hoffte, dass ten Damme sie zu Leni und Vivien führte. Es musste irgendwo ein Geheimversteck geben, in dem er die Frauen gefangen hielt. In der Villa tat er es nicht, so viel stand fest. Dort hatte der Kommissar alle polizeilichen Maßnahmen einstellen lassen, damit ten Damme nicht erfuhr, dass sie den geheimen Zugang gefunden hatten.

Polizeiarbeit war spannend, fand Freddy. Vielleicht hatte er doch den falschen Beruf ergriffen. Arschlöchern wie ten Damme auf den Fersen zu sein, Menschen zu retten, das hatte was. Weil es dabei nicht nur darum ging, wirtschaftlich erfolgreich zu sein, Geld zu machen und damit anzugeben. Auf eine sehr bereichernde Art erweiterte die Verbrecherjagd diesen schmalen Horizont, auf den sich die heutige Konsumgesellschaft selbst begrenzte.

Freddy wusste, er würde niemals Polizist werden, dafür war er zu alt. Aber vielleicht könnte er eine Detektei eröffnen. Dafür brauchte man weder einen Abschluss noch besonders viel Geld.

Das klang verlockend. Endlich hatte er eine Idee, was er mit seiner Zukunft anfangen sollte.

Eine Hupe riss Freddy aus seinen Gedanken.

Der auffällige rote Pick-up des Kommissars hielt auf dem Parkplatz der Hochschule für bildende Künste. Auf der Ladefläche lag etwas Großes, Graues.

Freddy ging hinüber und trat ans Seitenfenster.

«Alles klar?», fragte Kerner.

«Bisher ist er nicht aufgetaucht.»

«Ich weiß. Meine Jungs haben ihn im Auge. Er isst in einem Restaurant in der Innenstadt, wir haben also noch Zeit.»

Kerner stieg aus und öffnete die hintere Ladeklappe.

«Sieht super aus», sagte Freddy. Vor ihm lag ein hochwertiges Packraft, ein kleines, aufblasbares Paddelboot, das ohne Luft bequem in einen Rucksack passte und für kombinierte Trekking- und Paddeltouren konzipiert war.

«Kommst du damit zurecht?», wollte Kerner wissen.

«Na ja, bei der Bundeswehr war ich Pionier, da mussten wir oft paddeln. Ist zwar schon eine Weile her, aber ich denke, es wird schon gehen. Woher haben Sie das Ding?»

«Gehört einer Mitarbeiterin. Sie hätte es gern wieder. Also pass gut darauf auf. Wenn du wider Erwarten ten Damme zu Fuß folgen musst, ruf mich an, damit ich es abholen kann.»

Zusammen luden sie das überraschend leichte Boot ab und legten es in Ufernähe. Von dort hatte Freddy das gegenüberliegende Ufer mit den Hausbooten gut im Blick. Sollte ten Damme mit dem Kanu aufbrechen, würde er es bemerken und ihm folgen.

Jens Kerner sah mit nachdenklich besorgtem Blick zu der Villa hinüber.

«Ganz wohl ist mir nicht dabei, dich da mit hineinzuziehen», sagte er.

«Ich steck doch längst bis über beide Ohren mit drin. Außerdem mache ich es freiwillig, niemand zwingt mich.»

Kerner sah ihn an.

«Sei bloß vorsichtig und unternimm keine Alleingänge. Der Mann ist gefährlich.»

«Ich passe schon auf.»

«Das Handy ist aufgeladen?»

«Fast hundert Prozent. Sollte die Nacht über reichen.»

«Okay … ich bin jederzeit erreichbar. Scheu dich nicht, anzurufen, egal, was ist. Verstanden?»

Freddy nickte.

Jens Kerner klopfte ihm auf die Schulter, bedankte sich mit

einem Kopfnicken für seine Hilfe und kletterte den Uferhang hinauf.

Kurz darauf hörte Freddy den amerikanischen Motor blubbern, und Kerner verschwand.

Freddy betrachtete das Packraft.

Jetzt, wo er auf sich allein gestellt war, wurde ihm doch ein wenig mulmig.

Aber er würde es durchziehen.

Für Leni.

Und für sich selbst.

8.

Jens knüppelte grob den Gang ins Getriebe. Die Red Lady protestierte sofort mit lautem Geschrei.

Das passierte ihm sonst nie. Er war über die Maßen angespannt. Am liebsten hätte er sich selbst an ten Dammes Fersen geheftet, sah aber ein, dass das nichts brachte. Der Mann war nicht dumm, er würde den Braten riechen. Diese ganze Aktion war der reine Wahnsinn! Wenn sie schiefging, wenn irgendjemand zu Schaden kam, würde alle Schuld auf ihn fallen, und er könnte seinen Hut nehmen. Zwar hatte er die Rückendeckung der Baumgärtner, aber nur für den Teil seines Plans, von dem er ihr erzählt hatte.

Sie wusste nichts davon, dass er Freddy Förster einbinden würde.

Aber es ging nicht anders. Ten Damme würde ihnen nie verraten, wo er Leni und Vivien gefangen hielt. Ihn in Sicherheit zu wiegen, weil er glaubte, seine Verfolger abgehängt zu haben, war ihre einzige Chance. Dabei stand nicht einmal fest, dass ten Damme in dieser Situation das Risiko einging, sein Versteck aufzusuchen. Letztlich setzte Jens hier auf seine Erfahrung. Männer wie ten Damme, die Frauen quälten und töteten, handelten selten rational. Sie waren von Gier getrieben und konnten diese nicht lange unterdrücken.

Jetzt war Jens auf dem Weg zu Ellen Lion. Die Schauspielerin musste unbedingt vernommen werden.

Wie erwartet, waren die Seitenränder der Straße, in der sie wohnte, jetzt, weit nach Feierabend, zugeparkt. Nicht eine einzige Stellfläche war frei. Jens hätte zwar in der zweiten Reihe parken können, aber seit ihm dabei jemand den Außenspiegel abgefahren und die Red Lady tagelang Schmerzen gelitten hatte, vermied er das. Ein Stück die Straße hinunter gab es eine Tankstelle. Er parkte vor den Staubsaugern, sagte drinnen Bescheid und lief zurück zu dem Haus, in dem Ellen Lion zusammen mit ihrem Mann wohnte.

Dabei handelte es sich um einen umgebauten alten Backsteinspeicher direkt am Wasser. Dicke Mauern, schmale Fenster, vier Geschosse übereinander – ein wehrhaftes Gebäude. Der Straße zugewandt befand sich ein Weinladen. Die Schaufenster waren stimmungsvoll beleuchtet, aber der Laden hatte längst geschlossen. Die Lion hatte ihn am Telefon dennoch gebeten, vorn am Laden zu klingeln.

Die Frau klang nett, zuvorkommend und gebildet. Sie verstand, dass die Notwendigkeit zu einem Gespräch bestand, und war froh und dankbar, nicht ins Präsidium kommen zu müssen. Jens lag nichts daran, ihre Beziehung zu ten Damme öffentlich zu machen. Das ging niemanden etwas an.

Der Klingelknopf war in ein massives Messingschild einge-

lassen, auf dem der Schriftzug «Hamburger Weinkontor» ein-
graviert war.

Ellen Lion öffnete ihm beinahe sofort.

Sie trug ein graues Wollkleid, das keinen Spielraum für Inter-
pretationen ließ, was ihre Figur anging. Es endete knapp über
den Knien. Um die schmale Taille hing locker ein dünner Le-
dergürtel, ihre Füße steckten in hochhackigen schwarzen Stie-
feln. Sie war perfekt geschminkt und duftete atemberaubend –
im wahrsten Sinne des Wortes. Jens hasste es, wenn die Leute
ihre Umwelt mit zu stark aufgetragenem Parfüm belästigten.

Sie reichte ihm ihre Hand, die warm und weich war, aber
überraschend stark zudrücken konnte.

«Bitte, Kommissar Kerner, kommen Sie mit durch, wir gehen ins Büro.»

Um dorthin zu gelangen, mussten sie den Weinladen durch-
queren. Er war geschmackvoll und teuer eingerichtet. Konnte
man mit Wein so viel Geld verdienen, dass es für einen solchen
Laden in dieser Lage in Hamburg reichte? Ihm fiel ein, dass er
eine gute Flasche Rotwein brauchte für seinen nächsten Besuch
bei Rebecca.

Die funktionale Schlichtheit des Büros erinnerte ihn ans
Präsidium. Die Möbel wirkten gebraucht, von Prunk, Protz
oder stimmungsvoller Beleuchtung gab es hier keine Spur. Im
Licht der hellen LED-Strahler an der Decke sah auch die Lion
längst nicht mehr so mondän und geheimnisvoll aus: Jede einzelne zugeschminkte Falte wurde hier sichtbar.

Sie setzten sich an einen runden Glastisch. Ellen Lion schlug
die Beine übereinander und verschränkte die Arme vor der
Brust. Sie war angespannt, das spürte Jens.

«Führt Ihr Mann das Geschäft?», fragte er, um ein bisschen
Lockerheit bemüht.

Sie nickte.

«Ja, leider mehr schlecht als recht. Es läuft nicht mehr so gut wie früher. Wir hatten mal drei Mitarbeiter, heute keinen mehr. Der Konkurrenzdruck des Internets ist hart.»

«Wie gut, dass die Schauspielerei bei Ihnen so gut läuft.»

«Ja, ich will mich gar nicht beklagen, es könnte alles schlimmer sein. Aber Sie glauben nicht, wie sehr wir Seriendarsteller unter der Angst vor dem Serientod leiden.»

«Serientod?»

«Achten Sie mal darauf. Diese lang angelegten Serien funktionieren nur, wenn regelmäßig das Personal wechselt ... und dafür müssen Rollencharaktere sterben. Wir nennen das den Serientod.»

«Sind Sie nicht die Hauptdarstellerin?»

«Kann man so sagen, ja. Aber zwei andere Charaktere liegen in der Zuschauerbeliebtheit weit vor mir. Und die sind um einiges jünger. Für Frauen in meinem Alter tickt die Uhr. Gegen diese jungen hübschen Dinger, die in den Markt drängen, kann man sich nicht wehren.»

«Verstehe. Klingt nach einem harten Geschäft.»

«Ist es. Man muss sich durchbeißen können. Deshalb kann ich in dieser Situation auch keine pikanten privaten Storys in der Klatschpresse gebrauchen. Hendrik hat mich natürlich darüber informiert, was mich erwartet, und ich möchte Ihnen dafür danken, dass Sie mich nicht ins Präsidium zitiert haben.»

Jens zuckte mit den Schultern.

«Kein Problem. Ich ermittle in einem Mordfall, nicht Ehebetrug, und wenn Sie die Aussage zum Alibi von Herrn ten Damme bestätigen können, sind Sie mich ganz schnell wieder los.»

«Hendrik und ich haben am Telefon über die relevanten Tage

und Zeiten gesprochen. Als dieser junge Mann erschossen wurde, war ich die ganze Nacht über bei Hendrik.»

«Auf seinem Hausboot?»

«Ja.»

«Und Ihr Mann?»

«Auf einer Geschäftsreise. Er ist viel unterwegs, um Weine zu verkosten und einzukaufen. Das ist ein Geschäft, bei dem man sich noch in die Augen schaut … natürlich immer über den Rand eines Weinglases hinweg.»

Zum ersten Mal lächelte sie. Sie hatte ein warmherziges, offenes Lächeln. Ihre schönen Augen lächelten mit, und Jens konnte verstehen, warum sie als Schauspielerin erfolgreich war.

«Gut», sagte er. «Dann wäre das abgehakt. Und die vergangene Nacht?»

«Wir haben telefoniert, uns aber nicht gesehen. Es war uns zu heikel, nachdem Sie Hendrik bereits verhört hatten.»

«Nur damit ich das richtig verstehe: Für die vergangene Nacht können Sie Herrn ten Damme kein Alibi geben?»

«Richtig.»

«Und für die Nacht vom 12. auf den 13. Juni eigentlich auch nicht wirklich, oder?»

Überrascht schossen ihre sorgfältig gezupften Augenbrauen in die Höhe.

«Ich sagte doch gerade, ich war bei ihm.»

Jens tat so, als müsse er sein Notizbüchlein konsultieren, dabei hatte er natürlich alles im Kopf, was Rebecca für ihn herausgefunden hatte.

«Laut Angabe Ihres Arbeitgebers hatten Sie am 12. Juni einen Drehtag in Berlin, der bis circa achtzehn Uhr andauerte. Danach sind Sie mit der Bahn von Berlin nach Hamburg gefahren, richtig?»

«Ja, richtig, aber …»

«Laut Personalbüro, das sich um Ihre Reiseabrechnungen kümmert, nahmen Sie den Zug um 19:49.»

«Genau, mit Ankunft um 21:54 in Hamburg. Ich bin dann gleich zu Hendrik gefahren.»

«Wann waren Sie bei ihm? Ungefähr?»

«Halb elf?»

Jens tat so, als müsse er nachrechnen, dabei hatte er das schon längst getan.

«Plus die drei Stunden Verspätung wegen einer Person auf den Gleisen, macht dann halb zwei.»

Erst versteinerte ihr Gesicht, dann verlor es jede Fassung, und ihre Augen wurden feucht.

Ein Hoch auf die Unpünktlichkeit der Bahn, dachte Jens.

«Ich …»

«Sie wollten mich anlügen.»

«Nein, ich … ich dachte, von halb zwei an, das kann man noch als ganze Nacht bezeichnen.»

«Nicht, wenn der Tatzeitpunkt eine halbe Stunde vor Mitternacht liegt.»

«Das … das wusste ich ja nicht.»

«Richtig, das wussten Sie nicht. Wollen Sie Ihre Aussage also noch mal anpassen?»

Jetzt floss die erste Träne. Filmreif kullerte sie über die linke Wange und zog eine feuchte Spur durch die Schminke.

In Jens regte sich der Verdacht, sie spiele ihm etwas vor. Er musste aufpassen, immerhin war sie professionelle Schauspielerin. Möglicherweise war sie so gut, dass er ihre wahren Emotionen nicht von vorgetäuschten unterscheiden konnte.

«Es … es tut mir leid …», sagte sie leise mit gesenktem Blick. «Hendrik bat mich, das zu tun, und ich war ja auch fast die ganze Nacht bei ihm. Er kann vorher gar nicht getan haben, was Sie ihm vorwerfen. Als ich bei ihm eintraf, schlief er schon. Ich musste ihn wach klingeln.»

«Wann genau trafen Sie auf dem Hausboot ein?»

«Dann muss es wohl so gegen halb zwei gewesen sein.»

Jens fixierte sie aus schmalen Augen.

«Wenn ich so ein Geheimnis zu wahren hätte wie Sie, würde ich nicht versuchen, die Polizei zu belügen», sagte er.

Sie nickte und presste die Lippen zusammen. Eine weitere Träne folgte. Sie sah ihn nicht an.

«Leider kann ich Ihnen jetzt nicht mehr einfach so glauben und muss auch Ihren Mann zu seiner Dienstreise befragen.»

Ihr Blick schoss hoch.

«Nein!»

Ein Wort, ein Befehl, und keine Spur mehr von Unterwürfigkeit und Schuldbewusstsein, weil er sie beim Lügen erwischt hatte. In diesem Moment, da war sich Jens sicher, zeigte die Schauspielerin ihr wahres Gesicht.

«Tut mir leid», sagte Jens und stand auf. «Wo finde ich Ihren Mann?»

«Er … er ist unterwegs. Schon seit gestern.»

«Wann wird er zurück sein?»

Ellen Lion sprang auf.

«Bitte, das können Sie doch nicht machen!»

«Ich muss, aber vielleicht lässt es sich ja vermeiden, wenn Sie mich zu Herrn ten Dammes Alibi für die Nacht vom 20. auf den 21. dieses Monats nicht belügen.»

«Die Nacht, als Vivien verschwand?»

«Richtig.»

«Ich habe keine Ahnung, wo Hendrik war, aber ich war hier zu Hause. Mein Mann kann das bestätigen.»

Noch nicht ganz ausgesprochen, merkte sie schon, dass sie einen Fehler gemacht hatte, ihren Mann als Alibi anzuführen.

«Bitte, glauben Sie mir. Sie müssen ihn nicht danach fragen, es stimmt. Ich kann Ihnen seinen Terminkalender geben, wenn er wieder hier ist.»

«Ich werde es mir überlegen, Frau Lion», sagte er und wandte sich zum Gehen. «Ich muss jetzt los. Sie hören von mir.»

Sie folgte ihm in den Weinladen und verriegelte die Tür hinter ihm.

Nachdem er ein paar Schritte gegangen war, drehte Jens sich noch einmal um. Er wurde das Gefühl nicht los, dass er irgendwas übersehen hatte.

9.

Es war längst dunkel geworden, und Freddy fror schon bitterlich, da tat sich endlich etwas.

Gegenüber, in der Röhre, die unterirdisch vom Eilbekkanal bis unter die Villa führte, öffnete sich das Metallgitter. Das konnte Freddy nur sehen, weil sich das Licht der Straßenlaternen auf dem Metall spiegelte und Reflexe warf, sobald sich das Tor bewegte.

Freddy verließ seinen Posten und krabbelte die Uferböschung hinunter. Von Büschen verborgen, beobachtete er, wie sich langsam ein Kanu aus der Röhre herausschob. Darin saß eine Gestalt in dunkler Kleidung mit einer Kapuze über dem Kopf.

Ten Damme!

Er verschloss das Gitter, stach das Paddel ins Wasser und entfernte sich rasch nach links in Richtung Kuhmühlenteich. Freddy machte sich ganz klein in seinem Versteck hinter den Büschen. Geräuschlos und zügig zog das Kanu an ihm vorbei. Der Mann verwendete das Paddel routiniert. Freddy ahnte, dass er Mühe haben würde, ihm zu folgen. Das Packraft war längst nicht so schnittig und er nicht so geübt. Er durfte keine Zeit verlieren!

Freddy hielt das Handy schon in der Hand, entschied sich aber, den Kommissar erst anzurufen, wenn er im Boot saß und wusste, wohin die Reise ging.

Freddy eilte zum Packraft zurück und ließ es zu Wasser. Leider gab es hier keine flache Einstiegsstelle, sodass er vom Ufer bis ins Boot einen halben Meter Höhenunterschied überwinden musste. Er hatte keine Ahnung, wie man so etwas professionell machte, schon gar nicht bei einem so kleinen, wackeligen Gummiboot.

Er nahm das Paddel als Stütze, grätschte mit dem linken Bein ins Boot, während das rechte noch am Ufer stand, doch seine Bewegung drückte das Raft vom Ufer weg und zwang ihn in einen Spagat. Hastig stieß Freddy sich ab, verlagerte sein Gewicht, bekam aber nicht genug Schwung und landete mit dem Gesicht voran auf der Gummiwulst des Bootes, während sein rechtes Bein bis zum Knie im Wasser versank. Das Boot hatte jetzt zu viel Gewicht auf einer Seite und senkte sich so weit ab, dass Freddy nun auch noch mit dem Kopf in den Kanal eintauchte.

Dann schnellte das Boot zurück und stabilisierte sich.

Freddy spuckte und prustete und ließ sich nach hinten in den Sitzgurt fallen.

Zum Glück hatte er das Paddel nicht losgelassen!

Er wischte sich das Wasser aus den Augen und sah sich nach ten Damme um.

Der war schon fast außer Sichtweite.

Freddy schwitzte und fluchte und mühte sich ab, aber das Boot wollte nicht so wie er. Es hielt die Richtung nicht, ständig musste er nachkorrigieren. Wenn er es nicht schnell unter Kontrolle bekam, würde Leni sterben, nur weil er zu blöd war, ein Paddelboot zu fahren.

Allmählich schaffte er einen geraden Kurs durch den Kuhmühlenteich. Er wollte einen Moment innehalten, um den Kommissar anzurufen, doch weiter vorn bog ten Damme gerade in die Außenalster ein und verschwand nach rechts aus seinem Blickfeld.

Freddy legte sich ordentlich ins Zeug, kämpfte wie besessen und machte Meter gut. Er musste dranbleiben, sonst würde ten Damme in dem Wirrwarr aus Kanälen verschwinden, und er hätte keine Chance, ihn wiederzufinden.

Ohne das viele Licht der Stadt, das die Dunkelheit beständig zurückdrängte, hätte Freddy den schwarzen Umriss des Kanus auf der weitläufigen Außenalster überhaupt nicht gesehen. Ten Damme hielt sich nah am Ufer, und Freddy tat es ihm gleich. Der Abstand war noch immer groß, aber Freddy würde es zumindest sehen, wenn ten Damme irgendwo einbog.

Jetzt konnte er Kerner anrufen.

Freddy suchte das geliehene Handy in der Beintasche seiner Hose, wo er es hingesteckt hatte, doch da war es nicht. Hitze stieg ihm in den Kopf, während er sämtliche Taschen abklopfte. Nirgends ein Handy, wie konnte das sein?

Freddy machte ein paar Ruderschläge, um den Anschluss nicht zu verlieren, und dachte darüber nach, wo er das Handy gelassen haben könnte. Hatte er es nicht in die Außentasche seines Mantels gesteckt, nachdem ihm am Ufer die Zeit gefehlt hatte, den Kommissar anzurufen?

Es musste ins Wasser gefallen sein, als er mit dem Boot beinahe gekentert war.

Freddy hatte nicht viel Zeit, sich über seine Dummheit aufzuregen, denn zu seiner Überraschung bog ten Damme schon wieder ab.

Er fuhr unter der Feenteichbrücke hindurch in den Feenteich.

Damit hatte Freddy nicht gerechnet. Er kannte sich mit den Hamburger Kanälen und Fleeten nicht wirklich gut aus, glaubte aber, dass vom Feenteich nur der Uhlenhorster Kanal abging, der bald als Sackgasse endete.

Bis zur Abzweigung brauchte Freddy noch mehrere Minuten, und als er unter der Feenteichbrücke hindurch war, sah er gerade noch das Kanu im Uhlenhorster Kanal verschwinden. Dort war der Uferbewuchs dicht, die Bäume bildeten ein schützendes Dach, durch das kein Licht fiel. Der Uferbereich des kleinen Sees war gesäumt von teuren Villen und dem Gästehaus des Senats, in dem auch schon der US-Präsident logiert hatte. Durch die vielen warmen Lichter in den Wohnhäusern war es heimelig hier, große grüne Rasenflächen zogen sich vom Ufer zu den Villen hin. Freddy hatte diese Ecke Hamburgs immer als die schönste empfunden und insgeheim davon geträumt, sich hier irgendwann eine Villa zu leisten.

Man sollte sich ja hohe Ziele setzen, aber dieses würde wohl für immer unerreichbar bleiben.

Sobald er in den Uhlenhorster Kanal einbog, wurde es finster. Von ten Damme war nichts mehr zu sehen, aber er konnte ja nicht weit sein. Nachdem Freddy unter der zweiten Brücke hindurch war, entdeckte er links einen schmalen Abzweiger in einen anderen Kanal.

Also war der Uhlenhorster Kanal doch keine Sackgasse!

Freddy hatte keinen blassen Schimmer, wohin dieser kleine Kanal führte. Was, wenn ten Damme dort hineingefahren war?

Freddy dachte daran, an Land zu gehen, irgendwo den Notruf zu alarmieren und seine Situation zu erklären, aber dann fiel ihm ein, dass Kerner gesagt hatte, nur sie beide wüssten von dieser Aktion.

Es würde auch viel zu viel Zeit kosten.

Also weiter geradeaus!

Im Uhlenhorster Kanal war es still und abgeschieden. Mehrstöckige Häuser säumten die Ufer. Aus dieser Perspektive hatte Freddy die Stadt noch nie gesehen, und er verstand jetzt, warum ten Damme diese Wege nutzte. Wo wäre man zumindest nachts unbehelligter?

Er näherte sich der dritten Brücke. Immer noch keine Spur von ten Damme.

Weiter, immer weiter, die Ufer im Blick behalten. Er musste hier doch irgendwo sein.

Dann war der Kanal zu Ende. Am Winterhuder Weg ging es nicht mehr weiter.

Freddy wendete. Frust machte sich breit.

War ten Damme längst angelandet? Aber dann hätte er doch das Kanu irgendwo liegen sehen müssen.

Noch aufmerksamer als zuvor fuhr Freddy zurück und hielt sich diesmal dichter am rechten Ufer. Nur deshalb entdeckte er den schmalen, vielleicht zwei Meter tiefen Arm, der unter den Gewölbebogen eines Hauses führte und dort endete.

An einem kleinen Kai lag ein Kanu.

Geräuschlos ließ Freddy sich hineingleiten und legte dahinter an.

10.

Jens zermarterte sich während der Fahrt zum Präsidium den Kopf. Er wusste, er hatte einen entscheidenden Hinweis übersehen, und dieses Wissen lag wie ein schwerer Klumpen in seinem Bauch, aber je mehr er darüber nachdachte, desto weiter entfernte er sich von der Lösung. Es war wie mit jedem Rätsel: Der Kopf musste frei sein, sonst kam man nicht drauf.

Er musste unbedingt mit Rebecca sprechen. Ihre Synapsen funktionierten bei diesen Dingen anders als seine, sie war in der Lage, auch aus dem Bauch heraus eine Lösung zu finden.

Jens zog sein Handy hervor und rief sie an.

«Kannst du noch mal ins Präsidium kommen?», fragte er sie. «Ich brauche dich.»

«Da bin ich noch. Meinst du, ich mache Feierabend, während hier so eine Aktion läuft?»

«Du bist großartig», sagte er. «Versuch doch bitte, so viel wie möglich über Ellen Lion herauszufinden. Woher hattest du eigentlich ihre Adresse?»

«Von ihrer Künstleragentur hier in Hamburg.»

«Okay. Ich muss mehr über die Frau wissen. Ich bin in zehn, fünfzehn Minuten im Präsidium.»

Sie verabschiedeten sich, und Jens kontrollierte sein Handy. Keine Anrufe.

Warum zum Teufel rief ihn niemand an!

Fünf Kollegen passten auf ten Damme auf, zusätzlich lag noch Freddy Förster auf der Lauer, aber niemand meldete sich.

Jens wählte Försters Nummer. Eine freundliche Stimme vom Band erklärte ihm, die Nummer sei nicht erreichbar.

Das war besorgniserregend!

An der nächsten Kreuzung wendete Jens seinen Farm-Truck, fuhr zurück und bog in Richtung Mundsburg ab. Nach zehn Minuten Fahrt erreichte er die Stelle, an der er Rebeccas Packraft abgeladen hatte. Jens ließ seinen Wagen mit eingeschaltetem Warnblinklicht einfach im Verkehr auf der Brücke stehen, sprang raus und lief runter zur Uferböschung.

Kein Freddy, kein Boot, nichts.

Jens' Blick ging hinüber zu der Eilenau, der Villa und dem dunklen Rohr, das nach wie vor mit einem Metallgitter verschlossen war.

Er rief den Kollegen Sieling an, der die Observierung leitete. Der meldete sich sofort. Ten Damme, so erfuhr Jens, war vor einer Stunde auf seinem Hausboot angekommen und hatte sich seitdem nicht fortbewegt.

«Ich komme rüber», sagte Jens und machte sich auf den Weg. Seinen Truck parkte er diesmal in einer Feuerwehrzufahrt, fünfzig Meter vom Hausboot entfernt.

Sieling wartete unter den Bäumen auf ihn.

«Und du bist dir sicher, dass ten Damme auf dem Boot ist?»

«Wir haben ihn dabei beobachtet, wie er das Hausboot betreten hat. Seitdem sind wir hier. Er kann es nicht verlassen haben, ohne dass wir es gesehen hätten.»

«Vielleicht übers Wasser?»

«Dann nur im Taucheranzug.»

Die beiden sahen sich an und teilten in diesem Moment eine berechtigte Sorge. Niemand hatte an diese Möglichkeit gedacht.

«Komm mit», sagte Jens und lief zu dem Hausboot hinüber.

Hinter dem der Straße zugewandten Fenster brannte Licht, die Vorhänge waren zugezogen. Polternd liefen sie über den kurzen Steg, sprangen an Bord, und Jens hämmerte mit der Faust gegen die dünne Außenwand.

«Polizei, machen Sie auf!», rief er.

Sein Kollege hatte bereits die Waffe gezogen. Auch Jens' Hand war in Richtung des Holsters gezuckt, aber irgendwas hatte ihn davon abgehalten, seine Dienstwaffe zu ziehen.

Abermals schlug er gegen den Aufbau und rief nach ten Damme.

Der Vorhang glitt beiseite, die Schiebetür wurde geöffnet.

Hendrik ten Damme trat ihnen in legerer Hauskleidung entgegen. In der Hand hielt er ein Glas mit bernsteinfarbener Flüssigkeit.

«Muss ich um diese Zeit noch meinen Anwalt bemühen», sagte er. Seiner Stimme nach zu urteilen, war er schon leicht betrunken.

Jens war überrumpelt. Er war sich sicher gewesen, dass ten Damme unerkannt entkommen war.

«Ich wollte nur eine gute Nacht wünschen», sagte er und wandte sich ab.

«Ihre Leute sind richtig gut», rief ten Damme ihm hinterher. «Von der ersten Minute an hab ich sie bemerkt.»

Das solltest du ja auch, dachte Jens und ging über den Steg zurück zum Ufer.

Vor der Villa besprach er sich mit Sieling.

«Ihr bleibt hier. Ich bin mir sicher, der versucht noch irgendwas. Und wenn ihn jemand besuchen kommt, will ich das sofort wissen. Auch wenn er sich nur eine verdammte Pizza bestellt.»

«Geht klar.»

«Ihr habt nicht zufällig drüben am anderen Ufer einen Penner mit einem Schlauchboot gesehen?»

Sieling sah ihn an, als hätte er den Verstand verloren. Zugegeben, die Frage war ungewöhnlich, vor allem, wenn man wie Sieling nichts von der geheimen Aktion mit Freddy Förster wusste.

«Einen Penner mit Schlauchboot?»

«Ja.»

«Äh … nicht dass ich wüsste, aber auf so einen haben wir auch nicht geachtet.»

«War überhaupt etwas auf dem Wasser los?»

«Nicht, seit wir hier sind.»

Jens lief zu seinem Wagen zurück und fuhr los. Plötzlich saß ihm die Zeit wie ein heißes Messer im Nacken. Irgendwas tat sich hier, und er bekam nichts davon mit. Ten Damme spielte ein Spiel mit ihm. Der Mann war gerissen, und Jens fragte sich, ob er ihm gewachsen war.

Vielleicht hatte er ihn falsch eingeschätzt.

Oder, und an diese Möglichkeit mochte er gar nicht denken, Leni und Vivien lebten schon nicht mehr, und es gab für ten Damme keinen Grund, sein Versteck aufzusuchen.

Aber was war mit Freddy Förster?

Warum hatte der seinen Posten verlassen und meldete sich nicht?

Jens war sich sicher, in ihm einen verlässlichen Mann gefunden zu haben, dem er vertrauen konnte. Hatte er sich auch hier getäuscht? War Förster mit dem Handy und dem Packraft, das einen Wert von mehr als tausend Euro hatte, stiften gegangen? Immerhin hatte er seine Firma gegen die Wand gefahren, Menschen um ihr Geld betrogen und sogar seine Frau hintergangen.

Verflucht noch eins! Man konnte den Menschen doch wirklich nur bis vor die Stirn gucken, nicht weiter, nicht in den Kopf hinein, wo vollkommen andere Dinge abliefen, als man vermutete.

Jens schwor sich, sollte Förster tatsächlich abgehauen sein, um sich zu bereichern, würde er ihn suchen, und wenn es bis ans Ende seines Lebens dauerte. Einen solchen Verrat ließ er nicht durchgehen.

Durch den schwachen Abendverkehr raste Jens zum Präsidium. Er trat das Gaspedal durch, machte an jeder Ampel einen Kick-down und quälte seinen alten Truck, wie er es sonst nie tat. In Gedanken entschuldigte er sich dafür bei seiner Red Lady und versprach ihr eine Ganzkörperpolitur, sobald diese Sache erledigt war.

Am Präsidium herrschte Nachtstimmung. Der Parkplatz war zu einem Drittel gefüllt, nur hinter wenigen Fenstern brannte noch Licht.

Rebecca fand er im Büro am Schreibtisch. Konzentriert starrte sie in den PC und schreckte auf, als er hereinstürmte.

«Ich hab mir schon Sorgen gemacht», sagte sie.

«Ja, hat länger gedauert. Ich hab ten Damme noch schnell gute Nacht gesagt.»

«Was macht er?»

«Hockt friedlich auf seinem Hausboot und trinkt Whiskey.»

«Und wie geht es meinem Packraft?»

Jens verzog das Gesicht, als hätte er in eine Zitrone gebissen. Natürlich hatte er Rebecca verraten müssen, wofür er ihr Boot brauchte.

«Ich weiß nicht, wo Förster damit abgeblieben ist», gab Jens zu.

«Ist nicht dein Ernst!»

«Ich bin sicher, das wird sich aufklären.»

«Ich rede nie wieder ein Wort mit dir, wenn ich es nicht unversehrt zurückbekomme», sagte Rebecca, und Jens erkannte, dass sie es ernst meinte.

«Ich verspreche es dir», sagte Jens leichtfertig, ahnte aber schon, dass er dieses Versprechen vielleicht nicht würde halten können.

«Hast du etwas über die Lion herausgefunden?», versuchte er, von dem Thema abzulenken.

«Ich fange mal mit ihrer Identität an. Ellen Lion ist nur ein Künstlername. Ihr Geburtsname ist ziemlich profan, kein Wunder, dass sie sich einen anderen zugelegt hat.»

«Ach. Und wie heißt sie wirklich?»

«Ihr Mädchenname ist Katrin Meyer. Seit ihrer Hochzeit vor sechs Jahren heißt sie offiziell aber Katrin Kleinschmidt.»

11.

Aus dem schwarzen Loch im Gewölbekeller kroch eine Frau.

Leni erkannte sie in dem Moment, da sie aufstand und sich ihr zuwandte.

Es war die Schauspielerin Ellen Lion.

Gekleidet war sie in einen weißen Schutzanzug, wie er in Krimis von Kriminaltechnikern getragen wurde. Ihre Hände steckten in dünnen schwarzen Lederhandschuhen. In der Linken hielt sie einen weiteren zusammengelegten Schutzanzug. Das lange Haar hatte sie zu einem Pferdeschwanz zusammengebunden.

«Sie!», stieß Leni aus.

«Halt die Klappe, du blöde Kuh. Hier wird nur gesprochen,

wenn ich es erlaube. Tritt von dem Gitter zurück, ich hab etwas für dich. Das ziehst du an, und dann machen wir beide einen Ausflug.»

«Nein! Leni, tu das nicht!», rief Vivien von der anderen Seite des schmalen Ganges.

«Du hältst auch die Klappe!», schrie Ellen Lion sie an. «Ihr beide haltet die Klappe. Euretwegen habe ich jetzt diesen ganzen Stress. Los, tritt zurück.»

Leni tat, was die Frau sagte. Sie holte etwas aus der Tasche, das wie eine Fernbedienung aussah, und richtete es auf die Zellentür.

«Ich bring dich um», rief Vivien und rüttelte wie wild an den Gitterstäben. «Ich zerkratzte dir dein verdammtes Gesicht und bringe dich um, wenn du ihr auch nur ein Haar krümmst.»

Ellen Lion ließ die Fernbedienung sinken und wandte sich Vivien zu. In ihren Mundwinkeln lag jetzt ein spöttisches Lächeln.

«Ach, tatsächlich. So mutig bist du auf einmal.»

Vivien presste ihr Gesicht zwischen die Gitterstäbe.

«Damit kommt ihr nicht durch. Ihr landet für den Rest eures Lebens im Knast, das schwöre ich. Und wir, Leni und ich, werden dafür sorgen.»

Leni wollte Vivien zurufen, dass sie lieber still sein und sich fügen sollte, doch sie erkannte, dass es keinen Sinn hatte. Vivien war völlig außer sich.

«Und damit genau das nicht passiert, bin ich jetzt hier», sagte Ellen Lion.

Dann schlug sie Vivien mit einer schnellen Bewegung ins Gesicht.

Vivien schrie auf, taumelte zurück, ging auf die Knie und

hielt sich beide Hände vors Gesicht. Blut tropfte zwischen ihren Fingern hervor.

Lion richtete die Fernbedienung auf Viviens Zelle, und die Tür glitt beiseite. Noch bevor sie sich komplett geöffnet hatte, nahm die Schauspielerin eine Metallschüssel vom Boden auf, zwängte sich durch den Spalt, betrat die Zelle und schlug Vivien die Schüssel wuchtig von vorn gegen die Stirn.

Vivien fiel nach hinten um. Die Schüssel landete klappernd auf dem Steinboden.

«Dann zeig doch mal, wie mutig du bist!», schrie Lion und trat nach Vivien, die mühsam von ihr fortkrabbelte.

«So sieht also dein Mut aus, was! Da kann deine kleine Freundin ja richtig stolz auf dich sein.»

Wieder ein Tritt.

«Aber so seid ihr jungen Dinger ja alle. Ein hübsches Gesicht, aufgesetztes Selbstbewusstsein, aber nichts dahinter.»

Vivien schaffte es bis an die hintere Wand, dann war Schluss.

«Und ihr glaubt, ich lass mir von euch was gefallen? Ich bin fitter, klüger und härter, als ihr es jemals sein werdet», giftete die Lion.

Beim nächsten Tritt drehte Vivien sich plötzlich um, packte ihren Fuß und riss sie von den Beinen.

Die Schauspielerin landete hart auf dem Rücken, und ihr Kopf schlug auf den Steinboden. Sie zuckte noch einmal, dann lag sie still.

Vivien starrte sie zwei, drei Sekunden lang an, dann schnappte sie sich die Metallschüssel und ging in Schlagposition. Doch Ellen Lion bewegte sich nicht mehr.

Vivien kroch zu der Schauspielerin hin und durchsuchte die Taschen ihres Anzugs nach der Fernbedienung.

«Ist sie tot?», fragte Leni.

«Ich hoffe es!»

Vivien fand die Fernbedienung und hielt sie triumphierend hoch. «Jetzt kommen wir hier raus», rief sie.

Plötzlich packte Ellen Lion nach Viviens Hand und riss sie herunter. Die Fernbedienung fiel zu Boden. Hilflos musste Leni mit ansehen, wie die beiden miteinander kämpften. Sie rollten und rutschten über den Boden, ächzten, stöhnten und schrien, schlugen sich mit den Fäusten und rissen sich in den Haaren. Mal war Vivien obenauf, dann wieder Ellen Lion, und minutenlang sah es so aus, als würde es keine Siegerin geben.

Doch dann wendete sich das Blatt.

Die Schauspielerin lag auf dem Rücken und nahm Vivien in den Würgegriff, indem sie ihren rechten Arm um deren Hals legte und ihn mit der linken Hand am Handgelenk festhielt. Auf diese Art entstand eine Klammer, aus der Vivien sich nicht befreien konnte.

Sie kämpfte, trat mit den Füßen aus, schlug mit den Armen nach hinten, traf die Lion aber nicht. Sie riss an ihrem Arm, kratzte ihr die Haut blutig, doch die Lion ließ nicht los. Ihr Gesicht war zu einer furchterregenden Maske unmenschlicher Anstrengung verzerrt, während sie weiterhin gnadenlos zudrückte.

Viviens Gesicht war Leni zugewandt, und auch wenn das Gewölbe nur schummrig beleuchtet war, konnte sie dennoch sehen, wie Viviens Kraft schwand. Augen und Mund waren weit aufgerissen, sie gierte nach Luft, bekam aber keine. Die Bewegungen ihrer Beine wurden langsamer, träger, und schließlich schabten die aufgerissenen Fersen nur noch über den Boden und hinterließen blutige Spuren.

Vivien streckte einen Arm nach Leni aus.

Einen Augenblick lang hing er in der Luft, fiel dann herunter, und Viviens Körper erschlaffte.

Ihre Beine zuckten noch zweimal. Schließlich kippte ihr Kopf auf die Seite, ihr Blick brach, und die weit aufgerissenen Augen starrten Leni leblos an.

Ganz anders Ellen Lion. In ihren Augen glänzten unbändige Wut und infernalische Lust.

Mordlust.

KAPITEL 7

1.

«Ihr Mann heißt Edgar Kleinschmidt, er führt den Weinhandel», fuhr Rebecca fort. «Über ihn liegt nichts vor, mit dem Showbusiness hat er nichts zu tun. Er ist Ellen Lions dritter Mann, die anderen beiden sind auch Schauspieler. Sie brauchte wohl mal einen ehrlichen, der ihr nichts vorspielt.»

Rebecca klang ein wenig sarkastisch, aber wahrscheinlich hatte sie recht. Wie konnte eine Ehe funktionieren, in der beide Partner eitel und egozentrisch waren und darin geschult, anderen etwas vorzuspielen?

Jens musste immer noch an diesen einen kleinen Moment denken, als die Lion ihm ihr wahres Gesicht gezeigt hatte. Außerdem ließ ihn der Gedanke nicht los, bei dem Gespräch etwas übersehen beziehungsweise nicht richtig gedeutet zu haben. Er hatte Rebecca bereits danach gefragt, aber die Informationen waren zu dürftig, als dass sie ihm hätte helfen können. Letztlich war es ja auch nur ein Bauchgefühl.

«Unsere liebe Lion scheint ein wenig aufbrausend zu sein», fuhr Rebecca fort und deutete auf den Bildschirm. «Ihr Konto in Flensburg war schon einmal voll, Nachschulung, Idiotentest, das volle Programm. Außerdem eine Verurteilung zu einer Geldstrafe wegen Beleidigung eines Beamten, der sie wegen zu schnellen Fahrens kontrolliert hat. Eine Schauspielkollegin hat die Lion in einem Interview mal als manipulierend und destruktiv dargestellt. Ein Regisseur weigerte sich sogar, mit ihr zu arbeiten.»

«Klingt ja nach einer richtig netten Frau», sagte Jens.

«Ich habe vorhin mit einer alten Bekannten telefoniert, die bei so einem Klatschblatt als Texterin arbeitet. Die bekommen da ja einiges mit. Sie sagt, die Lion hätte ihren Zenit überschritten, schon rein altersmäßig, und es sieht so aus, als würde sie über kurz oder lang aus der Serie geschmissen. Sie hat wohl große Probleme, mit den jungen Nachwuchsschauspielerinnen zu arbeiten, angeblich gibt es da immer wieder Streit. Soll sogar schon zu Handgreiflichkeiten gekommen sein.»

«Im Ernst?»

«Ja. So richtig fies mit An-den-Haaren-Ziehen und Einsatz der Fingernägel. Das sind Kleinigkeiten, die in der Branche die Runde machen und es ins Netz geschafft haben. Wenn man mit Insidern vom Set spricht, erfährt man sicher noch mehr.»

Rebecca lehnte sich zurück, streckte die Arme über den Kopf und dehnte und reckte sich.

«Ich sitze hier schon viel zu lange», sagte sie.

«Und ich weiß das zu schätzen, aber jetzt mach mal Feierabend. Ich bring dich nach Hause. Ich glaube, heute tut sich nichts mehr. Solange ten Damme sich nicht bewegt, bleibt uns nichts anderes übrig, als abzuwarten.»

«Wie lange wird die Baumgärtner die Observation genehmigen?», fragte Rebecca.

Jens zuckte mit den Schultern.

«Noch ein, zwei Tage, schätze ich. Jedenfalls den offiziellen Teil.»

Rebecca blickte ihn nachdenklich an.

«Die Sache mit diesem Freddy Förster ist gefährlich, finde ich.»

Jens nickte nur.

«Vertraust du ihm?»

«Eigentlich schon. Ich hoffe nur, er hat sich nicht zu einer Kamikazeaktion hinreißen lassen. Oder ist einfach mit dem Packraft verschwunden.»

«Bist du dir eigentlich sicher, dass ten Damme hinter alledem steckt?»

«Ja, bin ich. Wegen dieses Fotos, das Oliver Kienat gemacht hat.»

Er erzählte ihr von dem Gesicht hinter dem Steuer des weißen Kastenwagens, das nach Einschätzung von Linus Tietjen zu einem gutaussehenden Mann gehörte, einem Schauspieler vielleicht. Es waren genau solche Kleinigkeiten, die einen Fall auf die richtige Spur brachten, und wenn man dann noch bedachte, dass ten Damme Zugriff auf diesen Verlagstransporter hatte und Zimmer an junge, alleinstehende Frauen vermietete, war die Sache eigentlich klar.

«Mehr Beweise brauche ich nicht», sagte Jens.

«Da kommt gerade was rein …»

Rebecca beugte sich zum PC vor und rief den Mailaccount auf.

«Eine Vermisstenanzeige, aus Essen. Die Kollegen haben sie an uns weitergeschickt, weil die Frau sich möglicherweise in Hamburg aufhält. Ihr Name ist Vivien Voss.»

«Da ist sie endlich. Lenis Freundin!», rief Jens.

«Ich hab auch ein Foto hier.»

Jens kam um den Schreibtisch herum und beugte sich herunter.

Vivien Voss war eine Schönheit. Eine junge Frau mit einnehmendem Lächeln, die Selbstbewusstsein ausstrahlte. Genau wie Rosaria Leone und Jana Heigl.

«Vivien Voss», wiederholte Jens. Zum ersten Mal hörte er ihren vollen Namen.

Und plötzlich wusste er, was er bei dem Gespräch mit Ellen Lion übersehen hatte.

2.

Leni Fontane wusste, sie würde jetzt sterben.

Es gab keinen Ausweg.

Ellen Lion kroch unter Viviens leblosem Körper hervor und stieß ihn zur Seite

Vivien war tot. Dies war kein Irrtum, sie war nicht einfach nur bewusstlos, nein, Ellen Lion hatte sie vor Lenis Augen brutal erwürgt, hatte so lange mit ihrem Arm auf den Kehlkopf gedrückt, bis Vivien erstickt war.

Was nicht wahr sein durfte, was in Filme und Bücher gehörte, war direkt vor ihren Augen geschehen, gerade eben, und Leni spürte, wie sich in ihr etwas veränderte. Ein Teil von ihr war mit Vivien gestorben, aber das war es nicht allein, nein, sie spürte tief in sich den Wunsch, Ellen Lion zu töten, und so etwas hatte sie sich noch nie gewünscht. Nicht einmal bei ihrem Vater, wenn er Mama geschlagen oder wieder einmal versucht hatte, in ihr Zimmer zu gelangen.

Leni wollte Ellen Lion tot sehen.

Nur würde es wohl andersherum kommen, denn in dieser Frau tobte der Wahnsinn.

Sie taumelte, als sie auf die Füße kam, war sichtlich erschöpft von der immensen Anstrengung. Sie fuhr sich mit der Zunge über ihre vollen Lippen, und sie wischte sich mit dem Handrücken darüber, so als habe sie gerade Blut getrunken.

An der geöffneten Zellentür blieb sie stehen und hielt sich mit einer Hand daran fest. Ihr Blick war fest auf Leni gerichtet.

«Kannst du dir vorstellen, wie viel Energie es einem gibt, wenn man tötet?», fragte sie. «Wie erfüllend und bereichernd es ist?»

Leni war viel zu geschockt, um antworten zu können.

«Wir sind die wahren Privilegierten. Ihr anderen könnt uns nicht verstehen, aber bevor du stirbst, will ich wenigstens versuchen, dir die Augen zu öffnen, Leni Landei.»

Obwohl in ihrem Kopf Chaos herrschte, verstand Leni die letzten beiden Wörter sehr wohl. Und sie hatte nicht erwartet, sie aus dem Mund dieser Mörderin zu hören.

«Woher wissen Sie, dass Vivien mich so nannte?», fragte Leni.

«Wir wissen alles, was in der Eilenau 39b passiert. Wir haben unsere Augen und Ohren überall. Und jetzt siehst du, was dabei herauskommt, wenn man sich in unsere Angelegenheiten einmischt.»

Für Leni war das, als spräche ihre Mama. Wie oft hatte sie in ihrer Kindheit und Jugend diesen oder ähnliche Sätze gehört? Unzählige Male.

«Du musstest ja unbedingt die Polizei rufen, dabei ging es dich doch gar nichts an, wo Vivien sich herumtreibt.»

«Doch», sagte Leni, «es ging mich etwas an. Sie war meine Freundin.»

Ellen Lion lachte.

«Das bildest du dir ein. Und selbst wenn, was soll's. Jetzt stirbst du dafür, dass sie deine Freundin war.»

«Sie sind ein Monster», stieß Leni aus.

Ellen Lion starrte sie an. Ein wunderschönes Gesicht mit beeindruckenden Augen, die so kalt und gefühllos blickten wie die eines Fisches. Eine Hülle, in der der Teufel lebte, ohne dass die Menschen um sie herum etwas davon bemerkten. Vielleicht, weil sie sich längst daran gewöhnt hatten. Weil es so viele dieser Teufel gab, überall und zu jeder Zeit.

Beim Blick in diese Augen schloss Leni mit ihrem Leben ab, aber zu ihrem eigenen Erstaunen spürte sie keine Angst vor diesem Satan in der Hülle einer schönen Frau. Sie würde kämpfen wie eine Löwin, und sei es nur, um Vivien zu rächen.

«Du bist wirklich ein naives, dummes Landei», sagte Ellen Lion. «Und jetzt stirbst du.»

«Dann komm doch zu mir rein und versuch es.»

Leni wunderte sich über ihre eigene Kaltblütigkeit. Und die war nicht einmal vorgetäuscht. Sie war tatsächlich ganz ruhig und wappnete sich für einen Kampf auf Leben und Tod. Denn es gab nur eine einzige, minimale Chance, hier lebend herauszukommen: Sie musste gewinnen, musste töten. Und sie konnte es schaffen, das wusste sie.

Ellen Lion lächelte und schüttelte den Kopf.

«Ich komme nicht zu dir rein. Diesen Teil übernimmt mein Geliebter. Wir teilen alles, musst du wissen. Und da er noch ein wenig unsicher ist in diesen Dingen, bist du das perfekte Opfer für ihn. Ich hätte dich nie für ihn ausgesucht. Du hättest unbehelligt wieder ausziehen und deiner Wege gehen können, denn mein Geliebter kann an dir nicht wachsen. Und er braucht nur Frauen, an denen er wachsen kann. Es ist ganz allein deine Schuld, dass es so kommen musste. Vergiss das nicht, wenn du gleich stirbst.»

«Wer ist Ihr Geliebter? Hendrik ten Damme?»

Leni musste es einfach wissen.

Ellen Lion lachte spöttisch auf.

«Dieser eitle Geck? Der ist nichts weiter als die hübsche Ablenkung, auf die jeder hereinfällt.»

«Dann ist es Seekamp, dieses miese Schwein.»

Ellen Lions Blick verdüsterte sich.

Sie wollte etwas sagen, doch plötzlich dröhnte ein Knall durch das unterirdische Verlies.

Ein Schuss.

3.

Aus diesem verdammten Gummiboot wieder herauszukommen, war sogar noch schwieriger, als hineinzukommen, und Freddy gab abermals keine gute Figur ab, als er sich an der alten, bröckelnden Kaimauer emporhangelte. Zumindest aber blieb er diesmal trocken.

Oben angekommen, sah er sich um.

Unter dem alten backsteinernen Gebäude am Uhlenhorster Kanal hatte man eine Art Wassergarage gebaut, die mehrere Meter tief hineinführte. Freddy wusste, dass auf den Hamburger Kanälen früher kleine Transportboote Waren vom Hafen bis an die Häuser der Händler transportiert hatten, hatte aber geglaubt, dass die Reste davon nur noch in der Speicherstadt zu sehen waren.

Der Kai, der anderthalb Meter über dem Kanal lag, führte an dem gewaltigen Fundament des Hauses entlang. Hier unten roch es nach Brackwasser und Algen, und überall war zu sehen, wie das Gebäude verfiel. Putz bröckelte, Ziegelsteine waren herausgebrochen, an Stahlträgern, die nachträglich zur Stabilisierung eingebaut worden waren, nagte der Rost. Ein gewaltiger alter Eichenbalken, schwarz und löchrig, trug einen rostbraunen Eisenhaken, an dem früher sicher ein Kran befestigt gewesen war, um Waren vom Boot in den Speicher des Hauses zu hieven.

Am Ende des Kais befand sich eine Tür. Sie war aus Metall und sah neu aus.

Freddy ging hinüber, lauschte einen Moment und probierte die Klinke aus.

Zu seiner Überraschung ließ sich die Tür öffnen.

Mit der Klinke in der Hand zögerte Freddy. Er konnte zurück in das Boot steigen, irgendwo anders anlanden, sich ein Telefon suchen und dem Kommissar Bescheid geben. Jetzt, wo er das Versteck von ten Damme kannte, war der Rest dann ja wohl nur noch ein Kinderspiel.

Aber reichte die Zeit dafür? Oder setzte er mit seiner Feigheit – und nichts anderes wäre es – Lenis Leben aufs Spiel?

Freddy wollte nicht feige sein.

Also zog er die Tür auf. Dahinter lag ein breiter, aber niedriger Gang. Zwei einzelne Lampen mit nackten Glühlampen spendeten diffuses Licht. Der Betonboden war in der Mitte ausgetreten.

Freddy schloss leise die Tür hinter sich und schlich den Gang entlang. Er führte geradewegs auf eine weitere Tür zu, die aus altem Eichenholz gefertigt und mit massiven, schmiedeeisernen Beschlägen versehen war. Eine Tür, gemacht für Jahrhunderte.

Freddy blieb davor stehen, legte seine Hand ans Holz und lauschte.

Wieso ist ten Damme so unvorsichtig, fragte er sich. Er weiß doch, dass die Polizei hinter ihm her ist. Warum schließt er die Tür nicht ab?

Wahrscheinlich, weil er in seiner geldgetränkten Arroganz davon ausgeht, die Polizei abgehängt zu haben – und das sollte er ja auch. Kerners Plan war aufgegangen: Ten Damme hatte Freddy nicht bemerkt, und das würde ihm jetzt zum Verhängnis werden.

Die schwere Tür ließ sich erstaunlich leicht und leise öffnen. Nichts quietschte oder knarrte. Die Scharniere waren dick mit Fett eingestrichen. Da wollte jemand sichergehen, nicht gehört zu werden.

Hinter der Tür bot sich Freddy ein erstaunliches Bild. Erst hier befand sich die wirkliche Wassergarage unter dem Haus. Der Kanal lag eingezwängt zwischen zwei Kaimauern, darüber hing eine niedrige Gewölbedecke. Ein enger, beklemmender Raum, in dem in längst vergangener Zeit vielleicht die Boote der Händler den Winter verbracht hatten oder gewartet worden waren.

Es war niemand zu sehen, also schlich Freddy weiter.

Er hätte gern eine Waffe gehabt. Ohne irgendetwas in der Hand fühlte er sich ungeschützt und verletzlich, aber hier lag nichts herum – außer ein paar Rollen Kaninchendraht. Noch so verpackt, wie man ihn im Baumarkt bekam. Freddy erinnerte sich, was Kommissar Kerner über die Italienerin gesagt hatte, die man bei Baggerarbeiten im Kanal gefunden hatte.

Es lief ihm kalt den Rücken herunter, und auch die letzten Zweifel verflogen.

«Guten Abend», tönte es plötzlich aus allen Richtungen.

Freddy fuhr herum. Er konnte den Sprecher nicht ausmachen, das Gewölbe verzerrte den Schall, warf ihn hin und her und wieder zurück.

«Je später die Stunde, desto ungebetener die Gäste.»

Freddy hatte ten Damme nie sprechen hören, er kannte dessen Stimme nicht, aber diese hier kam ihm dennoch bekannt vor. Er wusste nur nicht, woher.

«Freddy, nehme ich an», sagte die Stimme. «Der neugierige Penner. Wissen Sie eigentlich, wie viel Lärm Sie auf dem Wasser machen?»

«Zeig dich», rief Freddy, und seine eigene Stimme hallte in dem Gewölbe wider.

«In diesem Moment ist eine Waffe auf Sie gerichtet. Bitte fragen Sie sich nicht, ob ich sie benutzen werde. Sie wissen, ich tue es. Sie haben es gesehen. Bei dem jungen Mann im Auto. Zum falschen Zeitpunkt am falschen Ort, würde ich sagen. Pech, dass Sie dazu auch noch so überaus neugierig sind.»

«Die Polizei ist auf dem Weg hierher. Geben Sie auf!»

Freddy drehte sich im Kreis, wusste aber immer noch nicht, wo sich der Sprecher aufhielt. In diesem Gewölbe gab es viele dunkle Nischen und Ecken, Mauervorsprünge und Abseiten.

«Ist sie nicht. Die Polizei tut, was sie tun soll. Sie bewacht Hendrik ten Damme. Wir haben also alle Zeit der Welt, unsere Dinge zu regeln.»

«Sie sind nicht ten Damme?»

«Da sehen Sie, wie gut unsere Tarnung funktioniert. Wir haben einen Bauern ins Spiel gebracht, ihn gut positioniert, durch Läufer und Türme gedeckt und damit den König und die Königin nahezu unsichtbar werden lassen.»

«Blödsinn», rief Freddy. «Sie sind aufgeflogen.»

«Ist das so?»

Plötzlich klang die Stimme anders, nicht mehr so verzerrt. Der Sprecher hatte sich bewegt und näherte sich Freddy. Aber von woher? Wo steckte der Mann?

Freddy sah ihn nicht, und als er ihn spürte, war es zu spät. Plötzlich stand er hinter ihm, so nah, dass er ihm den Lauf der Waffe an den Schädel drücken konnte.

Freddy erstarrte.

«Und selbst wenn die Polizei unterwegs sein sollte, für Sie kommt jede Hilfe zu spät.»

Aus großer Nähe klang die Stimme richtiggehend angenehm.

«Na, wer bin ich? Ah-ah … nicht umdrehen, das wäre zu einfach. Strengen Sie Ihren Verstand an. Sie müssen doch eine Ahnung haben.»

«Der Verlagschef», sagte Freddy, der endlich wusste, woher er die Stimme kannte. Dieser widerliche Kerl, der Leni begrapscht und Freddy an der Tür abgekanzelt hatte.

Scheiße! Warum war er nicht früher darauf gekommen?

«Sie sind ein kluges Köpfchen», sagte der Mann, ohne den Druck der Waffe von Freddys Schädel zu nehmen. «Aber letztendlich entbehrlich. Gute Reise, Herr Förster!»

Freddy konnte spüren, wie sich der Finger des Mannes um den Abzug krümmte. In weniger als einer Sekunde würde es vorbei sein, sein Leben, das sich so beschissen entwickelt hatte, an dem er aber trotzdem hing. Sterben war für Freddy nie eine Option gewesen, nicht während einer einzigen Nacht auf der Straße. Das hätte Aufgeben bedeutet, und Aufgeben kam für ihn nicht in Frage.

Bilder schossen in Bruchteilen einer Sekunde an Freddys innerem Auge vorbei. Er sah Silke und Leon auf einem Spielplatz. Sah Silke im Krankenbett, kurz nach der Geburt, sah seinen Sohn in ein weißes Tuch gehüllt im Arm seiner Mutter …

Im selben Bruchteil der Sekunde reagierte Freddy. Ließ sich fallen, drehte sich und schlug nach dem Mann hinter ihm. Der

Schuss löste sich direkt neben seinem rechten Ohr und riss es ihm vom Kopf. Die Welt verschwand im Lärm, ein grässlich hoher Ton hallte durch Freddys Schädel und vertrieb alles andere. Den Schmerz nahm er nicht einmal richtig wahr, nur diesen durchdringenden Ton.

Warmes Blut lief an seiner rechten Gesichtshälfte herab, aber das war egal.

Freddy schlug nach dem Mann, traf ihn, und sie gingen zu Boden. In der Dunkelheit und im Tumult sah Freddy nichts, also prügelte er einfach drauflos, es war ein wildes Schlagen und Treten wie bei kleinen Jungen, die sich auf dem Schulhof rauften.

Er traf, steckte ein, und als ihn die harte Griffschale der Waffe an der Schläfe erwischte, taumelte Freddy, konnte den nächsten Schlag aber abwehren, ließ sich mit seinem gesamten Gewicht auf den unter ihm liegenden Mann fallen und drückte die Waffenhand zur Seite. Ein Knie traf Freddy im Bauch, Ellenbogen und Fäuste an den Seiten, aber Freddy gab nicht auf, kämpfte weiter und landete einen Schlag, mit dem sich alles änderte.

Der Mann unter ihm hörte plötzlich auf, sich zu wehren.

Freddy rollte sich von ihm weg, tastete nach der Waffe und fand sie links von sich neben der Hand des Killers.

Bevor er jedoch danach greifen konnte, traf ihn ein harter Gegenstand im Nacken und setzte ihn außer Gefecht.

4.

Sie konnte den Namen nicht kennen, wenn sie unschuldig war!

Ellen Lion konnte auf gar keinen Fall wissen, dass das geheimnisvolle vermisste Mädchen, die neue Freundin von Leni Fontane, Vivien hieß.

Das war Jens klargeworden, als Rebecca zum ersten Mal Viviens Nachnamen erwähnt hatte.

Waren ten Damme und die Lion Komplizen? Immerhin waren sie ein Liebespaar, so unwahrscheinlich war das also nicht. Jens war den beiden auf den Leim gegangen. Nicht er hatte ten Damme verarscht, sondern der ihn.

Herrgott noch mal, wie hatte er nur so dumm sein können!

Leni Fontane und Vivien Voss waren keinesfalls außer Gefahr, nur weil ten Damme auf seinem Hausboot in Gammelklamotten Whiskey trank.

Ten Damme war der Lockvogel, auf den alle starrten, während im Hintergrund Ellen Lion hektisch die Spuren verwischte.

Zum zweiten Mal an diesem Abend holte Jens alles aus seiner Red Lady heraus, und er ahnte, dass eine Politur als Entschuldigung für diese Strapazen nicht mehr ausreichen würde.

Fünfzehn Minuten nach seiner Erleuchtung erreichte er das Hamburger Weinkontor am Uhlenhorster Kanal.

Als Jens ausstieg, hörte er ein leises Geräusch, gedämpft und irgendwie weit weg, aber er glaubte, es sei ein Schuss gewesen.

5.

Ellen Lion war fort.

Sekunden nach dem Schuss war sie zu der Holztür gelaufen und hindurchgestürzt. Da die massive Tür zugefallen war, wusste Leni nicht, was auf der anderen Seite passierte.

War die Polizei da?

Leni schöpfte neue Hoffnung, war gleichzeitig aber auch unendlich traurig. Ihre Freundin Vivien lag drüben in der Zelle am Boden, ihr Gesicht Leni zugewandt, und schaute sie aus gebrochenen Augen an. Sie hatte sich für Leni geopfert, hatte Ellen Lions Wut auf sich gezogen, sonst wäre die Schauspielerin zuerst zu Leni in die Zelle gekommen.

Wenn sie gerettet werden würde, müsste sie diese Schuld für den Rest ihres Lebens tragen.

Vielleicht ist es doch besser zu sterben, dachte Leni.

Lärm an der Tür riss sie aus ihren Gedanken.

Die Tür flog auf, und ein Mann schob sich mit dem Gesäß voran ins Verlies. Er zog einen Körper an den Füßen hinter sich her.

Ellen Lion folgte dem Mann und schloss die Tür hinter sich. Der Mann zog den Körper weiter ins Verlies, und als er in die Nähe der Lampen kam, erkannte Leni, wer da bewusstlos über den staubigen Boden gezogen wurde.

Frederic Förster.

Sein Gesicht war blutüberströmt.

Sie wollte schreien, doch die Angst schnürte ihr die Kehle zu.

Keine Polizei, keine Rettung, stattdessen ein weiteres Opfer. Jemand, der Leni zu Hilfe eilen wollte.

Der Mann ließ die Füße fallen. Noch stand er mit dem Rücken zu Leni.

«Ist er tot?», fragte Ellen Lion.

«Ich weiß es nicht.» Die Stimme des Mannes klang weinerlich. «Das läuft hier alles aus dem Ruder. Wir sollten abhauen.»

«Hör auf, sag das nicht.»

Sie ging zu ihm, stieg dabei achtlos über den leblosen Körper hinweg, legte ihm eine Hand an die Wange, streichelte ihn sanft. «Wir beide schaffen doch alles zusammen, nicht wahr!»

Er schüttelte verzweifelt den Kopf, und sie nahm sein Gesicht zwischen ihre Hände. Leni sah, dass sie in der rechten Hand eine Waffe hielt, die jetzt seitlich am Kopf des Mannes lag.

«Doch, wir schaffen das, wie alles andere auch. Weil wir eins sind, weil wir besonders sind, daran musst du immer glauben, hörst du. Solange wir uns lieben, kann niemand uns etwas anhaben.»

«Aber jetzt wissen die, wo wir sind», wandte der Mann ein.

Ellen Lion schüttelte den Kopf.

«Er weiß es», sagte sie und zeigte mit der Waffe auf Frederic. «Und er nimmt sein Wissen mit ins Grab.»

Sie drückte ab. Einfach so, als bedeute es gar nichts.

Doch die Waffe klackte nur.

Sie drückte noch mal ab, und sie klackte wieder.

«Ich hätte doch besser eine anständige besorgen sollen», sagte die Lion. «Okay, es muss jetzt schnell gehen. Die Kleine da muss noch umgelegt werden, und dann verpacken wir die drei in Kaninchendraht. In spätestens einer Stunde liegen sie am Grund eines Kanals, und niemand wird sie je finden.»

Der Mann reagierte nicht. Er starrte Frederic an.

«Hörst du!», fuhr Ellen Lion ihn an und schlug ihm mit der flachen Hand ins Gesicht. «Ich brauche einen starken Mann, keinen Waschlappen. Denk dran, was du bereits getan hast, was ich dich gelehrt habe, wie du gewachsen bist an diesen starken Frauen. Du hast sie getötet, mit deinen eigenen Händen. Du bist stark, hörst du!»

Sie war immer lauter geworden. Endlich erwachte der Mann aus seiner Starre.

«Ich bin stark», wiederholte er und sah seine Geliebte an. «Für dich bin ich stark.»

Sie küssten sich leidenschaftlich, dabei lag die Waffe erneut am Kopf des Mannes.

«So liebe ich dich, so brauche ich dich», sagte die Lion leise, und es klang so viel aufrichtige Liebe in ihrer Stimme, dass es Leni kalt den Rücken herunterlief.

«Und jetzt töte die Kleine.»

Sie zeigte mit der Waffe auf Leni. Er wollte sie ihr abnehmen, doch sie schüttelte den Kopf.

«Nein, mit deinen Händen, so wie sonst auch. Mit deinen Händen, mit denen du mich berührst und liebkost, mich befriedigst, mit diesen Händen sollst du sie töten. Tust du das für mich, mein Geliebter?»

Sie küssten sich noch einmal, dann kam der Mann auf Leni zu.

Und endlich erkannte sie ihn.

Der Schock hätte nicht größer sein können.

6.

«Es tut mir leid, mein Schatz.»

Die Fenster waren zu klein, um hindurchsteigen zu können, die Tür zu massiv, um sie mit der Schulter oder Schüssen auf das Schloss aufzubekommen, er hatte also keine Wahl, es sei denn, er wollte auf die Kavallerie warten. Und nachdem er den Schuss gehört hatte, wollte Jens das nicht.

Also knüppelte er den Rückwärtsgang rein und gab Vollgas. Am Heck, wo die Anhängerkupplung an einem massiven Stahlträger saß, war die Red Lady am stabilsten, dort würden die Schäden am geringsten sein.

Und dennoch … er würde sie verletzen!

Jens klammerte sich ans Lenkrad und wappnete sich für den Aufprall. Da er nicht auf die Bremse stieg, das Gaspedal aber voll durchtrat, war er heftig, presste ihn erst in den Sitz und schleuderte ihn dann nach vorn in den Gurt.

Mit schmerzendem Nacken taumelte Jens aus dem Wagen, der schräg mit dem Heck in der Ladentür des Hamburger Weinkontors stand. Die Tür war nach innen gedrückt, zusammen mit einem Stück des Mauerwerks.

Dafür werden sie mich wieder Dirty Harry nennen, dachte Jens.

Scheißegal, es ging nicht anders.

Er zog seine Dienstwaffe, die sich nach langer Zeit endlich wieder gut anfühlte in seiner Hand, quetschte sich an seiner Lady vorbei und stieg über die schräg daliegende, teilweise zersplitterte Eingangstür hinweg in den Laden.

Darin brannte noch die schummrige Beleuchtung der Weinregale. Die Ecken blieben im Dunkeln, ein Angriff konnte von überall kommen, dementsprechend vorsichtig bewegte sich Jens voran und sicherte in alle Richtungen.

Ohne Frage hatten die Bewohner den Aufprall bemerkt.

Sie wussten, er kam.

7.

Alles Wehren nützte nichts, er war zu stark.

Leni hatte nach ihm getreten und geschlagen, ihn bespuckt, geschrien und getobt und war dennoch unterlegen. Mit gezielten Schlägen hatte er sie in die Ecke der Zelle getrieben, es gab keine Fluchtmöglichkeit mehr. Leni fühlte sich betäubt, es fiel ihr schwer, sich auf den Beinen zu halten, seine Schläge gegen ihren Kopf waren hart gewesen. Sie blutete aus der Nase und aus dem Mund.

Am Eingang der Zelle stand Ellen Lion und feuerte ihren Geliebten an. Trieb ihn voran wie ein Boxtrainer seinen Schützling und freute sich über jeden Schlag, der traf.

Es war merkwürdig, aber Leni empfand Mitleid mit dem Mann. Sie spürte sein Zögern und Zaudern, seinen Widerwillen gegen das, was er tun musste. Das wahre Böse stand an der Zellentür, vor sich hatte Leni nur seine Marionette.

Und die schlug ihr in den Magen.

Leni blieb die Luft weg, und sie sackte zu Boden.

Schnell war er über ihr, setzte sich auf ihren Bauch, drückte sie mit seinem Gewicht hinunter und legte seine Hände um ihren Hals.

Er sah ihr in die Augen, während er sie tötete, denn Ellen Lion verlangte es von ihm.

«Du musst sie ansehen, hörst du! Schau dabei zu, wie das Leben aus ihrem Körper weicht, dadurch wirst du stark!»

Plötzlich ein gewaltiger Lärm, der das Gewölbe erzittern ließ. Seine Hände lösten sich von Lenis Hals.

«Was war das?»

Er blieb auf ihr sitzen, wandte aber den Kopf ab, sah zu seiner Geliebten, die zur Decke hinaufstarrte.

«Ich weiß nicht …»

Leni hustete und rang nach Luft.

«Das kam von oben.»

«Die Polizei!», stieß der Mann aus. «Ich wusste es doch.» Seine weinerliche Stimme war zurück.

«Bring es zu Ende!», fuhr Ellen Lion ihn an. «Und dann hauen wir ab, aber wir dürfen keine Zeugen hinterlassen.»

Einen Moment zögerte er noch, dann drückten seine Hände wieder zu, und Leni bekam keine Luft.

«Na, los doch, mach schon. Schneller!», rief die Lion.

Das war das Letzte, was Leni hörte.

8.

Erschöpft krabbelte er von dem leblosen Körper hinüber zu seiner Geliebten.

Warum zielte sie mit der Waffe auf ihn?

«Was … was soll das?», fragte er.

Sie lächelte warm und herzlich.

«Es gibt nur diesen Weg, um für immer zusammenzubleiben», sagte sie und drückte ab.

Die Waffe klackte zweimal, und er stand mit hängenden Schultern einfach nur da. Beim dritten Mal löste sich ein Schuss und traf ihn genau zwischen die Augen. Er war sofort tot, kippte hintenüber und blieb mit dem Kopf zwischen Leni Fontanes Beinen liegen.

Katrin Kleinschmidt ging zu ihm, küsste ihn ein letztes Mal, wischte den Griff der Waffe an seiner Kleidung ab und legte sie ihm in die Hand.

9.

Jens war verschwitzt und außer Atem.

Er hatte es versucht, aber es gab keinen Weg in den Keller des Hauses. Jens wusste, er musste dorthin, denn von dort hatte er den Schuss gehört, und wenn es eine Verbindung zum Kanal gab, dann sicher im Keller. Zwei Türen hatte Jens aufgebrochen, war aber nicht weitergekommen als bis in einen Lagerraum, aus dem es keinen Ausgang gab.

Also war er hinausgelaufen, an seiner schwerverletzten Red Lady vorbei, und hatte sich einen Weg außen entlang hinunter zum Kanal gesucht.

Da lag das Kanu aus der Eilenau Nummer 39b.

Und Rebeccas Packraft.

Freddy Förster war hier!

Jetzt gab es keinerlei Zweifel mehr.

Die nächste Tür fand Jens offen vor. Er stürmte durch den

Gang dahinter, dann durch eine weitere Tür und fand sich in einer Keller-Anlegestelle wieder, die einen Zugang zum Kanal hatte.

Er versuchte, sich zu orientieren, was in der Dunkelheit aber schwierig war.

Gerade als er eine weitere Tür entdeckte, sprang diese auf, und Ellen Lion kam heraus.

Sie wirkte verletzt, abgekämpft, desorientiert.

«Stehen bleiben», schrie Jens und nahm die Schauspielerin ins Visier.

Er konnte nicht fassen, schon wieder auf einen Menschen anlegen zu müssen.

Die Lion taumelte auf ihn zu und schien nicht zu begreifen, was um sie herum geschah.

«Hilfe … bitte, helfen Sie mir …», stammelte sie.

Bevor Jens handeln konnte, tauchte jemand hinter Ellen Lion auf.

Ein großer Mann mit blutverschmiertem Gesicht, der sich kaum auf den Beinen halten konnte.

Jens richtete die Waffe auf ihn und krümmte den Finger am Abzug, zog ihn aber nicht durch.

«Nicht schießen, ich bin's», sagte Freddy Förster leise, und nur weil es so still war in dem Gewölbe, konnte Jens ihn überhaupt verstehen.

Die Lion schnellte zu ihm herum.

Freddy Förster holte weit aus und schlug ihr mit einer Wasserschüssel ins Gesicht.

Sie verdrehte die Augen und ging zu Boden. Der Schwung seines Schlages ließ den geschwächten Freddy nach vorn taumeln, sodass er auf die Lion fiel.

Jens legte der bewusstlosen Schauspielerin Handschellen an.

«Was ist passiert?», fragte er Freddy, der schwer atmend dalag und wirklich fürchterlich aussah.

Großer Gott, ihm fehlte ein Ohr!

«Da drinnen liegt der Weinhändler, bei dem ich früher Wein gekauft habe, als ich noch ein Leben hatte. Ich glaube, er hat Leni getötet ... und auch die anderen Mädchen.»

«Edgar Kleinschmidt?»

Freddy nickte. «So heißt er. Schnell ... schau nach Leni ... sie ist auch da drin ... ich ... ich komme nicht mehr hoch ...»

Seine Lider flatterten.

Jens drückte seine Schulter.

«Halt durch. Hilfe ist unterwegs ... und du hast immer noch ein Leben, das auf dich wartet. Glaub mir, mein Guter.»

Dann ließ er ihn liegen und lief in das Verlies. Dort bot sich Jens ein Bild des Grauens.

10.

«Die vierte Etage des Hauses gehört ten Damme, aber er hatte mit alledem nichts zu tun», sagte Jens. «Die Lion hielt ihn sich als Geliebten oder, besser, als Alibi. Sie hat sich bisher nicht dazu geäußert, aber ich denke, sie und ihr Mann hatten einkalkuliert, ten Damme als Täter hinzustellen, falls sie auffliegen sollten. Katrin und Edgar Kleinschmidt gehört die dritte Etage des Hauses in der Eilenau Nummer 39b. Sie hatten sich dort einen Zugang zu dem Lastenaufzug verschafft, wahrscheinlich, während sie die Wohnung renovierten.

In den Rauchmeldern der Zimmer, die ten Damme vermietete, waren Kameras und Mikrophone versteckt. Die Überwachung erfolgte über einen Rechner in der Wohnung der Kleinschmidts sowie einen weiteren im Weinladen. Die beiden hatten jederzeit Zugang zu den Zimmern und hätten ihr Equipment schnell entfernen können.» Jens schüttelte den Kopf. «Die haben das alles ganz genau geplant und ausgetüftelt, bevor sie mit Rosaria Leone ihr erstes Opfer töteten.»

«War Rosaria wirklich die Erste?», fragte Leni heiser.

Jens zuckte mit den Schultern.

«Wissen wir nicht. Vielleicht kriegen wir es niemals heraus. Katrin Kleinschmidt schweigt eisern.»

Leni erinnerte sich an das streitende Pärchen in ihrer ersten Nacht in der Villa in der Eilenau. Sie hatte die beiden gehört, aber nicht gesehen. Waren das die Kleinschmidts gewesen? Sie hatte mit ihnen unter einem Dach gelebt, so wie Vivien auch.

Wenn sie an Vivien dachte, zog sich ihr die Kehle zu. «Und warum das alles?», fragte sie stockend.

Wieder zuckte Jens mit den Schultern.

«Auch dazu schweigt sie. Sie behauptet weiterhin, ihr Mann sei der alleinige Täter.»

Leni nickte gedankenverloren. Ihr ging so einiges durch den Kopf, aber sie konnte nicht darüber sprechen, weil ihr Hals noch immer viel zu sehr weh tat. Sie hatte unglaubliches Glück gehabt, das wusste sie. Edgar Kleinschmidt, der Weinhändler, den sie damals so sympathisch gefunden hatte, als er ihr von seinen Weinen vorschwärmte, hatte in der Hektik da unten im Verlies die Sache nicht richtig zu Ende gebracht. Leni hatte sich bewusstlos gestellt, und sofort waren seine Hände von ihrem Hals verschwunden.

Sie hatte beobachtet, was dann passiert war, wie die Schauspielerin ihren Mann eiskalt erschoss und er nicht einmal den

Versuch unternahm, sich zu wehren. Er hatte sich hinrichten lassen, weil er geglaubt hatte, dass sie ihm in den Tod folgen würde – was sie aber nicht getan hatte.

Edgar Kleinschmidt war dieser Frau hörig gewesen, sie hatte ihn manipuliert, hatte ihn zu einem anderen Mann umformen wollen, der für sie junge, hübsche, selbstbewusste Frauen tötete. Nach dem, was Leni von Kommissar Kerner erfahren hatte, hatte sie einen Hass auf junge Frauen entwickelt, die ihr aus ihrer Sicht die Karriere zerstörten.

So jedenfalls schien es.

Aber Leni wusste, da war noch mehr. Die aufrichtige Liebe zwischen dem Ehepaar Kleinschmidt war nicht gespielt, und Edgar Kleinschmidt war mehr gewesen als ein reiner Erfüllungsgehilfe. Vielleicht hatte die Lion tatsächlich ihren Traummann gefunden, irgendwann aber doch Fehler an ihm festgestellt und sich entschlossen, sie zu beheben, statt sich erneut scheiden zu lassen. Edgars Persönlichkeit hatte dies zugelassen, er war der Typ Mann gewesen, der sich manipulieren ließ.

«Ich habe ein Geschenk mitgebracht», sagte Kommissar Kerner, beendete damit die bedrückende Stille, griff in die Plastiktüte, die er mit ins Krankenhaus gebracht hatte, und holte es hervor.

«Ein Buch?» Leni war überrascht.

«Von Hendrik ten Damme. Tolstoi. ‹Krieg und Frieden›. Er sagt, es sei eine sehr frühe, wertvolle Ausgabe.»

Leni nahm den Wälzer entgegen. Er fühlte sich tatsächlich alt an.

«Ten Damme wollte nach Ihnen schauen, aber ich wollte mich erst vergewissern, ob es Ihnen recht ist.»

«Ich weiß nicht …»

«Sie müssen nicht mit ihm reden, aber ich glaube, er hat ein schlechtes Gewissen und will sich entschuldigen.»

«Wofür?»

«Weil es tatsächlich er war, den Vivien mit Bootsmann gemeint hat. Sie war bei ihm auf dem Hausboot in jener Nacht, aber wohl nur kurz, bevor er sie zurück auf ihr Zimmer geschickt hat – sie war ihm zu aufdringlich. Ten Damme glaubt, sie würde noch leben, wenn er anders gehandelt hätte.»

«Ich überleg es mir», krächzte Leni.

«Ich habe noch ein Geschenk mitgebracht.»

Jens zog ein gefaltetes Kärtchen aus weißem Karton hervor und reichte es ihr.

Leni klappte es auf.

Liebes Fräulein Fontane, was halten Sie von einer Festanstellung als Lektorin in unserem Haus?, stand dort handschriftlich. Darunter die schwungvolle Unterschrift von Horst Seekamp.

«Seekamp hat ebenfalls ein schlechtes Gewissen. Er hat die Beziehung zwischen ten Damme und der Lion ja gedeckt und Sie in dessen Wohnung vermittelt.»

Leni starrte die Karte an. Tausend Gedanken schossen ihr durch den Kopf.

«Und Frederic?», fragte sie.

«Liegt eine Etage tiefer. Seine Exfrau und sein Sohn sind bei ihm. Ich glaube, für ihn fängt gerade ein neues Leben an.»

Für mich auch, sagte sich Leni, zerknüllte das Kärtchen mit dem Jobangebot und warf es in den Mülleimer.

Kommissar Kerner grinste.

«Leni Landei, ich bin stolz auf Sie.»

11.

«Glaubst du, sie wird wieder?», fragte Rebecca sanft.

Jens ließ sich auf den Rand eines Betonpollers sinken. Der Anblick, der sich ihm bot, raubte ihm die Kraft.

«Bei den vielen Opfern, die dieser Fall gefordert hat, sollte das unsere geringste Sorge sein», sagte er.

Rebecca sah zu ihm hinüber.

«Ist es aber nicht, oder?»

Jens schüttelte den Kopf.

«Nein, ist es nicht.»

Natürlich dachte er an die toten Mädchen und das Grauen, das sie in dem Verlies erlebt hatten. Und doch hatte auch er ein Opfer gebracht, um diesen Fall lösen zu können.

Noch immer schwer gezeichnet, stand seine Red Lady auf dem Parkplatz einer Autowerkstatt. Ihr schönes rundes Heck war eingedrückt, die Rücklichter zerstört, die Laderaumklappe ließ sich nicht öffnen. Vielleicht war durch den harten Aufprall sogar der Rahmen verzogen, dann würde die Reparatur teuer werden, zu teuer.

«Du lässt sie doch reparieren», sagte Rebecca, als könne sie seine Gedanken lesen.

«Ich muss. Ohne meine Red Lady kann ich keine neuen Fälle lösen.» Die Andeutung eines Lächelns erschien auf seinem Gesicht.

Rebecca stieß ihm ihren Ellenbogen gegen die Hüfte.

«Und was ist mit mir?»

«Was soll mit dir sein?»

«Wenn ich mich richtig erinnere, war ich an der Lösung des

Falles nicht ganz unbeteiligt. Ohne mich bist du aufgeschmissen.»

«Tja, es scheint so, als sei ich auf Frauen angewiesen, die sich auf Rädern fortbewegen.»

«Bist du. Und jetzt will ich meine Belohnung.»

Rebecca drehte den Rollstuhl herum und rollte in Richtung Straße davon.

Jens folgte ihr lächelnd.

ENDE

Weitere Titel von Andreas Winkelmann